Chapitre 1

Un Quest ne doit faire confiance à personne. Sauf à un autre Quest.

Donc, quand un Quest (en l'occurrence Maman Quest) me demanda de me contorsionner comme un rouleau de réglisse pour entrer dans un buffet si exigu qu'il serait illégal d'en faire une niche à chihuahua, je lui fis confiance. Elle avait forcément une bonne raison de m'infliger une chose pareille. En tout cas, ce que je m'apprêtais à voler en valait sûrement la peine.

Une personne normale n'aurait plus senti ses jambes depuis longtemps. Il fallait croire que les séances intenses d'assouplissements imposées par Maman n'étaient pas si inutiles que ça.

Cela faisait près de trois heures que j'étais coincée là, dans une aile perdue du manoir, à scroller sur mon faux compte Insta. Ces derniers mois, j'étais devenue tellement accro aux profils dédiés à la vie sur les campus que je ne regardais même plus de séries coréennes sur Netflix.

Je dus arrêter à minuit ; il ne me restait plus que vingt pour cent de batterie. Maman l'avait pourtant précisé : je ne devais pas utiliser mon téléphone sans raison. Si je ratais son texto, j'étais foutue. Alors je me contentai de me tapoter la cuisse du bout de mes doigts gantés. Soudain, mon écran s'alluma. Une notification.

À : Rosalyn Quest, invitation au Trophée

Ce n'était pas le message de Maman. Un e-mail ? Enfin une réponse de l'un des stages de gym auxquels j'avais postulé ? Ou du club de pom-pom girls ? Quelques jours plus tôt, au milieu de la nuit, j'avais écrit à tout un tas de facs pour tenter d'intégrer les cursus qu'elles proposaient pendant l'été. Ces derniers temps, je me sentais plus seule que jamais, et la perspective de passer plusieurs semaines dans l'effervescence d'un campus avec d'autres ados de mon âge m'avait semblé très alléchante. Mais les responsables ne s'étaient peut-être pas laissé berner par les relevés de notes bidon que j'avais bidouillés fiévreusement.

Alors que j'allais ouvrir le message pour en savoir plus, une nouvelle notification apparut. Cette fois, c'était Maman. À croire qu'elle me donnait une tape virtuelle sur la main pour me détourner de cette distraction.

À toi de jouer.

L'e-mail attendrait.

J'entrouvris le buffet en prenant soin de soulever légèrement la porte pour empêcher les charnières de grincer. Un truc tout bête, que j'avais appris avant même d'être en âge d'écrire mon prénom. Je risquai un œil à l'extérieur.

Le couloir était désert. D'après les repérages de Maman, il n'y avait jamais personne dans cette partie du manoir ; l'équipe de domestiques qu'elle avait infiltrée passait le plus clair de son temps à astiquer les vases des appartements privés situés dans l'autre aile du bâtiment. Cette zone était la moins surveillée.

Je passai comme une ombre devant des chambres aux lits à baldaquin faits au carré, aux bibliothèques épurées et aux tables de nuit nues. Le silence absolu avait quelque chose d'inquiétant, mais j'étais habituée aux maisons désertes. Il m'aurait suffi de fermer les yeux quelques secondes pour me croire chez moi, à Andros.

Grâce aux plans que j'avais mémorisés, je pus rejoindre un salon au premier étage, où une commode recouverte de cadres photo attira mon attention. Dans les autres pièces, il n'y avait rien de si… personnel.

J'attrapai l'un des cadres. Un groupe d'étudiants posaient en souriant sur les marches d'un bâtiment de brique rouge. En bas du cliché, quelqu'un avait ajouté d'une écriture soignée : *Première année.*

Des souvenirs. Des amis. Voler cette photo ne m'aurait rien donné de tout ça. Si je voulais mettre la main sur ces trésors, je devrais aller les conquérir. Loin de chez moi. Loin de Maman.

Un bruit presque imperceptible me mit en alerte.

Je reposai le cadre avant de plonger derrière un canapé. Accroupie dans le noir, je déroulai mon arme favorite. La tribu Quest se méfie des pistolets ; pas assez discrets. Maman ne sort jamais sans son couteau, et elle m'a raconté que Mamie avait autrefois une collection de seringues remplies de sédatifs ultra-rapides qu'elle maniait avec autant de dextérité qu'un chef étoilé son moulin à poivre.

Comme je n'étais pas à l'aise à l'idée de transpercer qui que ce soit avec un poignard ou une aiguille, j'avais opté pour un bracelet météore. Les longues chaînettes d'acier qui le composent s'enroulent très facilement autour de mon poignet, et la lourde bille de métal à peine plus grosse qu'une cerise suspendue à leur extrémité se loge à la perfection sur la bague magnétique glissée à mon majeur. Contrairement à une lame, cette arme passe sans encombre les contrôles de sécurité et, entre mes mains, elle est tout aussi efficace qu'un couteau. Moins létale, certes.

Le bruit de pas s'approchait.

Pas de gardiens, tu parles.

Au lieu de projeter les chaînettes autour du cou de l'intrus, j'étouffai un rire. Une adorable chatte venait de bondir sur le dossier du canapé. C'était une siamoise couleur sable, qui avait l'air d'avoir enfoui son museau et ses pattes dans de la cendre. Elle me contempla de ses yeux bleu électrique avant de sauter sur le tapis pour se frotter contre mes jambes en ronronnant.

Je remis mon bracelet en place, puis je grattouillai la chatte entre les oreilles. Elle miaula et se roula sur le dos. Je venais de lui offrir son meilleur moment du mois.

Quand j'étais petite et que Maman s'absentait pour une mission au long cours, je passais des heures à regarder des vidéos sur l'adoption d'animaux de compagnie. À l'époque, je n'avais pas encore saisi qu'il fallait s'appeler Quest pour mettre un pied chez nous, et que cette règle s'appliquait aussi à nos amies les bêtes.

Avec leur beauté, les chats siamois ont beaucoup de succès, mais ils supportent mal la solitude. Or, sans distraction, ils ne vivent pas très longtemps. Quelque chose me disait que le propriétaire de cette demeure isolée n'avait pas pensé à donner un compagnon à son félin.

Lorsque je me remis en mouvement, la chatte m'accompagna en remuant la queue avec entrain. Je dus la repousser. Elle était certes très mignonne, mais mon plan ne prévoyait pas d'acolyte à moustaches. Je partis en courant. Ce couloir était séparé du suivant par une double porte. Je m'y engouffrai et la refermai devant la truffe de la siamoise. Elle détala, non sans lâcher un petit miaulement à vous briser le cœur.

J'attendis un instant avant de rouvrir la porte, au cas où des vigiles auraient patrouillé par ici et remarqué un changement.

Grâce à la carte que j'avais apprise par cœur, je pus atteindre une pièce aux rideaux grands ouverts. Le ciel étoilé du Kenya éclairait délicatement les lieux. Des meubles de choix. Un élégant papier peint. Un lit dans lequel personne n'avait jamais dormi. Encore une chambre de fantômes.

Un vase était posé sur la table de nuit.

Porcelaine de la période Qianlong, vers 1740. Valeur estimée : aucune importance. Seule comptait la somme offerte par notre client pour transférer l'objet de la collection de son rival à la sienne. Une semaine plus tôt, cette pièce historique était encore exposée dans les appartements privés, de l'autre côté du manoir.

Jusqu'à ce que Maman se fasse engager comme domestique.

Elle avait décrété qu'il s'agirait d'une « mission puzzle ». Jour après jour, elle avait fait entrer des fragments d'une copie du vase, qu'elle avait ensuite assemblés. Pour quelqu'un d'aussi talentueux que ma mère, remplacer l'original par sa réplique était un jeu d'enfant. Malheureusement, le propriétaire se méfiait des voleurs (et on ne saurait lui donner tort). Tous les employés étaient fouillés chaque soir avant leur départ. Maman était donc en mesure de déplacer le vase au sein du manoir, mais il lui était impossible de sortir avec.

Ça, c'était mon rôle.

Je tirai la valise que Maman avait glissée sous le lit. Elle était garnie d'un tissu molletonné conçu pour absorber les chocs. Conseil de pro : si vous n'avez pas la solution pour voler un objet sans l'abîmer, inutile de tenter votre chance.

Lorsque je soulevai le vase, quelque chose roula à l'intérieur. Je le retournai ; un bracelet en diamants tomba dans ma main. Je levai les yeux au ciel. Maman possédait tellement de bracelets comme celui-ci que, si l'envie lui prenait de les porter tous en même temps, on la verrait depuis Mars. Quand je lui demandais pourquoi elle en avait tant, elle se contentait de répondre : « Et pourquoi pas ? »

Un pointeur laser était coincé dans un angle de la valise. Je le braquai sur le détecteur de mouvement accroché à côté de la fenêtre. Ce qui est amusant, avec ces capteurs, c'est que la plupart d'entre eux peuvent être mis hors d'état de nuire grâce à n'importe quel laser acheté cinq dollars sur Amazon. Comme ils ne peuvent repérer les mouvements que si quelque chose interrompt le faisceau qu'ils émettent, il me suffisait de le berner en pointant mon laser sur le capteur jusqu'à ce que je sois sortie de la pièce. Les solutions les plus simples sont souvent les meilleures. S'ils avaient condamné la fenêtre avec des clous, j'aurais déjà eu plus de mal. Un petit peu plus de mal.

Façon Spider-Girl, je passai de l'autre côté en un clin d'œil. La valise coincée entre mes cuisses, j'étais sur le point de refermer la fenêtre quand une silhouette fit irruption dans la pièce. Une silhouette qui mourait d'envie de sortir.

La siamoise bondit avant d'atterrir sur la pelouse tout en souplesse. Je pouvais m'estimer heureuse d'avoir toujours le laser pointé sur le détecteur, sinon j'aurais été dans de beaux draps.

La chatte se mit à miauler sans interruption pour m'implorer de venir jouer avec elle. Elle avait de la suite dans les idées.

Après avoir fermé la fenêtre, je dus escalader un mur de brique pour atteindre la caméra mobile dirigée sur la pelouse. Dans moins de dix secondes, elle allait se tourner vers moi. Pas le temps de faire dans la dentelle. J'arrachai le plus épais des câbles traversant le mur. La caméra s'immobilisa ; elle ne bougerait plus tant que personne ne viendrait la réparer. Ce qui, je l'espérais, ne se produirait que longtemps après mon départ.

La siamoise miaulait toujours à s'en décrocher la mâchoire.

— D'accord, j'arrive.

Je parlais aux chats, maintenant. De toute façon, on ne risquait pas de m'entendre : Maman avait relevé le numéro de série de toutes les caméras pour vérifier leurs caractéristiques techniques ; celle-ci n'enregistrait que l'image.

Je sautai à terre puis ramassai la valise. La chatte se remit à se frotter contre mes jambes. Comment résister ? Quand je l'attrapai avec mon bras libre, elle se blottit contre ma poitrine.

Je me précipitai en direction des grosses tondeuses à gazon automatiques alignées dans l'attente de leur tournée matinale. L'espace de rangement de cent vingt centimètres sur soixante situé sous le siège, juste au-dessus du moteur et tout contre les sacs d'engrais, serait mon palace pour les prochaines heures.

Je jetai un coup d'œil à l'horizon, où les hautes herbes et les arbres de la savane se découpaient sur le ciel moucheté d'étoiles. C'était dans ces moments-là que je comprenais pourquoi ma famille exerçait cette profession de globe-trotter depuis trois générations.

Mais il n'était pas seulement question de nuits étoilées et d'air frais.

— Tu ne peux pas m'accompagner et tu le sais très bien. (La chatte fit un drôle de petit bruit quand je la caressai à la base de la queue.) Au moins, il y a une jolie vue, de chez toi, non ?

Elle miaula. Peut-être que je perdais la boule, mais on aurait vraiment dit que cela signifiait : « Tu te fous de moi ? » en langage félin. Je la reposai, puis je sortis les sacs d'engrais avant de me glisser dans le compartiment, la valise pressée contre moi. Il flottait une odeur d'essence et de moisi, là-dedans. Mais j'allais devoir faire avec. Si Maman avait été là, elle m'aurait conseillé de penser à mon futur ordinateur. Aux rajouts capillaires à cinq cents dollars que j'allais pouvoir m'offrir. Aux baskets sur mesure que seules Tatie et elle me verraient porter.

Je remis l'engrais à sa place, mais la chatte se faufila à travers un minuscule espace entre deux des sacs. Elle s'allongea sur la valise, sans cesser de miauler et de ronronner.

— Tu voudrais bien que je te vole aussi, c'est ça ?

Elle me lécha la joue. OK, elle pouvait rester. Juste un peu. Je me demandais combien de temps il faudrait à son maître pour s'apercevoir que je l'avais kidnappée.

De ma cachette, j'aperçus un rai de lumière. Ou plutôt deux ? Des gardiens étaient en train d'inspecter la pelouse. Ils avaient fait vite… Aurais-je activé une alarme sans m'en rendre compte ? Avaient-ils remarqué la caméra hors service ?

La chatte vrombissait comme un ventilateur. J'aurais tellement voulu qu'elle arrête de faire ce raffut, mais comment le lui faire comprendre ?

Je déverrouillai mon bracelet météore. Au bruit de leurs pas, je devinais qu'ils venaient dans ma direction. Avais-je la moindre chance de jaillir de ma planque assez vite pour les surprendre tous les deux ?

Merde.

— Naaaalaaaa…, cria l'un des gardiens avant de faire claquer sa langue.

Je reconnus le son d'une boîte de croquettes qu'on remue.

— Où tu te caches, espèce de débile ?

Merde de merde.

Je tentai de faire déguerpir ladite Nala, mais elle sautillait désormais sur la valise en ronronnant de plus belle. Et elle se mit à miauler.

C'est alors que je me souvins d'autre chose au sujet des siamois. Aucune race de chat n'est plus bruyante.

— Je l'ai entendue, dit l'autre homme. Comment a-t-elle réussi à sortir ?

Son collègue ricana.

— Aucune idée. Ce crétin de chat cherche tout le temps à s'enfuir. On devrait l'enfermer dans un placard jusqu'au retour du boss.

J'implorais silencieusement Nala de se taire. Pourquoi ne s'était-elle pas contentée de fuir après avoir sauté par la fenêtre ? Elle serait déjà loin. J'étais tourmentée à l'idée de la laisser paniquer dans un placard pendant des jours, voire des semaines. Si elle cessait ce vacarme, j'étais déterminée à l'embarquer. Je me foutais de ce que Maman en penserait.

Mais elle ne s'arrêtait pas du tout.

Et les autres s'approchaient.

Désolée, Nala. Je dépliai le bras pour attraper le pointeur laser dans ma poche arrière. Quand le petit point rouge apparut sur la valise, les yeux de la chatte se dilatèrent aussitôt, et son corps se raidit. Réflexes félins : activés. Alors, avec un sentiment de culpabilité auquel je ne m'attendais pas, je dirigeai le laser sur le mur du manoir. Nala se précipita à la poursuite de ce confetti lumineux, s'offrant à la vue de ses poursuivants.

— Je la tiens !

Les miaulements désespérés de Nala déchirèrent la nuit. Elle ne se laisserait pas prendre sans combattre, mais c'était perdu d'avance.

Les lumières s'éloignèrent. Le silence n'était plus troublé que par le bruit de ma respiration.

Je m'en voulais d'avoir fait ça à cette chatte. Mais il était temps qu'elle l'apprenne : on ne peut vraiment faire confiance à personne.

Chapitre 2

À la fin d'une mission, les premiers mots qui sortent de la bouche de Maman ne sont jamais : « Tout va bien, Ross ? », mais : « Tu l'as ? »

Quand je roulai hors de ma cachette, j'atterris juste devant les pieds de ma mère. J'avais cru mourir de chaud, et les gaz d'échappement avaient failli m'asphyxier à partir du moment où la tondeuse s'était mise en route, une demi-heure plus tôt. Mais ça n'avait pas d'importance. Tout allait bien. Tant que j'étais en vie et avec elle, tout allait bien. La seule chose qui comptait, c'était que nous avions atteint notre objectif.

— Qui a encore été exemplaire ? me félicita Maman en ouvrant la valise pour vérifier son contenu.

Dans son costume de jardinière, elle était méconnaissable. À mille lieues de son style habituel de dure à cuire des îles.

Elle attrapa le bracelet rivière pour le glisser à son poignet. Elle soupira en regardant les pierres précieuses scintiller dans la lumière du soleil levant. Les diamants lui allaient comme un gant, c'était indéniable. Ma mère était d'une beauté voluptueuse. De longues boucles et des faux cils choisis avec goût. Des hanches larges et une taille fine qu'elle adorait mettre en valeur. Tout le contraire de mon physique gracile. Elle avait un look qui claquait ; pas de manteaux de fourrure ni de stilettos, mais chaque fois que nous nous retrouvions avec d'autres personnes et qu'elle n'était pas trop tendue, elle attirait tous les regards.

D'où sa passion pour les diamants. Elle aimait tout ce qui pouvait la rendre encore plus étincelante.

Maman déposa un baiser rapide sur mon front. Elle sentait l'herbe coupée et l'essence, et je ne voulais même pas savoir quelle odeur je dégageais moi-même.

— Exemplaire comme ma maman, répondis-je pour lui faire plaisir.

Je bondis sur le siège de la tondeuse en lui laissant un peu de place. Avec un grand sourire, sans doute plus dû à mon compliment qu'à la réussite de ma mission, elle tira sur une manette. Nous filâmes droit vers la sortie du domaine, où nous attendait une Jeep remplie de bouteilles d'eau et équipée d'un air conditionné si froid que j'en aurais pleuré de gratitude.

Je pressai la tête contre la grille de ventilation.

— La prochaine fois, on pourrait choisir un coin plus frais, lança Maman, qui m'avait vue savourer le souffle glacé. Pourquoi pas le sud de l'Argentine ? Ou les Alpes, hein ?

— On vient à peine de finir un job. Et puis tu oublies les Boschert.

À en croire les rumeurs, nos concurrents n'avaient pas apprécié nos dernières excursions au Danemark et en Italie ; nous avions menacé leur monopole autodéclaré sur le marché européen du cambriolage haut de gamme. Dans l'univers des empires criminels familiaux, il ne pouvait y avoir qu'un seul chef, ou du moins un par continent.

Après avoir trouvé le courage de me redresser, j'attrapai un chargeur pour brancher mon téléphone. Maman n'était pas contente, je le savais. Nous étions en train de discuter, alors j'étais censée lui accorder toute mon attention.

— Heureusement, on a plus de chances de se faire arrêter pour un vol de bijoux en plastique que de se soucier de l'avis des Boschert, lâcha-t-elle en haussant un sourcil parfaitement épilé.

Je lui concédai le hochement de tête approbateur qu'elle espérait.

Une idée me traversa soudain l'esprit.

— Cela dit… si tu veux travailler plus souvent en Europe, ce serait bien d'envoyer quelqu'un là-bas pour se créer un réseau. Et si j'allais y étudier incognito ? Ça pourrait être une occasion…

Je retins mon souffle. J'aurais sans doute pu trouver un moyen plus subtil de remettre le sujet de mon départ sur le tapis. Au cours de ma vie, j'avais visité beaucoup d'endroits, mais jamais sans Maman ou Tatie. Quand j'avais eu dix-sept ans, quelques mois plus tôt, et que j'avais décroché mon diplôme en même temps que les autres lycéens des Bahamas, j'avais cru que ma mère se montrerait un peu plus… Bref.

— Mmmh… Ou pas.

Elle ne quittait pas des yeux la route déserte et les hautes herbes qui s'étendaient devant nous. J'attendais la suite. Une justification, par exemple. Mais elle se contenta d'ajouter :

— Quand on sera rentrées, on va se prélasser devant des séries débiles pendant toute une semaine, hein, ma belle ?

Je lui adressai un sourire forcé.

— Trop cool.

Visiblement satisfaite, elle lança une playlist sur son smartphone et elle monta le son. L'écran de mon téléphone s'alluma. Un nouvel e-mail. De l'un des stages d'été.

Je tournai l'appareil pour pouvoir le lire discrètement.

Chère Rosalyn,

Merci d'avoir postulé à notre stage de gymnastique de haut niveau. Nous avons le plaisir de vous inviter à rejoindre notre seconde session (du 1er au 28 juillet). S'il est encore temps, sachez qu'il reste également une place pour la première session (du 2 au 29 juin). Notre stage est réputé dans tout le pays, et nous nous réjouissons d'attirer chaque été plusieurs dizaines de jeunes athlètes talentueux, tous enthousiastes à l'idée de rencontrer leurs pairs.

Nous espérons que vous ferez le choix de vivre
cette expérience unique en notre compagnie.

Une pièce jointe comportait une liste de logements
et de contacts. J'avais de plus en plus de mal à masquer mon excitation. J'avais réussi à les duper avec
mes relevés de notes bidon et mes résultats brillants
dans des compétitions imaginaires. Si je le voulais
vraiment, je pourrais être là-bas dans… une semaine.
On était le 26 mai.

Nala aurait dû échapper à ses geôliers quand elle en
avait eu l'occasion. Maintenant, c'était trop tard pour
elle. Je n'avais pas l'intention de faire la même erreur.

Je répondis : Comptez sur moi !

Maman rappait sur la musique qui jaillissait des
enceintes en se frottant à mon épaule pour m'encourager à l'accompagner. Comme toujours, je grimaçai
et fis mine de protester avant de l'imiter. Quand elle
improvisa une rime sur les glaçons qu'elle portait au
poignet tout en agitant son nouveau bracelet, j'éclatai
de rire. En apparence, rien n'avait changé. L'euphorie
habituelle après une mission réussie. Notre éternelle
complicité. Mais il allait bien falloir que la situation
évolue un jour ou l'autre. J'avais l'impression d'avoir
fait bifurquer ma vie sous son nez, sans même qu'elle
s'en rende compte.

Je jetai un œil à ma boîte de réception. Où était
passé le message que j'avais reçu avant le texto de
Maman ? Bizarre. Ou alors, il n'était pas arrivé sur
mon adresse perso…

La *black box*. La messagerie secrète dont se servait notre famille pour communiquer avec nos employeurs. Uniquement accessible par le darknet, elle était cent pour cent impiratable et intraçable (ainsi que me l'avait expliqué Maman le jour de mes huit ans). Il fallait un mot de passe rien que pour lui envoyer un e-mail. Je n'avais encore *jamais* reçu de notifications de la *black box*. En théorie, c'était impossible.

Je saisis les cinq mots de passe permettant d'ouvrir la messagerie.

L'e-mail était bien là. Personne ne l'avait lu. Maman n'avait pas dû prendre le temps de consulter la *black box*.

J'avais la gorge nouée. Quelqu'un se serait servi de notre messagerie secrète pour m'écrire personnellement ?

Chère Rosalyn Quest,

Félicitations! vous avez suscité notre intérêt. Vous êtes invitée à participer à la prochaine édition du Trophée.

La compétition aura lieu dans une semaine et se déroulera sur une quinzaine de jours. Pour en savoir plus, merci de nous contacter.

Les Organisateurs

Chapitre 3

L e Trophée. Une compétition. Maintenant que nous étions rentrées aux Bahamas, j'aurais dû être obsédée par le stage de gym. Pourtant, les mots de l'invitation ricochaient contre les parois de mon crâne comme des dés dans un gobelet de Yahtzee.

Du moins, c'était l'idée que je m'en faisais : je n'avais jamais joué au Yahtzee. Les soirées jeux de société avaient perdu tout leur charme depuis que Maman trichait systématiquement.

Impossible de me concentrer sur mes exercices. Voilà plus d'une heure que j'étais dans la salle d'entraînement, à essayer de me détendre. J'avais pour ambition de passer en un seul bond d'un plot de trente centimètres carrés à son jumeau situé deux mètres plus loin. Un mois plus tôt, j'avais battu mon record : un mètre quatre-vingt-dix. À la suite de quoi Maman m'avait révélé que, à mon âge, elle réussissait des sauts de deux mètres trente.

Je pliai les genoux, prête à retenter ma chance. À peine mes pieds avaient-ils décollé que je sus que j'étais mal partie. Impulsion trop faible. Mon talon ripa contre le rebord du plot et la gravité me vainquit avant que j'aie le temps de me rétablir. Je m'écrasai sur le tapis de sol.

Je soufflai un bon coup, ce qui fit voltiger l'une de mes tresses. Une ombre s'étendit sur moi. Tatie Jaya me dévisageait, les mains posées sur ses larges hanches. C'était le portrait craché de ma mère. Il m'aurait suffi de plisser les yeux pour voir Maman froncer les sourcils en pinçant ses lèvres *made in* Quest.

— Qu'est-ce qui t'est arrivé ? (Elle ne m'aida pas à me relever. Aucun Quest ne ferait une chose pareille.) Ça doit être à cause de ces chaussures ridicules. Elles te font trébucher.

Je jetai un œil à mes baskets du jour, des Converse customisées : elles étaient ornées de centaines de minuscules feuilles d'or brodées sur la toile, peintes sur les rebords en caoutchouc ou découpées dans la semelle. Des lacets dorés étincelants parachevaient le tout. De vrais bijoux. Tatie n'avait aucun goût.

— C'est vexant, Tatie. Et puis tu m'imagines vraiment choisir des habits inadaptés ?

À l'entendre, on aurait dit que je collectionnais les talons aiguilles et les bottines à semelle compensée. Mes Chuck personnalisées étaient parfaites pour mes séances d'entraînement.

— Alors comment expliques-tu cette chute ? Allez, raconte tout à ta Tatie.

Elle feignait de se forcer à m'interroger puis mettait un point d'honneur à ne pas avoir l'air intéressée. Pourtant, elle répondait toujours présent lorsque j'avais besoin d'elle, et elle maîtrisait assez bien le Rosalyn pour comprendre qu'un texto du type : Comment ça va ? 👀 signifiait en fait que je voulais lui confier quelque chose d'important. Il faut dire que notre maison se trouvait sur une île si rurale que les épiciers y vendaient leur marchandise dans leur salon. On pouvait rester assis sur une piste toute la journée et voir passer plus de sangliers que de voitures. Hormis ma mère, il y avait peu de monde avec qui discuter. Quand notre jet privé avait atterri, Tatie nous attendait sur le tarmac avec impatience.

— Est-ce que tu as déjà entendu parler du Trophée ?

Tatie se crispa, comme quelqu'un qui se prépare à recevoir un coup de poing dans le ventre.

Elle en avait entendu parler.

Je m'assis par terre, le menton appuyé dans le creux de mes mains.

— L'Organisation t'a envoyé une invitation ?

— Il y a une semaine. Comment sais-tu qu'il s'agit d'une organisation ? Tu connais ces gens ?

— Qu'est-ce que tu as fait ? Tu leur as répondu ? insista Tatie en ignorant mes questions.

Je plissai le nez.

— Je ne suis pas idiote au point de répondre à un message aussi louche, surtout que je l'ai trouvé dans la *black box*. Je l'ai effacé juste après l'avoir lu.

Elle se détendit. Pas de coup de poing dans l'estomac pour cette fois.

— Parfait.

— À mon tour. Tu vas me dire ce que c'est, cette histoire d'Organisation ? Pourquoi tu es au courant et pas moi ?

J'effectuai un saut carpé pour me mettre debout. Tatie, tout comme Maman, faisait à peu près la même taille que moi, alors je pouvais la regarder droit dans les yeux. Quelques secondes plus tôt, j'étais simplement curieuse d'en savoir plus ; désormais, j'étais à cran. Dans cette famille, nous n'étions pas censés avoir de secrets.

Tatie prolongea le suspense en secouant la tête.

— C'est juste une bande de riches crétins qui organise le Trophée chaque année pour satisfaire leur complexe du pouvoir. Je ne sais rien de plus.

Elle ne savait rien de plus. Est-ce que ça signifiait que Maman était mieux renseignée ?

Vu sa façon d'éviter mon regard, je soupçonnais Tatie d'avoir pris soin de ne jamais évoquer ce sujet devant moi. J'allais avoir bien du mal à lui tirer les vers du nez. Je tentai une autre approche.

— Et le Trophée, c'est… ?

L'espace d'un instant, je crus qu'elle allait vraiment refuser de m'en parler.

— Une compétition. Un concours entre voleurs. Une sorte de… télé-réalité clandestine, m'expliquat-elle en repoussant ses tresses derrière ses épaules.

Elle sortit une paire de menottes d'une boîte remplie de différents cadenas.

— C'est l'idée de me voir participer à un jeu télé organisé par une société secrète ultra-élitiste qui t'a mise dans cet état ?

— J'ai dit que c'était *une sorte* de jeu télé, pas un « Questions pour un champion » spécial braquages. (Elle tira une épingle à cheveux de ses tresses et s'en servit pour trifouiller la serrure des menottes.) D'après ce que je sais, les participants finissent toujours en sang. Quand ils finissent vivants.

Les menottes s'ouvrirent. Elle désigna mes mains du doigt. Je les lui tendis sans réfléchir ; elle referma l'un des bracelets métalliques autour de mon poignet.

— Mais alors, qu'est-ce qui pousse les candidats à se lancer ? Il y a un paquet de fric en jeu ?

Les voleurs ne sont motivés que par l'argent.

— Mieux que ça.

Tatie me fit me retourner, puis elle verrouilla la seconde menotte, me bloquant les mains derrière le dos. D'instinct, je sautai par-dessus la chaîne avant de sortir une épingle de mes cheveux. Mes tresses en contenaient assez pour construire un petit château.

— On dit que le vainqueur… peut faire un vœu.

Je levai la tête.

— Un vœu ? Du genre : Oh ! une étoile filante, ferme les yeux ?

— Le coup des étoiles filantes, c'est du pipeau. Seul l'argent permet de réaliser ses rêves. (Elle claqua des doigts juste devant mon nez.) Reste concentrée.

Ah oui. Les menottes. Je glissai la pointe de mon épingle dans la serrure pour m'attaquer au mécanisme d'ouverture.

Tatie fronça les sourcils.

— Tu aurais pu te passer de l'épingle, ça aurait été plus rapide…

— Je ne te laisserai pas me briser les pouces, Tatie.

La première menotte s'ouvrit ; aucune luxation n'était nécessaire. Ça faisait des années qu'elle cherchait à me convaincre d'apprendre à me déboîter les pouces. Je ne tenais franchement pas à aller si loin.

— Après quelques essais, on ne sent plus rien, insista Tatie.

Je libérai mon second poignet et laissai tomber les menottes sur la table. Elle me dévisagea.

— Tu n'as pas parlé de l'invitation à ta mère, n'est-ce pas ?

Je m'efforçai d'ignorer le « pourquoi ? » sous-entendu en remettant les plots en place pour tenter un nouveau saut.

— Elle est occupée, tu sais, répondis-je. Avec la prochaine mission, tout ça.

Et moi, j'ai prévu de me faire la malle dans quelques jours… Même si ce concours m'intriguait, je n'avais pas l'intention de me laisser distraire par cette histoire ni par les plans tordus dans lesquels Maman pourrait vouloir m'entraîner. Un jeu télé underground n'allait pas m'aider à me faire des amis, surtout s'il impliquait une bande d'escrocs sans scrupule.

— Mmh-mmh.

Je comprenais aussi bien le Tatie qu'elle maîtrisait le Rosalyn. Traduction : « Essaie encore. »

Je poussai un soupir et, au lieu de bondir sur l'autre plot, je m'assis. La salle d'entraînement débordait

27

de matériel. Des coffres, des cibles, des mannequins pour répéter des clés de bras et des étranglements, des caisses remplies de cordes avec différents nœuds à défaire. Cette pièce n'était pas le seul témoin des activités auxquelles s'adonnait ma famille. La maison était pleine de souvenirs des missions effectuées par les Quest sur tous les continents au cours des dernières décennies. Je connaissais l'histoire de chacun d'entre eux depuis mes cinq ans. Grand-père avait fauché ce livre dans la bibliothèque du Congrès américain. Cette nature morte ? Elle avait été bien à l'abri dans les réserves du Louvre jusqu'à ce que ma grand-tante Sara soit passée par là. Les pièces dans le bol qui nous servait de vide-poche ? Tatie les avait trouvées dans la veste du directeur de cabinet du président de l'Ouganda. La maison regorgeait d'objets précieux, la plupart datant de l'époque où le reste de la famille vivait avec nous. C'était avant la tristement célèbre brouille dont j'ignorais encore la raison. Je savais juste que même mes grands-parents ne voulaient plus avoir aucun contact avec ma mère, à part pour s'assurer que leurs missions respectives ne les amèneraient pas à se croiser. Ces souvenirs étaient en quelque sorte cachés bien en évidence, même si personne n'avait jamais l'occasion d'entrer chez nous.

J'habitais dans une espèce de paradis des voleurs. Impossible d'oublier le but de mon existence. Le travail, la famille, rien d'autre ne devait compter.

Chaque semaine, Maman installait de nouveaux cadenas sur le frigo et les placards de la cuisine.

Quand les clés de voiture disparaissaient, il fallait se débrouiller autrement pour la faire démarrer. Sans parler de toutes ces fois où ma mère changeait les mots de passe de mes appareils, ce qui m'obligeait à subtiliser les codes qu'elle gardait dans sa poche. Subir une seule journée sur cette île sans téléphone ni ordinateur était un avant-goût de l'enfer. Maman m'assurait que notre famille vivait de cette façon pour être libre. Sans attaches. Pour le fun. J'avoue que les jobs l'étaient parfois. Mais le reste du temps…

Je ne me sentais pas capable de passer un an de plus ainsi, totalement isolée. Contacter d'autres voleurs était hors de question. Je n'avais que deux options : moisir sur mon île ou tout abandonner pour me faire des amis normaux. J'étais prête à renoncer à l'excitation de nos cambriolages hebdomadaires pour vivre ça.

La question de Tatie flottait toujours à travers la pièce : « Tu n'as pas parlé de l'invitation à ta mère, n'est-ce pas ? »

Je haussai les épaules en tripotant la pointe d'une de mes tresses.

— Et si je décidais d'arrêter les cambriolages pendant un moment ?

— Tu as quelque chose de précis en tête ?

Elle avait parlé à voix basse. Sans doute s'imaginait-elle qu'en trouvant le bon ton et le volume adéquat elle pourrait me forcer à dire la vérité.

Je croisai les bras. Sa technique avait beau être flagrante, elle n'en restait pas moins efficace. C'était peut-être parce qu'elle était plus jeune que Maman, quoi qu'il en soit Tatie était aussi moins intimidante.

Et si je lui parlais de mes projets d'évasion ? Je pourrais tenter de lui faire croire que je voulais apprendre des choses importantes pour nos futures missions. Histoire de ne pas trop donner l'impression que j'étais prête à délaisser la famille affectueuse et intrépide à laquelle j'avais la chance d'appartenir. Elle pourrait m'aider à aborder le sujet avec Maman.

Je fus interrompue dans mes pensées par un claquement de sandales sur le sol du couloir. Ne jamais l'oublier : Maman avait des oreilles partout. Du moins, tant que nous étions sous le même toit. Je bredouillai la première réponse qui me passa par la tête :

— Avec la famille que j'ai, je n'ai besoin de rien. Qu'est-ce que je deviendrais, sans vous ?

— Tu mourrais d'ennui ? Tu serais pauvre ? Tu ne vivrais pas une vie de rêve sur l'une des plus belles îles du monde ?

Maman venait de faire son apparition. Elle avait un look « Caraïbes » des plus chics, avec son jean taille haute et son top rouge vif aux épaules dénudées. Elle continua à tapoter sur son téléphone quelques secondes avant de nous accorder toute son attention.

— De quoi parlez-vous, mes bébés ? Des cauchemars que vous avez faits cette nuit ?

Je retins mon souffle. Tatie n'avait pas l'air sur le point d'évoquer mon invitation au Trophée. D'après ses mains, qu'elle avait posées sur ses hanches, et le regard perçant qu'elle lançait à Maman, elle avait tout autre chose en tête.

— Arrête de m'appeler comme ça ! Tu n'as qu'une seule fille, et ce n'est pas moi.

— Oooh ! fit Maman. Ma petite chérie nous fait une grosse colère, gloussa-t-elle en pinçant la joue de Tatie, qui la repoussa aussitôt.

D'après ce qu'on m'a dit, lorsqu'elles étaient enfants, Maman traitait Tatie comme sa poupée. Quand elles avaient respectivement cinq et douze ans, elle avait réussi à la convaincre pendant un mois entier qu'elle n'était pas une vraie fillette, mais un simple poupon. Vingt-sept ans plus tard, Maman l'asticotait toujours.

Les dents serrées, Tatie se rua hors de la pièce.

— Tu ne devrais pas faire ça, grondai-je. Ça ne la fait pas rire, tu sais.

Maman pouffa, puis elle retira une saleté coincée sous son ongle.

— Tu n'as pas de sœur. Tu ne peux pas comprendre.

Aïe. Pas d'amis, pas de père, *et* pas de sœur. Elle était responsable d'au moins deux de ces manques.

Je dus réprimer la culpabilité qui m'assaillit à cette pensée. Je ne pouvais pas en vouloir à Maman, pour mon père. Comme elle n'avait jamais été intéressée par les relations sentimentales (c'était tout ce que j'avais pu apprendre concernant sa sexualité), elle était passée par une banque de sperme. Elle aurait pu choisir n'importe quel donneur, mais il avait fallu qu'elle en sélectionne un qui allait mourir quelques semaines après avoir livré son premier… échantillon.

Quelqu'un que je n'allais jamais avoir l'occasion de traquer, et qui n'avait pu donner naissance à aucun autre enfant. Maman m'avait juré qu'elle en était déjà à son troisième trimestre de grossesse quand elle avait appris son décès, et je savais qu'elle ne me mentirait jamais sur le sujet. Malgré tout, c'était l'une des choses que je conservais dans un coin de mon cerveau pour pouvoir lui en vouloir en cas de besoin.

Maman jeta un coup d'œil au plot derrière moi.

— Deux mètres ?

— Presque, prétendis-je en me tortillant.

Elle hocha la tête et s'approcha de moi. Nous avions beau faire la même taille, elle se sentait toujours plus grande. Assez grande pour me faire l'un de ces câlins de maman ourse auxquels j'avais droit depuis l'enfance. Elle dégageait un parfum de crème à la noix de coco. Pendant un court instant, j'eus l'impression de redevenir une petite fille : son odeur et sa façon de glisser l'une de mes tresses derrière mon oreille avaient le don de me relaxer. Je me sentais en confiance. C'était Maman. Si je voulais quelque chose, j'aurais dû pouvoir tout simplement... le lui demander, pas vrai ?

J'avais la bouche sèche, mais je me lançai.

— Tu savais que... l'université de Louisiane proposait l'un des meilleurs cursus de gym des États-Unis ? Je suis prête à parier que leurs élèves font des sauts comme ça les doigts dans le nez.

Maman se tendit. Puis, lentement, elle se dégagea.

Son tendre regard de Maman-qui-t'aime s'était évanoui.

J'aurais mieux fait de me taire.

— Sérieusement, Rossie ? grogna-t-elle, sans chercher à cacher son exaspération.

— Je ne vois pas le problème ! insistai-je. J'ai dix-sept ans. Les autres jeunes de l'île vont bientôt aller à la fac.

— Qu'est-ce que tu en sais ?

— Tu as raison, je n'en sais rien, je ne connais personne !

Ces phrases qu'on m'avait serinées pendant des années tournaient en boucle dans ma tête. *Non, tu ne peux pas aller voir tes voisins. Non, tu ne peux pas aller au lycée d'Andros. On ne peut faire confiance à personne.*

J'avais compris, bien sûr. Révéler quel genre de business pratiquait ma mère ou même se contenter de fréquenter des habitants de l'île n'était pas l'idée du siècle, et j'avais appris bien longtemps auparavant à ne jamais, au grand jamais, me fier à n'importe lequel de nos homologues. Pourtant... si je partais loin d'ici, si je me faisais passer pour un agneau de plus au sein du vaste troupeau, si je restais toujours sur mes gardes, y aurait-il vraiment un risque à... rencontrer d'autres gens ?

— Tu connais plein de monde, protesta Maman. Jaya, moi, et tu peux appeler Grand-père et Grand-mère quand ça te chante. Pareil pour ma tante Sara.

Croyait-elle réellement que c'était suffisant ? Surtout que, dans cette liste, j'étais la seule à avoir moins de trente ans. J'enroulai mes bras autour de mon corps.

— Ça ne compte pas. C'est la famille. Ça ne me suffit pas…

J'aurais préféré m'arrêter plus tôt, mais les mots m'avaient échappé. Je risquai un regard vers Maman. La forme de sa bouche traduisait très bien ce qu'elle avait cru comprendre : « *Tu* ne me suffis pas. »

— Ce n'est pas ce que je voulais…

Elle posa un doigt sur ses lèvres. Je ne terminai pas ma phrase.

— Rosalyn. Ta famille ne te laissera jamais tomber. Ta famille ne te mentira jamais. Il n'y a qu'en ta famille que tu peux avoir confiance. Regarde comment nous gagnons notre vie. Tout le monde convoite quelque chose et, le plus souvent, cette chose appartient à quelqu'un d'autre. Les gens n'hésiteraient pas à se servir de toi pour parvenir à leurs fins. Ceux que tu prendrais pour tes amis, ceux en qui tu croirais pouvoir te fier, ils te transperceraient le cœur et te laisseraient pour morte. Tu es plus intelligente que ça, ma belle. Et si tu ne l'es pas encore, moi je le suis assez pour décider à ta place. Parce que je t'aime. Donc non, tu n'iras nulle part. Pas sans moi. Fin de la discussion.

Inutile de protester. Le verdict avait été rendu, c'était gravé dans le marbre. Pas de seconde chance. Tout le monde se fichait de mes arguments. Je serrais les dents à m'en faire mal. Ma poitrine était en feu. Mais cette colère ne m'était d'aucun secours ;

je n'allais pas me mettre à lancer des objets à travers la pièce.

Et si je voulais activer mon plan B, qui s'intitulait « Rien à foutre, de son avis, je vais le faire quand même », alors il fallait que je contrôle mes nerfs. Elle ne devait rien soupçonner.

Nos regards se croisèrent. Elle attendait ma réponse. Quand je me forçai à hocher la tête, elle s'égaya. Elle joignit les mains sous son menton en souriant, comme si ce qu'elle venait de m'imposer était tout à fait anodin.

— Quelle adorable enfant. À part ça, où est le joli sac à dos noir que je t'ai offert ? Celui avec les fermetures Éclair en or ?

Je me figeai. C'était dans ce sac que j'avais fourré mes affaires pour le stage de gym. M'aurait-elle déjà démasquée ?

— Je ne sais pas trop… Pourquoi ?

Elle hésita.

— Tu vas m'en vouloir, mais il faudrait que tu le retrouves. J'ai besoin de toi pour un boulot de dernière minute. On part ce soir.

— Ce soir ? On vient à peine de rentrer !

J'étais soulagée qu'elle n'ait pas mis la main sur mon balluchon, mais ça restait une très mauvaise nouvelle. Cette mission imprévue s'accordait très mal avec mon plan.

— Détends-toi, ma belle, je ne vais pas t'embarquer sur un nouveau continent. Juste sur Paradise

Island. Deux jours maximum, un petit aller-retour. Je t'expliquerai tout ça en route, OK ?

Elle s'apprêtait à quitter la pièce, comme si j'avais déjà dit oui.

— Mais, je… (Elle se tourna vers moi.) Et si j'avais quelque chose de prévu ?

Son visage s'assombrit.

— Qu'est-ce qui pourrait passer avant ta famille, Ross ?

Vivre de nouvelles expériences ?

Me faire des amis ?

M'assurer qu'il n'y avait effectivement rien de plus important ?

Aucune de ces réponses ne pouvait faire l'affaire. Elle m'avait déjà donné son point de vue. Je ne devais me préoccuper que d'elle, de ma famille. Le reste ne comptait pas.

Je compris alors pourquoi Tatie s'énervait tant quand Maman l'appelait son « bébé ». Parfois, on aurait dit qu'elle ne disait pas ça pour plaisanter. Elle nous traitait comme ses jouets et ne doutait jamais d'arriver à ses fins.

Pour pouvoir partir, j'allais peut-être devoir inverser les rôles. Une idée était en train de germer dans mon esprit. D'accord, j'étais forcée de participer à ce coup, mais… Et si je disparaissais au beau milieu de la mission ? Est-ce qu'elle s'attendrait à ça ?

Mes lèvres s'étirèrent. Sans me départir de mon sourire éclatant, je me blottis contre elle.

— Pour moi, tu es la seule chose qui compte.

Elle me dévisagea avant de me serrer dans ses bras.

— Adorable. Souviens-toi : dehors, il n'y a rien ni personne qui en vaille la peine. Personne en qui tu peux avoir confiance, en tout cas.

Chapitre 4

Et voilà le travail.

— Je tournai mon iPad vers Maman, qui était assise en face de moi. Elle délaissa le vernis à ongles mis à disposition par le spa de notre hôtel quatre étoiles.

Nous nous trouvions sur Paradise Island, l'île emblématique des Bahamas. Ses immenses récifs coralliens, ses plages de sable fin, ses paillotes de vendeurs de beignets de conque et ses marinas abritant d'élégants yachts fuselés qui avaient coûté plus d'argent que n'en verraient jamais les touristes de l'île en plusieurs vies. Notre cible se trouvait sur le pont inférieur d'un de ces bateaux extravagants, sur lequel notre chambre au dixième étage offrait une vue imprenable.

Maman m'avait chargée de trouver un moyen d'entrer et sortir du yacht sans encombre. Non pas qu'elle eût été incapable d'y parvenir elle-même. Mais elle avait décidé de me confier une partie de nos missions dès l'année de mes quatorze ans. Une façon de mettre mes talents à l'épreuve, sans doute. J'aimais penser qu'elle me considérait comme la meilleure pour ce job. Si quelqu'un était en mesure de se tirer d'une situation délicate, c'était bien la petite Ross à sa maman Quest.

Elle était loin d'imaginer que ce plan en cachait un autre. Je lui présentais le chemin qu'elle allait emprunter pour déguerpir, mais pas celui qui me permettrait de rejoindre seule l'aéroport international de Nassau, où m'attendrait un avion prêt à m'emporter vers ma nouvelle vie.

J'avais bien du mal à masquer ma fierté. Maman m'avait forcée à venir ici pour exploiter ma capacité à trouver des issues discrètes, et c'était précisément ce dont j'allais me servir pour la fuir. Peut-être qu'un jour, quand elle aurait digéré ma fugue, elle pourrait apprécier la subtilité de mon projet.

— Le yacht fait quatre-vingt-quinze mètres de long, expliquai-je. Il comprend quatre ponts et une salle des machines.

— D'après mes infos, il y a cinq passagers à bord, plus les quinze membres d'équipage. Est-ce qu'on part du principe qu'il y en a plutôt le double, ma belle ?

— Ouais, bien sûr.

Comme si je n'avais pas déjà pris ces chiffres en compte dans mes calculs. Une des règles Quest à ne pas oublier : si tu penses savoir combien d'adversaires tu t'apprêtes à affronter, considère qu'ils sont en fait deux fois plus nombreux.

— J'ai trouvé le chemin idéal pour éviter les cabines et les espaces communs, repris-je. Il y a un petit hors-bord attaché à la poupe. On va mouiller notre Zodiac entre cette zone et la proue, côté tribord, là où il n'y a aucun hublot. Ensuite, cette trappe sur le pont supérieur nous conduira à la salle des machines, puis dans la cale. Comme il n'y aura aucun obstacle sur notre route, on devrait pouvoir transférer toute la marchandise en moins d'une demi-heure.

Un plan sans faille. Enfin, presque…

Maman fit la moue.

— Et pour le plan B ? Tu n'as pas trouvé d'alternative en cas de problème ?

Je luttais pour que mon rythme cardiaque ne me trahisse pas. Je glissai un doigt sur l'écran, et deux nouveaux schémas s'affichèrent. J'y avais représenté un parcours bien plus complexe, qui zigzaguait entre les cabines de l'équipage jusqu'à la proue du yacht.

— Il n'y a que cette option, mais elle est très risquée. Le plan A devrait faire l'affaire.

— Tu es sûre de toi ? Aucune autre possibilité ? insista Maman en inspectant les plans en quête d'une sortie qui n'apparaissait nulle part.

Du moins, qui n'apparaissait pas sur ces schémas.

— Je ne me suis encore jamais trompée, Maman.

Elle ne pouvait pas me contredire.

— Parfait, alors, conclut Maman avant de se lever. (Elle me dominait de nouveau de toute sa hauteur.) Départ à l'aube.

#

La mer était d'un noir d'encre.

Foncer droit vers cet horizon étoilé, c'était comme glisser sur une ombre.

Enfin, c'était surtout moi qui fonçais droit vers l'horizon, mais j'avais une mission à accomplir d'abord.

Le yacht était presque invisible ; une silhouette sombre figée sur un fond tout aussi sombre. Tandis que le Zodiac rebondissait sur les vagues, je révisais mon plan. Avec un peu de chance, tous les passagers du bateau dormiraient. Maman transporterait les sacs de toile remplis pendant que je préparerais le chargement suivant. Ce n'était pas notre mission la plus spectaculaire, mais il s'agissait d'un job de dernière minute. Comme le disait toujours Tatie : inutile d'en faire des tonnes chaque fois.

Clairement, c'était du gâteau. Je ne pouvais pas en dire autant de mon petit bonus.

J'étais si impatiente que j'en avais des fourmis dans les mains. Mes baskets ornées de vagues bleues écumantes et aux lacets vert corail battaient la mesure. Je tirai sur mes doigts pour les étirer. Ce qui n'échappa pas à Maman.

— Ne me dis pas que tu es stressée, ma belle, se moqua-t-elle.

Même habillée en noir, les cheveux relevés en un chignon tout simple et à demi cachée par l'obscurité, elle était dix fois plus jolie que je ne le serais jamais.

— C'est de l'excitation, prétendis-je en souriant.

Elle sourit à son tour et me pinça la cuisse.

— Rien n'est plus excitant que la perspective d'une victoire.

Elle ne croyait pas si bien dire.

À une trentaine de mètres de notre cible, Maman coupa le moteur. Nous rejoignîmes alors l'arrière du yacht à la rame, en nous tenant hors de vue des fenêtres, hublots et autres lumières. Il n'y en avait presque aucune. Le bateau était endormi.

Maman se hissa sur le pont supérieur et je l'imitai. Je partis devant, en suivant mon chemin invisible. J'étais sur mes gardes, prête à faire gicler les chaînettes de mon bracelet météore à la moindre alerte. Il régnait un silence presque surnaturel. Le yacht semblait vide, mais je savais qu'il n'en était rien.

Une série de bonds nous suffit pour atteindre les cales. Un minuscule hublot laissait filtrer la lueur de la lune, illuminant des caisses de bois. Maman fit sauter le couvercle de l'une d'entre elles. Elle renfermait des trésors vieux de plusieurs siècles arrachés aux profondeurs de l'océan. Des doublons d'or, des morceaux du gouvernail d'un navire ancestral, des fragments de poterie, de l'argenterie, quelques bracelets et une dague rouillée. Les hôtes qui avaient la malchance de nous accueillir ce soir étaient des collègues d'un genre particulier : des pirates des temps modernes. Ils pillaient les épaves parfois quelques jours seulement après qu'elles avaient été découvertes. Ils se moquaient bien que ces objets précieux soient censés revenir à ceux qui les avaient trouvés, ou à l'État, selon la distance de la côte. C'était un business lucratif, comme le prouvait ce yacht luxueux, et tout aussi illégal que le nôtre.

Malheureusement pour eux, leurs rivaux étaient contrariés de s'être fait devancer sur ce coup. Ils nous avaient chargées de leur dérober ce trésor volé pour le leur livrer. Compte tenu du montant de nos honoraires et des difficultés qu'ils ne manqueraient pas de rencontrer pour revendre ces antiquités, nos commanditaires n'allaient sans doute pas gagner grand-chose ; ils cherchaient surtout à humilier leurs ennemis.

Maman joignit les mains avant de désigner la sortie du doigt. C'était notre code pour dire : « On charge et on décampe. » Je hochai la tête, puis j'entrepris de glisser l'argenterie et les doublons dans l'un de nos sacs de toile. Après m'avoir aidée, Maman mit le sac en bandoulière et elle ressortit. Je m'attaquai au chargement suivant. Grâce à cette méthode, l'opération prendrait deux fois moins de temps et ferait deux fois moins de bruit.

Mon pouls s'accélérait à mesure que les sacs s'enchaînaient. Nous approchions du but. Ma fuite était imminente. J'en avais la chair de poule. Les doigts me picotaient, comme ils le faisaient toujours lorsque je m'apprêtais à voler quelque chose. Or, cette nuit-là, je n'allais pas mettre la main sur un trésor, mais sur mon propre avenir.

En un rien de temps, nous aurions vidé la dernière caisse. Si mes calculs étaient exacts, son contenu devrait rentrer dans trois sacs.

C'était le moment.

Maman réapparut, et pour la énième fois elle attrapa mon sac plein et m'en tendit un vide. Je ne voulais surtout pas éveiller ses soupçons… mais je ne pus m'empêcher de la dévisager. J'étais sur le point de la trahir. Que je revienne une semaine, un jour ou une heure plus tard, ce moment allait faire des dégâts. Ross s'était enfuie. Ross avait abandonné sa famille. Ross ne nous trouvait pas assez bien pour elle. J'allais couper ma vie en deux : il y aurait un avant et un après. Quelle partie me laisserait le meilleur souvenir ?

Maman leva les yeux sur moi ; je détournai le regard. Avait-elle perçu quelque chose ? Pouvait-elle vraiment lire dans mes pensées ? Allait-elle me retenir ?

Mais non. Comme les fois précédentes, elle partit avec le sac sans dire un mot. Elle avait laissé passer sa chance.

Dès qu'elle sortit de mon champ de vision, j'activai la suite de mon plan. Je programmai un e-mail que Maman recevrait un quart d'heure plus tard, quand elle aurait regagné la soute, puis j'éteignis mon téléphone. Le message était simple : Besoin de faire un break. Je reviens dans quelques mois, promis. Un peu lapidaire, mais elle ne m'avait jamais laissé la moindre chance de le lui dire en face.

Je suivis ensuite le chemin que j'avais mémorisé jusqu'à un renfoncement où s'alignaient des étagères de fer et des canots pneumatiques. Au milieu d'une collection de gilets de sauvetage soigneusement empilés, de kits de premiers secours et de rations de survie, je le trouvai, à l'endroit précis évoqué par

44

l'équipage du yacht sur leur forum en ligne. Un radeau gonflable équipé d'un moteur électrique.

Devant moi se dressait une porte étanche, avec un volant de métal en son centre. Elle avait été considérée comme trop étroite pour permettre une évacuation d'urgence par le Comité de la sécurité maritime internationale, et par conséquent effacée de tous les plans officiels. J'attrapai le sac contenant le radeau empaqueté avant de tourner le volant. La porte s'ouvrit en grinçant. Deux mètres plus bas, des vagues sombres léchaient la coque du bateau. Mon rythme cardiaque s'emballa. À partir de cet instant, tout allait s'enchaîner. La batterie du radeau devrait tenir jusqu'au rivage. Cette porte secrète était hors de la vue du Zodiac de Maman. Dix minutes plus tard, lorsqu'elle s'apercevrait de ma disparition, je serais déjà loin, enveloppée dans les ténèbres.

Je jetai le sac dans la mer. Je n'avais plus qu'à le rejoindre.

Alors que j'étais sur le point de plonger, une détonation déchira le silence. Je me figeai. Des bruits de pas précipités résonnèrent sur les ponts. Le long de la coque, des hublots s'illuminèrent. Ces gens s'étaient réveillés, et ils tiraient des coups de feu.

Maman. Est-ce qu'ils l'avaient aperçue ?

Je me ruai dans la cale, droit vers le vacarme et le danger, juste à temps pour voir ma mère descendre tant bien que mal une échelle menant au pont inférieur.

Non ! Mais qu'est-ce qu'elle fout ? Il n'y avait pas de sortie par là, elle fonçait vers une impasse. Elle aurait dû venir par ici...

Sauf qu'elle ne pouvait pas le savoir.

Je lui avais juré qu'il n'y avait pas d'issue de ce côté.

J'ouvris la bouche pour l'avertir, mais mes réflexes conditionnés me stoppèrent à temps. Ça n'aurait fait que signaler ma position, et la sienne au passage. Car je m'accrochais encore à l'espoir infime qu'ils ne l'aient pas déjà repérée.

Alors je courus droit dans sa direction. J'allais la rejoindre et la sortir de là.

Mais à la seconde où je bondis dans la cale, deux hommes très énervés surgirent. Ils ne se donnèrent pas la peine de me questionner. La vue des caisses vides leur avait appris tout ce qu'ils devaient savoir.

L'un d'eux leva son pistolet. Je pris la fuite. Un coup de feu retentit. Ils étaient sur mes talons. Une fois devant la porte secrète, je fis la seule chose qu'il me restait à faire : sauter.

La mer m'engloutit. Je nageai sous la surface jusqu'à la poupe du yacht. Le radeau de secours, toujours empaqueté, flottait au-dessus de ma tête. Je continuai à progresser à un mètre de profondeur, aussi longtemps que mes poumons me le permirent. Lorsque je finis par aspirer une goulée d'air désespérée, le sel me brûla les yeux. J'eus à peine le temps de distinguer les contours du Zodiac avant qu'une vague ne le fasse disparaître. Après avoir repris mon souffle, je réussis à l'atteindre. Alors que je me hissais à son bord, un faisceau lumineux jaillit du yacht. Il balaya d'abord la surface. Deux hommes armés munis d'une lampe de poche inspectaient les environs du bateau. Le halo de lumière s'approchait de mon embarcation. À toute allure. Me retrouver sous le feu des projecteurs dans ce Zodiac… n'allait rien m'apporter de bon.

Sans prendre le temps de réfléchir davantage, je me laissai tomber à l'eau. D'un coup de pied, je m'écartai du hors-bord. J'étais de nouveau à quelques mètres du yacht. C'est alors que je vis le faisceau s'immobiliser sur le Zodiac et les trésors qu'il contenait.

— Là ! cria quelqu'un.

Aplatie contre la coque, luttant contre les vagues, je me forçai à lever la tête vers le bastingage où nos poursuivants se précipitaient déjà, pressés de remettre la main sur ce qu'ils avaient bien cru avoir perdu à jamais. Je perçus un grognement ; une voix de femme. Je n'avais pas besoin de la voir pour savoir qu'il s'agissait de Maman.

— Tu as transporté ça toute seule ? demanda un homme.

Maman ne répondit pas. Du moins, si elle le fit, je ne l'entendis pas, tant mes oreilles bourdonnaient. Je m'agrippais à la coque dans la pénombre. J'avais le plus grand mal à ne pas recracher de grosses gorgées d'eau salée, ce qui aurait trahi ma présence. *Maman…* Je devais faire quelque chose.

Les deux hommes, qui avaient une musculature de nageurs accomplis et la peau tannée des marins, ne mirent pas longtemps à rattraper le Zodiac, qu'ils amarrèrent au bossoir du yacht. Tout s'était passé si vite ! Je n'avais plus la moindre chance de remonter à bord sans me faire voir.

— Alors, tu travailles pour qui ? grogna un homme dont la voix m'évoquait un bruit de bottes sur du gravier.

— Ta femme, répondit Maman d'un ton moqueur. Elle m'a dit qu'elle méritait une fortune pour te supporter.

Une gifle. Du métal contre de la peau.

L'homme reposa sa question.

Pas de réponse.

— Virez-la de ma vue. Elle finira par parler.

Non, aucune chance. Je le savais parfaitement. Car si elle parlait, ces types n'auraient plus aucune raison de la garder en vie.

Je devais la sauver avant. Peut-être que je pourrais retourner du côté de l'issue de secours, ou…

Le moteur du yacht se mit en marche. Une énorme colonne d'eau jaillit et je fus aspirée par un puissant tourbillon. Je gesticulais sous les remous (*n'avale pas d'eau, tu n'as pas le droit d'avaler d'eau*), luttant dans l'obscurité pour regagner la surface.

Enfin, j'y parvins. Je crachais de l'eau à m'en étouffer. J'avais l'impression d'être au centre d'un brouillard salé et brûlant. Je dus cligner des yeux une éternité avant que le monde reprenne une apparence normale. Alors, je vis le yacht s'éloigner à pleine vitesse. Disparaître dans la nuit. Avec ma mère.

Chapitre 5

Je paniquai.

Pendant quelques secondes, je ne m'inquiétai plus pour Maman. Mais pour moi-même. J'étais seule dans l'océan opaque, à des kilomètres de la côte. J'aurais très bien pu être aspirée par une lame de fond, mais mon salut vint d'une lumière clignotante.

Le radeau de secours empaqueté flottait à quelques mètres de moi. Je nageai jusqu'à lui avec l'énergie du désespoir, et je réussis à tirer sur la corde de déclenchement. Le canot se gonfla d'un coup. Je grimpai à bord et me laissai tomber sur le plastique épais, qui couina comme pour célébrer ma défaite. À l'arrière, le petit moteur était accompagné d'une étiquette phosphorescente : *Autonomie de la batterie : 30 min. À n'utiliser qu'en tout dernier recours.*

Lancer ce radeau à l'eau m'avait sans doute sauvée de la noyade. Et ça ne m'avait coûté que ma mère.

Elle n'était plus là. Elle était en captivité sur un yacht en route pour… où ? Je n'en avais aucune idée. Combien de temps ces gens allaient-ils la garder en vie ? Qu'étaient-ils prêts à lui infliger pour la forcer à parler ?

Même si le yacht n'avait pas déjà disparu dans la nuit, je n'aurais jamais pu le poursuivre à travers l'océan sur mon embarcation de fortune.

Alors je restai là. Ballottée sans espoir dans le noir, tandis que l'univers se refermait sur moi. Maman était partie.

Et c'était ma faute.

Mon téléphone vibra. En reniflant, je le sortis de ma poche arrière dans une sorte de mouvement réflexe. J'avais bien fait d'investir dans cette coque étanche. Malgré le temps que j'avais passé dans l'eau, une notification était arrivée jusqu'à moi : l'e-mail préprogrammé avait bien été envoyé. De quoi verser sur ma plaie plus de sel que n'en contenait ma langue. En dépit du bon sens, j'espérai que Maman ne le verrait pas. Ses ravisseurs avaient dû lui prendre son portable…

Je tentai de l'appeler. Le courant m'avait ramenée assez près du rivage pour que j'obtienne une barre de réseau. Bien entendu, personne ne me répondit. Alors j'envoyai un texto écrit tout en majuscules.

ICI L'ASSOCIÉE DE VOTRE OTAGE. RÉPONDEZ.

Cette fois, ils me rappelèrent. C'était la voix que j'avais entendue précédemment, celle de l'homme qui avait frappé Maman. Il alla droit au but.

— J'imagine que tu n'es plus sur mon yacht. Mais si jamais c'est le cas, dis-moi où tu te caches, on gagnera du temps.

Un accent américain. Du sud des États-Unis. Cette information ne m'était d'aucune utilité pour le moment.

— Libérez mon associée.

— Pas de problème. Et avec ça, un petit sundae, peut-être ? (Je perçus un drôle de bruit. Sans doute qu'il venait de s'asseoir.) Et si tu me disais plutôt qui vous a recrutées ? Allez, je suis prêt à jeter son cadavre dans un coin pas trop difficile d'accès.

Mon cœur s'arrêta de battre.

— Si tu la tues, je te jure que tu vas regretter de ne pas avoir choisi de te suicider.

— Je suis mort de peur, ricana-t-il. Tu m'as l'air bien jeune. Tu as quoi, vingt ans ? Ce n'est pas une sale morveuse qui va m'intimider. Et si tu demandais à ta maman de me menacer, plutôt ?

Je laissai échapper un léger soupir, et m'en mordis instantanément les doigts.

Un silence.

— Oh ! je vois. C'est elle, ta maman. Pas de bol, dis donc. Écoute, ça me fait de la peine pour toi, petite… Non, en fait, je m'en fous. Profite bien de cette leçon de vie, puisque ta maman ne pourra plus t'en donner : parfois, les choses ne tournent pas comme on voudrait, c'est tout.

Je sentais mon sang pulser dans mes veines. Il pouvait raccrocher à tout instant. Jeter le téléphone de Maman par-dessus bord. Et alors, je la perdrais pour de bon.

Ces gens n'allaient pas me rendre ma mère. *Sans blague, Ross.* Mais il était toujours à l'autre bout du fil. Tout n'était pas fichu. C'était un chasseur de trésors. Je devais juste lui donner quelque chose en échange.

51

— Qu'est-ce que vous voulez ?

Cette fois, j'avais toute son attention.

— Il y a encore une demi-heure, tout ce que je voulais, c'était récupérer mon bien. C'est réglé, alors à toi de jouer : qu'est-ce que tu me proposes ?

— Un million.

Allez, accepte. Rien de compliqué pour moi. Maman avait plus que ça à la banque.

Il éclata de rire. À gorge déployée, comme s'il n'avait jamais rien entendu d'aussi drôle.

— Tu n'as pas vu mon yacht, gamine ? J'en ai deux autres comme celui-là. On m'a déjà offert des cadeaux d'anniversaire qui valaient plus que ça.

Mon ventre se noua.

— Dix millions.

Ce ne serait pas la même histoire. J'allais devoir quémander à Grand-père et Grand-mère. Mais ils le feraient. Quelle que soit la raison de leur brouille avec Maman, ils le feraient. Elle restait leur fille.

— Allons… Ta mère compte vraiment si peu, pour toi ?

J'hésitai. Jusqu'où pouvais-je aller ? Vingt ? Trente ? Je parviendrais peut-être à rassembler un montant pareil. En sélectionnant mes missions avec soin et avec l'aide de toute la famille. Je pourrais vendre nos souvenirs les plus précieux. C'était faisable. Peut-être, peut-être…

— Ces enchères évoluent un peu trop lentement à mon goût, lâcha la voix. Je vais plutôt choisir une somme moi-même.

Une fois encore, j'entendis un bruit indéfinissable. Comme s'il s'adressait à quelqu'un d'autre. Ils étaient en train de déterminer combien valait la vie de Maman.

— J'ai trouvé. Un milliard.

Je secouai la tête si fort que mes tresses me fouettèrent les épaules.

— Vous êtes dingue ? Je ne peux pas vous donner un milliard de dollars ! C'est du délire !

— Oh ! je pense que si, ma petite Quest.

Je me figeai. Maman n'avait pas pu révéler notre nom. Impossible.

— C'était facile à deviner, poursuivit l'homme sans que j'aie eu besoin de l'interroger. Je savais que vous étiez installées quelque part dans les Caraïbes. Et puis il y avait cette histoire de *black box*. Bref, je parie que je détiens un membre de la légendaire famille Quest. Je me trompe ?

Inutile de répondre. Il n'en attendait pas tant.

— C'est bien ce que je pensais, se rengorgea-t-il. Donc maintenant, je suis certain que tu peux me trouver un milliard de dollars. Seul un Quest en est capable.

Il ne plaisantait pas. Il ne changerait pas d'avis. Un milliard de dollars pour sauver la vie de Maman.

— OK.

Même en y consacrant une année entière, je n'étais pas en mesure de réunir une somme pareille. Mais, hé, peut-être que je me sous-estimais. Pour Maman, j'étais prête à tout, si on me laissait un peu de marge de manœuvre.

— Dans combien de temps ? coassai-je.

— Hum… La patience est ma plus grande qualité. Une semaine, ça t'irait ?

— Un an.

— Non.

Je tirai sur une tresse à me l'arracher.

— Une semaine, c'est irréaliste. Je ne pourrais même pas procéder à un virement international en si peu de temps.

Il sembla réfléchir.

— Je t'accorde un mois. Pas une minute de plus.

Quand j'aurais récupéré Maman, briser la mâchoire de ce type serait une de mes priorités.

— Je veux aussi pouvoir lui parler régulièrement pour m'assurer qu'elle est toujours en vie.

— Adjugé. Mais si tu commences à me taper sur les nerfs, j'arrête tout. Tout. Compris ?

À son ton, je n'avais aucun doute sur ce qu'il sous-entendait. J'allais devoir économiser mes appels. Malgré tout, je ne pus me retenir.

— Je veux lui parler tout de suite.

— Elle est inconsciente. Tu vas devoir retenter ta chance plus tard. Ne t'inquiète pas, d'ici là nous prendrons bien soin de Mamounette.

Il ricana une dernière fois, puis il raccrocha.

Lentement, j'écartai le téléphone de mon oreille. Des vaguelettes léchaient le rebord de mon radeau. Il y avait de l'espoir. Maman vivrait encore un mois.

Mais ensuite, ils allaient la tuer. Car je ne savais absolument pas comment récolter un milliard de dollars en si peu de temps.

Quand je tirai le canot gonflable sur la petite crique de Paradise Island, il n'y avait personne en vue. Comme prévu, mon balluchon m'attendait derrière une paillote abandonnée, là où je l'avais laissé. Je m'étais tant inquiétée d'échouer par négligence… J'avais eu peur que quelqu'un ne me voie foncer vers la crique et décide d'avertir la police des frontières. Que mon sac disparaisse. Que le radeau ne se gonfle pas. Mais tout s'était déroulé selon mes plans. On aurait dit que l'univers tout entier était en train de se moquer de moi.

Mon téléphone s'était éteint juste après ma discussion avec… le ravisseur de Maman. Plus de batterie. Je dus le connecter quelques minutes à ma batterie externe pour pouvoir contacter notre numéro d'urgence. Un numéro que je connaissais par cœur et que nous n'étions censées utiliser qu'en cas de situation désespérée.

Elle répondit dès la première sonnerie.

— Qu'est-ce qui se passe ?

Je m'effondrai sur le sable.

— J'ai merdé, Tatie. J'ai vraiment, vraiment merdé.

#

Paolo, notre pilote personnel, m'attendait à bord du seul avion stationné sur la piste de l'aéroport privé de Nassau. Moins d'une heure plus tard, nous atterrissions à Andros. Je conduisis la Jeep de Maman jusqu'à Love Hill, puis je me traînai dans la maison à travers les lumières de l'aube. On aurait dit un rêve. Un cauchemar. Je revivais les heures précédentes comme une somnambule. Les coups de feu, l'eau, le yacht qui s'éloignait dans les ténèbres.

Dire que je me sentais si futée, quand je m'imaginais disparaître juste sous son nez…

Seule. Si elle se faisait tuer, si elle ne revenait jamais… je me retrouverais vraiment seule. Tatie allait sûrement retourner habiter dans sa maison à Nassau. Je connaissais à peine mes grands-parents et nous étions brouillés avec ma grand-tante. Puisque Maman n'était invitée à aucune réunion de famille, je devinais que je ne serais pas la bienvenue non plus. Qu'est-ce qu'il me resterait ?

Non. Je pouvais encore tout arranger. J'allais tout arranger.

Tatie était dans la cuisine, occupée à éplucher son répertoire. Elle ne m'enlaça pas, elle ne chercha pas à me consoler. Pas le temps. Tout ce qu'elle m'accorda, c'est un regard apitoyé au moment de me passer une tablette sur laquelle s'affichait une liste de noms. Chez les Quest, on n'est pas du genre à pleurnicher. Le travail et l'efficacité avant tout. Cette fois, la première chose à faire était de contacter toutes les personnes susceptibles de connaître des astuces pour sauver une mère kidnappée, ou pour amasser un milliard de dollars.

#

Personne ne pouvait rien pour nous.

Nous y consacrâmes la journée. Nous appelâmes tout le monde. Grand-père et Grand-mère. Tante Sara. Des associés spécialisés dans la libération d'otages. Des créanciers occultes. Tous ceux qui avaient une dette quelconque envers la famille. Personne n'avait l'intention de nous aider.

Au bout d'un moment, Tatie se mit à faire les cent pas pendant ses appels. Je ne m'aperçus de sa disparition que bien plus tard, après être arrivée au bout de la liste de noms qu'elle m'avait confiée.

Je m'immobilisai devant la porte de sa chambre. Grand-mère venait de m'opposer un nouveau refus, ferme et définitif.

Le tremblement qui agitait la voix de Tatie m'empêchait de franchir cette porte. Si j'entendais une chose pareille, qu'est-ce que j'allais voir en entrant dans la pièce ?

— Je sais, je n'ai pas beaucoup à vous offrir, gémissait-elle. C'est bien votre spécialité, non ? Ramener les gens quand personne d'autre ne peut plus rien faire ?

— Reprenez-vous, madame Quest.

La femme que l'on entendait dans le haut-parleur du téléphone de Tatie semblait cruellement indifférente. On aurait dit une employée de service après-vente pressée de raccrocher pour pouvoir rentrer chez elle. À croire que la vie de Maman n'était pas en jeu.

— Nous sommes des extracteurs, pas des magiciens, poursuivit la femme. Trouver un disparu sur la terre ferme est une chose, repérer un yacht au milieu de l'océan en est une autre. D'abord, vous disposez de trop peu d'informations et, d'après vos explications, les ravisseurs sont des professionnels. Il est donc plus que probable que l'otage soit exécuté avant que nous ne puissions intervenir.

J'avais été frappée par la foudre. *Exécuté ?*

— Par ailleurs, enchaîna-t-elle, sachez qu'il nous a récemment été demandé de ne pas donner suite aux appels provenant de votre famille. Vous devriez me remercier d'avoir pris le temps d'étudier votre situation. Je ne saurais trop vous recommander de faire votre deuil dès à présent. Bonne soirée.

Fin de la communication.

Quelque chose s'écrasa contre un mur. Le téléphone de Tatie ? Des sanglots étouffés s'échappèrent sous la porte. Impossible de supporter ça plus longtemps.

Je courus jusqu'à ma chambre. Tout tournait autour de moi. J'avais le souffle coupé. Le temps d'une seconde atroce, je laissai la situation me consumer. La réalité d'un monde sans Maman. Je ne parviendrais pas à trouver cet argent, elle allait se faire abattre, son cadavre serait jeté à la mer… Je n'allais jamais voir son corps.

C'était ma faute. Ce serait ma faute pour le restant de mes jours.

Allait-elle le découvrir avant sa mort ? Que son unique fille lui avait fait ça ? Que je m'étais préparée à fuir ? Était-ce une leçon de l'univers ? Une manière particulièrement tordue de me dire : « Tourne sept fois ta langue dans ta bouche avant de faire un vœu » ?

Un vœu.

J'avais supprimé l'invitation, mais je me souvenais de l'adresse e-mail.

Mon sac à dos était déjà prêt ; il était censé m'accompagner dans une vie toute neuve. Mon bracelet météore était toujours attaché à mon poignet. J'attrapai une veste dans mon armoire et glissai les pieds dans mes chaussures les plus silencieuses : des baskets bleu nuit ornées d'étoiles en argent brodées, et *La nuit étoilée* de Van Gogh peinte sur les semelles.

Tatie ne m'entendit pas partir. Je m'en étais assurée. Comment allait-elle réagir ? J'avais pensé qu'elle serait la seule à m'attendre sans rancune, quand j'aurais fini par rentrer de mon excursion à la fac, mais le monde n'était plus le même que la veille. Et si je ne la revoyais jamais ?

Je fis un détour pour écrire un mot sur le carnet accroché au frigo.

J'ai décidé de faire un vœu. Je reviendrai, c'est promis.

Alors, telle une ombre, je rejoignis la Jeep de Maman. J'envoyai mon numéro sur l'adresse e-mail en priant pour obtenir une réponse rapide.

Moins de dix secondes plus tard, mon téléphone sonna.

— Bonsoir, Rosalyn Quest, dit une femme.

Son accent changeait à chaque mot : anglais, américain, puis australien. Ce qui demande beaucoup d'entraînement.

— Je suppose que vous souhaitez vous inscrire ?

Je pris une grande inspiration.

— Si je gagne, j'ai droit à un vœu ?

— Oui, c'est la récompense prévue.

— Et ça peut être *n'importe quoi* ?

Je devinai qu'elle souriait.

— À part ressusciter un mort ou modifier les lois de la physique, oui. N'importe quoi.

— Je veux participer.

— Parfait. (Mon téléphone vibra.) Consultez vos e-mails. Votre messagerie personnelle.

Je fronçai les sourcils. Une nouvelle notification s'était affichée à l'écran. Un billet d'avion à mon nom. Si vite ?

— Votre avion décollera de l'aéroport d'Andros dans une heure. Vous avez largement le temps, si je ne m'abuse.

Ils savaient donc où j'habitais ? Ou peut-être qu'ils me suivaient à la trace…

— Oui, soufflai-je.

— Nous nous rencontrerons à votre arrivée. Oh ! et nous sommes ravis de vous voir participer au Trophée, mademoiselle Quest.

Un énorme poids me comprima le ventre. J'ignorais qui étaient ces gens, mais c'était du sérieux. Ils tenaient à me faire comprendre qu'ils étaient les maîtres du jeu, et que j'allais devoir respecter *leurs* règles. Peu importait. Quel que soit le défi, j'allais gagner.

Je mis le contact et le moteur démarra. Je croisai mon regard dans le rétroviseur intérieur. La fille que j'y vis n'était pas là pour plaisanter.

Chapitre 6

L'aéroport international d'Andros est à peine plus grand que ma maison et ferme ses portes avant la nuit. Ce soir-là, bien que le parking fût vide, il brillait de mille feux. Il attendait une unique voyageuse : moi.

À mon entrée dans le terminal, les ventilateurs du plafond se mirent en marche. Les néons clignotaient. Je me dirigeai vers le guichet dressé au bout de deux rangées de chaises en plastique écaillées. Un inconnu blond vêtu d'une veste bleu ciel bien repassée (distincte du costume beige des employés habituels de l'aéroport) patientait, les mains jointes dans le dos. Il se balançait derrière le comptoir. Il semblait être né pour attendre là au garde-à-vous.

— Où est Élise ? demandai-je.

Il n'y avait que deux agents d'accueil à l'aéroport international d'Andros. Le vendredi, c'était le soir d'Élise.

— Elle est en congé.

Je jetai un œil au contrôle des bagages. Personne. Puis je regardai le tableau des départs et des arrivées. Aucun vol n'était annoncé.

Je montrai mon e-billet au préposé, qui hocha la tête. Il ne nota pas le numéro de mon vol. Je lui tendis mon passeport, mais il me fit comprendre que c'était inutile avant d'ouvrir la porte de verre menant à la piste de décollage.

— Je vous souhaite un excellent voyage, madame Quest.

Ni vérification du passeport ni contrôle de sécurité. J'avais l'impression d'être invitée chez Willy Wonka ; il m'avait suffi de présenter le ticket d'or. Si j'avais su qu'on ne fouillerait pas mes bagages, je ne me serais pas contentée de mon bracelet météore. Il m'avait fallu des heures de travail pour lui donner l'apparence d'un inoffensif accessoire de mode. Je me demandais ce qu'avaient emporté mes adversaires.

Sur la piste, il y avait un seul jet aux courbes racées et aux hublots luisants. Une hôtesse de l'air vêtue du même uniforme bleu ciel que l'agent d'accueil me salua tandis que je montais l'escalier menant à l'intérieur de l'avion.

— Bienvenue à bord.

Ses dents étincelèrent derrière ses lèvres rouge vif. Elle avait un étrange accent, qui me faisait penser à celui de la haute société anglaise, mais teinté d'une touche d'Europe de l'Est.

Les moteurs de l'appareil vibrèrent sous mes semelles. Une odeur indéfinissable planait dans l'habitacle : un puissant parfum sucré. Je m'en serais méfiée sur-le-champ si la femme qui se tenait devant moi ne le respirait pas aussi.

— Puis-je vous débarrasser de votre sac ?

Je l'éloignai de ses mains tendues.

— Non merci.

Mon refus sembla lui faire plaisir.

— Comme vous le désirez, répondit-elle. Installez-vous où vous voulez.

Je la contournai pour aller m'asseoir sans la quitter des yeux. À partir de cet instant, j'avais tout intérêt à redoubler de méfiance.

Je ne m'attendais pas à ce que l'avion soit si grand, mais il restait plus proche d'un jet privé que d'un appareil de ligne. Je repérai les sorties en quelques secondes. Une à l'avant, une à l'arrière. Aucune sur les flancs ; l'avion était trop petit pour ça.

Les sièges en cuir couleur crème étaient plus larges que ceux qu'on trouve en première classe dans un jet classique. Certains se faisaient face, séparés par une tablette.

Je n'étais pas la seule passagère.

Deux adolescents qui semblaient avoir à peu près mon âge étaient déjà assis. La première, une Hispanique, avait la tête appuyée contre ses bras étalés sur la table. Ses longs cheveux noirs formaient un rideau autour de son buste. J'étais presque certaine qu'elle était inconsciente. Personne n'aurait pu s'endormir dans une position pareille. L'autre passager était un garçon blanc installé tout au fond de l'appareil. Son crâne était rasé d'un côté, tandis que l'autre moitié était recouverte de cheveux bruns si longs qu'ils touchaient ses bras croisés sur sa poitrine. Il était affalé contre le hublot, la bouche entrouverte.

Pourquoi dormaient-ils ? Quel cinglé pouvait bien roupiller à bord d'un avion en route pour… Dieu savait où.

Je m'assis au premier rang, dans le sens inverse de la marche. De là, j'avais une vue directe sur les autres passagers. Sur mes adversaires.

J'entendis la porte de la cabine se fermer et se verrouiller. Je me mordillai le doigt avant de le retirer aussitôt de ma bouche. Moi qui croyais que Maman avait réussi à me débarrasser de ce tic nerveux des années plus tôt… Je devais me reprendre.

L'hôtesse de l'air m'apporta un verre d'eau et un paquet de cookies sur un plateau. Je refusai d'un geste, ce qui ne la dissuada pas de déplier ma tablette pour y déposer la collation.

— Offert par la maison.

Était-elle incapable de dire un mot sans employer ce ton guilleret ?

Mon regard fut attiré par le badge qu'elle portait sur la poitrine. *Suvetlana*. Quelle drôle de façon d'écrire ce prénom. D'autant que son accent n'avait rien de russe.

— Euh, merci.

Mon estomac se mit à gargouiller. Depuis quand n'avais-je rien avalé ? Peut-être que le stress d'avoir perdu Maman m'avait fait brûler toutes les calories que j'avais assimilées dans la journée. J'avais la bouche sèche. Je n'avais pas si soif avant d'entrer dans le jet, si ?

Ma main saisit le verre, mais je me figeai. Non, je n'avais pas aussi soif, j'en étais certaine. Quelque chose n'allait pas. Comme cette odeur étrange.

L'hôtesse n'avait pas bougé. Je regardai au fond de l'avion. La fille aussi avait un verre posé devant elle. Le même que le mien, mais vide. Je ne pouvais pas voir s'il y en avait un devant le garçon, j'étais en tout cas convaincue que sa tablette était dépliée.

Je me focalisai quelques minutes sur ma bouche sèche. Les sens en alerte, je regardai l'hôtesse qui se tenait toujours devant moi.

Je tapotai le verre.

— Ce truc va m'endormir ?

Elle plissa les yeux.

— Votre intelligence est remarquable, mademoiselle Quest. Oui, en effet.

— Et j'imagine que c'est à cause de cette odeur bizarre que j'ai si soif ?

— Peut-être.

— Est-ce que les deux autres passagers se sont dit la même chose que moi ?

— L'un d'entre eux.

— Pouvez-vous me dire lequel ?

— Non.

L'avion n'avait pas commencé à rouler. Nous n'attendions pourtant pas que la piste soit libre.

Je levai le verre devant mes yeux. On aurait dit de l'eau, et cela en avait sans doute le goût.

— Combien de temps vais-je rester inconsciente ?

— Pas plus que nécessaire, me promit-elle. Nous devons encore aller chercher deux passagers. Nous tenons à préserver l'anonymat de chacun. Je suis certaine que vous nous comprenez.

Était-il bien raisonnable de me laisser endormir alors que d'autres étrangers s'apprêtaient à monter à bord ?

— Il ne vous arrivera rien jusqu'à votre réveil, soyez-en assurée.

Elle n'avait toujours pas bougé ; elle se contentait d'attendre. Ce n'était pas une proposition. Quelque chose me disait qu'il s'agissait d'un premier test. On voulait vérifier que j'étais prête à respecter les règles du jeu.

Je n'avais pas le choix. La vie de Maman était en sursis. Et je mourais de soif.

Je vidai le verre d'un trait. Je n'avais jamais bu une eau si délicieuse. Elle était fraîche, pure, presque sucrée. La femme ne toucha pas au plateau ; c'était un indice pour les prochains arrivants.

Je me blottis dans mon siège et je fermai les yeux. Les moteurs se mirent à gronder. Je ne savais même pas sur quel continent j'allais me réveiller. Si je me réveillais.

Je déglutis, puis dodelinai de la tête. Ces gens s'étaient donné beaucoup de mal pour m'amener jusque-là ; j'allais me réveiller.

Après quoi, je remporterais la victoire.

Chapitre 7

Je repris conscience dans une petite pièce sans fenêtre. Les murs et le plafond étaient tapissés de velours noir, tout comme la banquette sur laquelle j'étais allongée. Des volutes de brume dansaient au-dessus du sol, avant de se faire aspirer par une grille. Un gaz destiné à me réveiller ?

Je regardai dans les coins, puis sous la banquette. Il n'y avait rien d'autre que moi. Où était passé mon sac à dos ? C'est pourtant moi, la voleuse. Dans un angle de la pièce, une caméra sphérique en verre braqua son œil artificiel sur moi.

Sans doute que ça aurait été beaucoup moins drôle s'ils n'avaient pas pu m'espionner.

Sur le mur opposé se découpait une porte en métal semblable à celles qu'on trouve dans les sous-marins.

Elle était verrouillée par une bonne trentaine de cadenas, tous différents. Des cadenas à combinaison, à clé, numériques, directionnels, et même un clavier alphabétique placé tout au fond. Un nouveau test. Mon mystérieux public voulait voir si je parviendrais à sortir de là.

Trop facile.

Je détachai l'un des crochets de serrurier cousus dans les poches de ma veste. Quelques secondes plus tard, les cadenas à clé étaient tous ouverts. Je dus coller mon oreille contre les autres verrous pour écouter le cliquetis jusqu'à obtenir la bonne combinaison. En un rien de temps, un petit tas de cadenas s'était formé à mes pieds.

Il n'en restait plus qu'un : le clavier.

Je fis craquer mes doigts. Ils avaient besoin de faire une pause, et moi aussi. Cette dernière étape s'annonçait plus complexe. Sans compter que je ne savais pas ce que je trouverais de l'autre côté.

Je ne suis pas friande de ce genre de mystère.

Je tentai de regarder entre le bord de la porte et le mur. À quel type de verrou était connecté le clavier ? S'il s'agissait d'une serrure magnétique, je n'aurais même pas besoin de chercher le mot de passe.

Oublie ça. Ils m'avaient pris mon sac à dos. Pas de sac à dos, pas de carte de crédit.

J'effleurai les boutons. Est-ce que certains comportaient des marques d'usure ? C'était sans doute une sorte de calcul arithmétique…

L'écran s'alluma. Une question défila.

`Comment s'appelait votre hôtesse de l'air ?`

Un sourire s'épanouit sur mes lèvres.

`S-U-V-E-T-L-A-N-A`

Avec un bruit métallique, la porte s'entrebâilla. Je me faufilai prudemment à travers l'ouverture. Peut-être d'autres portes, verrouillées par des centaines de cadenas ? Ou un bon vieux donjon à l'ancienne ?

Ce n'était pas un donjon. Du moins, si c'en était un, il était plutôt cosy. Je dus cligner des yeux pour m'accoutumer à la lumière. Cette nouvelle pièce aveugle était ronde et percée d'une dizaine de portes. Au centre, un cercle hétéroclite de fauteuils moelleux et de canapés de velours. Les sièges dégageaient une odeur de renfermé, un mélange de moisissure et de copeaux de bois.

Et puis… elle était là.

Assise au bord d'un canapé, les chevilles croisées avec grâce. Elle avait joint ses mains pâles sur sa jupe qui, associée à son blouson et à ses bottines, lui donnait une allure de pensionnaire d'internat. Quand elle pencha la tête, ses cheveux blonds mi-longs lui chatouillèrent les épaules. Elle m'observait de ses yeux bleus. Le regard que je lui opposai exprimait des sentiments enfouis dans les profondeurs de mon âme.

Noelia Boschert. Qui eût cru que la situation pouvait encore empirer ?

Elle fit d'abord une moue qui souleva les taches de rousseur parsemées de chaque côté de sa bouche. Mais après qu'elle eut jeté un œil à la porte que je venais de franchir, sa grimace se changea en un rictus méprisant.

— Toujours un train de retard, hein, Quest ? Ou cinq. Ou dix.

— Dix ? Comme le nombre de jobs que je t'ai piqués cette année ?

Elle ravala son sourire.

De tous les habitants de la planète, Noelia Boschert était le seul dont j'aurais été prête à financer la disparition. Et comme les lois de l'univers ont un sens de l'humour bien à elles, c'était évidemment l'unique personne de mon âge avec qui j'avais des interactions régulières. Les Boschert étaient la plus grande famille de voleurs en Europe. Quant à la mienne, elle était la plus célèbre d'Amérique du Nord. Ce qui aurait dû faire de nous les meilleures amies du monde, pas vrai ?

Eh bien, non.

Ce n'était pourtant pas faute d'avoir essayé. Un hiver, Maman m'avait inscrite à un stage de ski, et c'est là que j'avais rencontré pour la première fois Noelia, neuf ans. Une pure coïncidence. Nous avions volé les bracelets d'amitié roses de nos voisines de dortoir. Je lui avais appris à faire le grand écart, et en échange elle m'avait montré comment pratiquer une bonne clé de bras. Nous avions même inventé un jeu : la gagnante était celle qui parvenait à rafler le plus de M&M's à l'autre.

Mais voilà : le dernier jour du stage, nous avions fauché des bijoux à quatre de nos moniteurs de ski, et elle m'avait dénoncée. Résultat : j'avais fini menottée dans un bureau où on m'avait menacée de m'envoyer dans un centre de détention pour mineurs suisse. Maman était venue me sauver juste à temps, et j'avais passé la descente vers la vallée à pleurer toutes les larmes de mon corps tandis qu'elle n'arrêtait pas de me répéter : « Maintenant, tu comprends pourquoi nous ne faisons confiance à personne. Un Quest ne peut se fier qu'à un autre Quest, ma belle. »

Depuis lors, ce cafard de Noelia Boschert faisait régulièrement irruption dans ma vie. J'avais croisé sa route au cours de différentes missions : elle avait suggéré à la police de patrouiller autour d'un de mes points de rendez-vous, et fait courir des rumeurs sur mon compte auprès d'un de nos clients pour le dissuader de me laisser assister ma mère. Après cet incident qui m'avait horripilée, j'avais convaincu Maman de faire main basse sur tous les jobs possibles dans les environs de la Suisse pendant trois mois, du moins tous ceux qui auraient pu rapporter de l'argent facile à Noelia et sa famille. Mon triomphe prit la forme d'un e-mail agressif m'intimant de cesser d'empiéter sur leurs plates-bandes. J'en fis mon fond d'écran pendant une semaine entière.

— Ces clients ne devaient pas très bien payer, rétorqua Noelia, si tu ne peux t'offrir que ce jean pourri et ce tee-shirt minable.

Elle baissa les yeux sur mes chaussures, prête à les critiquer à leur tour. Je m'attendais à l'entendre ricaner, ou utiliser un terme comme *ridicule* ou *pathétique* (c'était ce qu'aurait fait Tatie, à sa place), mais Noelia ne dit rien. Elle semblait mal à l'aise.

Alors je regardai ses bottes. À première vue, on aurait dit des chaussures tout à fait banales, hormis peut-être les semelles que je distinguais à peine. Elles étaient colorées et recouvertes d'un subtil motif abstrait.

Elle décroisa les jambes pour mieux dissimuler cette fantaisie. Il était évident qu'elle était gênée de partager avec moi ce goût pour les chaussures excentriques.

— Même une horloge cassée donne l'heure juste deux fois par jour, marmonna Noelia.

Je sautai par-dessus le dossier du canapé le plus éloigné du sien et m'y installai confortablement, déterminée à faire comme si cette scène n'avait pas eu lieu.

Je me concentrai sur le petit écran placé au-dessus de la porte de Noelia. Il y en avait un semblable au-dessus de chaque porte, sauf une. Douze écrans, sur lesquels s'affichait un compte à rebours très précis. Le mien s'était figé sur : 11 minutes, 30 secondes, 3 dixièmes de seconde. Le score de Noelia était de 9 minutes et 44 secondes.

Je grinçai des dents. Elle m'avait battue... pour cette fois.

Une troisième porte s'ouvrit. Le garçon de l'avion écarta sa mèche de cheveux pour consulter son temps sur l'écran. C'est là que je remarquai qu'il s'était fait des traits d'eye-liner. Et que ses bretelles défaites pendaient sur son pantalon. Un look banal. Peut-être que c'était voulu. On se méfie moins des types comme les autres.

Il se tourna vers nous et leva les mains, comme pour dire : « C'est quoi, ce délire ? »

— Où est le prochain test ?

Il avait un accent américain standard. Noelia et moi le regardâmes en haussant les sourcils.

— Le nouveau défi ! insista-t-il. Comme ces cadenas, quoi… Je pensais enchaîner des épreuves toujours plus difficiles, un truc comme ça.

Constatant enfin qu'il n'aurait rien de mieux à faire, il s'avachit dans un fauteuil avec un soupir déçu. Il dégaina un téléphone, le posa à l'envers sur ses genoux, puis il sortit un jeu de cartes de son autre poche. Il entreprit de battre les cartes en arc de cercle à la manière d'un magicien, tout en nous épiant du coin de l'œil.

Vous savez quoi ? Je n'imaginais pas qu'on pouvait être si déçu de ne pas devoir affronter un danger imminent. Il avait presque l'air contrarié. Noelia ouvrit la bouche, mais après avoir bien observé le nouveau venu, elle préféra se taire. Telle que je la connaissais, elle s'était déjà mise en quête de son prochain meilleur ami jetable. Visiblement, elle ne le jugeait pas à la hauteur.

Une minute plus tard, nous fûmes rejoints par une fille élancée dont les traits trahissaient des origines indiennes. Elle semblait sortir tout droit d'un défilé de mode. Elle était grande, fine, avec un chignon top knot noir, un maquillage irréprochable et des yeux marron intimidants surmontés de cils d'une longueur invraisemblable. Elle portait une veste ornée de broderies en or (une sorte de mix entre la haute couture occidentale et l'idée que je me faisais d'un costume indien traditionnel), associée à un legging, des sandales et une écharpe. Contrairement à Noelia et son style bourgeois, cette fille était chic. Elle arborait une quantité extravagante de bagues ; au moins une sur chaque doigt. Des bagues aux angles très pointus.

Noelia laissa échapper un soupir admiratif tout en joignant les mains sous son menton. Elle s'adressa à la fille dans une langue qui m'avait tout l'air d'être du hindi (je ne savais pas qu'elle le parlait). La nouvelle lui fit un sourire prétentieux en désignant sa propre veste, puis celle de Noelia.

Et voilà, elles étaient devenues amies. Enfin, autant qu'on peut l'être au bout de deux minutes. J'aurais bien voulu me moquer de la naïveté de la petite nouvelle, mais ça aurait été hypocrite de ma part. Quelques années plus tôt, j'avais commis la même erreur, quand une Noelia bien plus jeune s'était extasiée devant mes barrettes.

Au moins, cette fois, je connaissais son mode opératoire. Je ne risquais pas de tomber dans le panneau.

Ce qui ne m'empêcha pas d'avoir envie de frapper dans quelque chose quand elle se mit à ricaner avec Miss Bijoux.

Ensuite, un garçon vêtu d'un sweat beige apparut. Je n'avais jamais vu quelqu'un d'aussi bien peigné : pas un cheveu ne dépassait de sa raie sur le côté. Il venait d'Asie de l'Est, et sous ses lunettes stylées, son regard était affûté.

— Classes, tes lunettes, mec, lâcha l'autre garçon, comme s'ils étaient deux lycéens se croisant dans un couloir entre deux cours.

Cheveux Impeccables releva sa monture.

— Je sais.

Il ne daigna s'asseoir qu'après avoir fait le tour de la pièce en prenant le temps de tout étudier en détail, nous y compris. Poker Boy se pencha en avant quand Cheveux Impeccables vint l'examiner de plus près.

— La dernière fois qu'un mec m'a maté comme ça, on a fini au lit, lança-t-il avec un sourire lubrique.

Cheveux Impeccables ne parut ni amusé ni agacé. Il sortit son téléphone, sans doute pour prendre des notes.

— Te fais pas de films.

La candidate suivante était une fille aux traits asiatiques, elle aussi. Ses cheveux ondulés étaient teints couleur cuivre. Ils étaient retenus autour de son cou par un casque audio doré au style rétro. J'entendais sa musique de l'autre bout de la pièce. Elle se laissa tomber dans un fauteuil tout proche de Poker Boy, et se lova dans les coussins. Elle ne quittait pas des yeux le paquet de cartes que manipulait toujours son voisin.

— Je peux essayer ? demanda-t-elle en tendant les mains.

Non seulement Poker Boy était d'accord, mais il lui expliqua comment s'y prendre.

Deux autres de nos concurrents sortirent de leur pièce presque simultanément. La première était la fille hispanique de l'avion. Cette fois, elle s'était fait une natte (drôle de façon de passer le temps) qui se balançait sur sa veste en jean. Elle se déplaçait avec une grâce angélique, comme en apesanteur. *Une danseuse. Ou peut-être une acrobate ?* Je n'eus pas l'occasion d'y réfléchir davantage ; le garçon qui était arrivé avec elle monopolisait l'attention de tous.

J'entendis d'abord un bruit de bottes. On se serait cru dans un film, quand la caméra zoome sur les pieds d'un motard qui pénètre pas à pas dans un bar où plus personne n'ose prononcer un mot. L'espace d'un instant, le silence était à couper au couteau. Alors un grand ado blanc fit son entrée. Une coupe en brosse, un bombers. Il fit craquer ses doigts. Je frémis. Ce type n'était pas net. Il dégageait beaucoup d'agressivité. Il marchait trop lentement. Même si on ne m'avait pas entraînée à être toujours sur mes gardes, j'aurais deviné qu'il valait mieux changer de trottoir à son approche.

Au moins, il était de l'autre côté de la pièce. Clairement, je ne voulais surtout pas qu'il s'assoie à côté de moi. Et mes petits camarades semblaient tous partager mon opinion.

Tous, sauf Poker Boy. Celui-là même qui regrettait d'avoir atterri dans une salle d'attente plutôt que dans une salle de torture.

Quand le nouveau venu passa devant lui, Poker Boy tendit le pied. Sinistros se prit dedans et trébucha.

Noelia poussa un cri. Moi aussi, pour être honnête.

— Oups ! Désolé, mon pote, gloussa Poker Boy. Tu devrais faire gaffe à où tu mets les pieds.

Le visage de Sinistros se fendilla. Une lueur meurtrière illuminait ses yeux. Il tendit une main vers le cou de Poker Boy.

— Merde !

Les cartes qu'était en train de mélanger Casque d'Or s'envolèrent avant de retomber en pluie un peu partout dans la pièce. Poker Boy s'en tirait bien. Cette diversion lui avait donné le temps nécessaire pour esquiver la main ouverte de Sinistros.

— Maintenant, je comprends pourquoi tu m'as dit d'appuyer sur un coin avec le pouce, lâcha Casque d'Or en haussant les épaules, comme s'il s'agissait d'un simple accident.

Avait-elle tenté de sauver Poker Boy ? Elle était tellement détendue que je ne parvenais pas à en être sûre. En tout cas, si telle était son intention, ça avait fonctionné. Rien ne vaut un jet de cartes pour gâcher une bonne bagarre, a priori. Sinistros serra les poings et s'assit dans un fauteuil. Les bras pendants, il pliait et dépliait ses doigts sans arrêt, comme un psychopathe se demandant ce qu'il va faire des malheureux ligotés dans sa cave. J'avais l'impression d'être face au Buffalo Bill du *Silence des agneaux*, et je n'étais sûrement pas la seule.

— *On met la crème dans le panier...*, murmura Noelia en français.

Je ne pus m'empêcher de sourire. Noelia en avait envie aussi, mais comme Miss Bijoux ne comprit pas sa référence au film, elle laissa tomber.

Casque d'Or entreprit de ramasser les cartes.

— Un petit coup de main ? demanda-t-elle en se tournant vers nous.

Inutile d'attendre la réponse du psycho. Entre deux prises de notes, Cheveux Impeccables en poussa quelques-unes vers elle du bout du pied. Noelia et Miss Bijoux, sa nouvelle BFF, affichaient un air blasé de compétition. La seule personne qui s'empressa de lui venir en aide était la danseuse à natte. Elle en avait déjà attrapé quelques-unes au vol, et je fus stupéfaite de la voir tordre son bras en un angle improbable pour récupérer celles qui avaient glissé sous un canapé.

Je jetai un œil par terre, même si je n'étais pas encore sûre de vouloir l'aider (il n'était pas impossible que Casque d'Or cherche juste à repérer les maillons faibles pour mieux les éliminer plus tard). J'aperçus une carte posée à l'envers sur le sol. La lui donner ne pouvait pas me nuire, et peut-être les autres s'imagineraient-ils ainsi que je suis de nature généreuse. À tort.

Lorsque je me penchai pour l'attraper, des doigts tièdes frôlèrent les miens.

Je relevai la tête. J'étais face à un garçon noir. Mon cœur s'arrêta de battre. Je n'avais pas entendu sa porte s'ouvrir.

Avec un sourire espiègle, il ramassa la carte et la retourna.

— Dame de cœur.

Son accent anglais me désarçonna. Il était incroyablement mélodieux. Le garçon avait murmuré, et il se tenait si près qu'on aurait dit qu'il ne s'adressait qu'à moi.

— C'est peut-être un signe, ajouta-t-il.

Je préférai me rasseoir avant de faire un malaise. Il rendit la carte à Casque d'Or.

Ce garçon était plus élégant que tous les autres. Il portait une cravate glissée à l'intérieur de sa chemise. Ses manches retroussées mettaient en évidence sa Rolex. Ses cheveux crépus avaient été bouclés avec soin, et quelque chose d'indéfinissable dans son apparence me laissait penser qu'il était métis. D'autant que ses yeux étaient marron clair plutôt que noirs comme les miens.

Il était incroyablement beau et, d'après son attitude et les premiers mots qu'il avait prononcés, il le savait très bien. Il n'hésiterait pas à en jouer.

Je me sermonnai en silence. Ross Quest n'allait *pas* se mettre à roucouler devant le premier garçon sexy venu. La priorité de ma *to do list* était de gagner ce concours pour sauver Maman, pas de tomber amoureuse d'un type prêt à flirter avec n'importe qui tant que ça pouvait servir ses intérêts.

Non, je n'étais pas du tout tentée.

— Vous ne vous êtes pas trop amusés sans moi, j'espère ? lança Beau Gosse. Puis-je ? me demanda-t-il en désignant le canapé sur lequel j'étais assise.

Comme je ne m'y opposai pas, il s'installa en croisant les jambes à la manière d'un animateur de talk-show. Il manipula son épingle à cravate en or (un accessoire idéal pour crocheter une serrure) quelques secondes avant de la remettre en place.

— Est-ce que j'ai raté les présentations ?

— Qu'est-ce qui te laisse croire qu'on a l'intention de faire une chose pareille ? rétorqua Noelia, qui s'adressait pour la première fois à quelqu'un d'autre que sa nouvelle amie top model.

— Moi, je n'aurais rien contre, dit la Danseuse en jouant avec sa natte.

— Comme si on était dans une émission de télé-réalité ? demanda Casque d'Or.

— C'est pas une émission de télé-réalité, répliqua Cheveux Impeccables.

À cet instant précis, je repérai une deuxième caméra dans un coin de la pièce. Je lui lançai un regard appuyé.

— Tu en es sûr ?

— J'en suis, lâcha Poker Boy, qui s'était remis à mélanger ses cartes en tapant du pied.

Beau Gosse sourit.

— Quoi qu'il arrive, nous allons bien finir par apprendre nos noms. De toute façon, je suis prêt à parier que la plupart d'entre nous se débrouilleraient pour les découvrir.

Après s'être levé, il posa une main sur son cœur.

— Devroe Kenzie. Angleterre.

— Les pays aussi ? m'étonnai-je.

— Et pourquoi pas ? répondit Devroe en se rasseyant. Histoire de nous épargner la peine de chercher à deviner d'où viennent nos accents.

— OK, intervint Casque d'Or, dont la musique était toujours à plein volume. Moi, c'est Kyung-Soon Shin. Je suis coréenne. Du Sud, évidemment.

Elle portait un tee-shirt extra-large à l'effigie d'un groupe de K-pop dont je n'avais jamais entendu parler, associé à un message écrit en grosses lettres coréennes roses. *Bon sang, j'aurais dû remarquer ça plus tôt.*

Kyung-Soon transmit son micro imaginaire à Poker Boy. Celui-ci glissa une main dans ses cheveux.

— D'accord. Je m'appelle Mylo Michaelson. M-O, pour les intimes. Il n'y en a pas beaucoup. Si vous avez un souci avec l'eye-liner, ça ne va pas le faire. Oh ! et je suis de Vegas. C'est aux USA, dans le Nevada.

— Sans blague, répliqua Cheveux Impeccables.

Kyung-Soon pouffa.

— Un joueur, alors ? demanda Devroe.

Mylo se raidit, l'air scandalisé.

— Je suis trop jeune pour jouer au casino, monsieur.

J'esquissai un sourire. S'il voulait se faire passer pour un gentil petit garçon, il s'y prenait très bien.

C'était au tour du roi de la bagarre. Après avoir hésité un moment, il finit par se jeter à l'eau.

— Lucus Taylor. Australie. Suivant.

Cheveux Impeccables planta ses coudes sur ses genoux et appuya son menton contre les paumes de ses mains.

— Vous pouvez m'appeler Taiyō. Je ne vous confierai mon nom de famille que si les Organisateurs me l'ordonnent. Je suis japonais.

— Tu ne vas vraiment pas nous dire ton nom ? réagit Miss Bijoux en écartant sa queue-de-cheval de sa main étincelante (je n'avais jamais vu quelqu'un faire un geste si glamour avec si peu d'effort). Allez, ça restera entre nous. Tu as peur, ou quoi ? ajouta-t-elle avec un sourire provocateur.

Taiyō n'entra pas dans son jeu. Il se remit à pianoter sur son téléphone, ce qui eut le don d'énerver Miss Bijoux.

— On peut savoir ce que tu écris ?

Taiyō ne lui répondit pas. Miss Bijoux semblait prête à l'agresser, mais Noelia posa une main sur son épaule pour la calmer. Puis elle s'éclaircit la gorge avant de se lever.

— Je m'appelle Noelia Boschert. Je vis à Zurich, en Suisse, précisa-t-elle en lissant sa jupe. Pour ne rien vous cacher, je préfère les rubis aux émeraudes, j'aime me promener sous la lune, et j'espère que vous ne vous vexerez pas trop quand Adra ou moi vous éliminerons.

Quand elle se rassit, nous levâmes tous les yeux au ciel. Hormis Adra, alias Miss Bijoux, qui semblait très fière d'avoir été citée. Du Noelia tout craché. Elle cherchait à lui faire croire qu'elles étaient alliées contre le reste de l'humanité.

— Les Boschert sont l'une des plus vieilles familles du milieu, pas vrai ? l'interrogea Adra.

Je me demandai si c'était Noelia qui lui avait suggéré de poser cette question.

— Exact, confirma l'intéressée en rougissant.

Au secours. Achevez-moi.

— Comme vous l'a appris Noelia, je suis Adra, déclara Miss Bijoux. Je viens d'Inde.

Kyung-Soon en resta bouche bée.

— Tu as reproché à Taiyō de ne pas donner son nom, et tu ne vas pas nous lâcher le tien ?

Adra haussa les épaules. Une lueur vicieuse brillait dans son regard. Aucun doute : cette fille ne pouvait pas s'empêcher de provoquer son monde.

— J'ai changé d'avis, glissa-t-elle avant de désigner la danseuse de l'avion. À toi.

Cette dernière se tenait parfaitement droite ; elle me faisait penser à un cygne.

— Yeriel, annonça-t-elle.

Elle avait un fort accent assez sensuel, mais sa voix tremblait. Était-elle nerveuse ?

— Yeriel Antuñez, Nicaragua, précisa-t-elle.

Il ne restait plus que moi.

— Le meilleur pour la fin ? lança Devroe.

Je soupirai et repoussai mes tresses derrière mes épaules.

— Ross Quest. Bahamas.

— Quest ?! s'écria Mylo, qui avait failli en tomber de sa chaise. C'est une famille légendaire ! Je ne pensais même pas que vous existiez ! C'est vrai, ce qu'on raconte ? Qu'un membre de ta famille a piqué un collier des joyaux de la Couronne et que la reine n'a jamais voulu l'admettre ?

L'ensemble des regards étaient braqués sur moi, mais tous n'étaient pas admiratifs. Noelia en particulier semblait furieuse de s'être fait voler la vedette.

— À mon avis, Grand-mère en a rajouté un peu.

Mylo hocha la tête en se frottant le menton.

— En tout cas, c'était mon histoire du soir préférée.

Nous avions un point commun.

Plusieurs alarmes se déclenchèrent. Les trois compteurs restants s'arrêtèrent sur 22 minutes. C'était la fin du temps imparti, pourtant les portes correspondantes étaient toujours fermées. En revanche, celle à laquelle aucun compteur n'était associé s'ouvrit en grand.

Une femme blanche surgit du couloir obscur. Elle tenait une tablette tactile dans le creux de son bras, comme s'il s'agissait d'un bloc-notes. Elle portait un tailleur rouge sombre assorti à sa coupe pixie écarlate. Si l'enfer était gardé par une concierge, c'était sûrement cette femme.

— Ravie de constater que vous avez fait connaissance.

La porte se referma derrière elle. Il y avait un dernier siège vide entre Kyung-Soon et Lucus. Je m'attendais à ce qu'elle y prenne place, mais elle resta debout. À nous toiser.

— C'est votre façon de nous faire comprendre qu'on était observés ? demanda Lucus. Ils sont combien, au premier rang ?

— Considérez que nous avons un œil sur vous en permanence, répondit la femme en souriant. Vous pouvez m'appeler l'Arbitre. J'ai été nommée référente pour cette édition du Trophée. Chacun de vous a su attirer l'attention de l'Organisation.

— Et les gens dans les trois autres pièces ? l'interrogea Taiyō.

— Ceci était un premier test. Un examen d'entrée, en quelque sorte. Ils ont échoué. Ne vous souciez pas d'eux, ils sont éliminés du concours.

Nous étions douze au départ, et trois concurrents avaient déjà été mis hors jeu. C'était du sérieux.

— Laissez-moi vous préciser les règles, reprit l'Arbitre. Le Trophée se déroule en trois phases, qui comportent chacune une série d'épreuves. Notez que vous pouvez être exclus à tout moment, si les juges s'estiment… déçus par votre performance.

— Vous voulez dire que réussir une épreuve ne garantit pas notre maintien dans le concours ? demanda Noelia, que cette perspective ne semblait pas inquiéter outre mesure.

— Affirmatif. De plus, toute blessure invalidante entraînera votre disqualification.

Je frissonnai. Tatie m'avait bien dit qu'il fallait s'attendre à voir le sang couler. Le tout étant de savoir qui était susceptible d'infliger de telles blessures.

— Je dois vous préciser une chose, poursuivit l'Arbitre, dont les traits s'étaient durcis. Tuer vos adversaires ne vous permettrait pas de remporter le Trophée. Entre les épreuves, toute forme de violence est d'ailleurs interdite.

— Et pendant les épreuves ? intervint Lucus.

— Si vos chemins se croisent et que l'usage de la force se révèle nécessaire… cela est toléré, y compris si les conséquences sont mortelles. Mais attaquer vos concurrents sans raison ne serait pas bien vu. Il s'agit d'élire le meilleur voleur. Cherchez à manier la ruse et l'habileté plutôt que vos poings. Le vainqueur qui aura l'honneur de s'associer à nous devra briller par son intelligence, et…

— « Associé » ? m'alarmai-je.

L'Arbitre se tourna vers moi.

— Ce qui nous amène au point suivant. Le vainqueur obtiendra le droit de faire un vœu, mais il deviendra aussi notre collaborateur privilégié pendant un an. Il devra accomplir toutes les missions que nous lui confierons en échange d'une rémunération conséquente. Bien plus importante que tout ce à quoi vous êtes habitués, je vous le garantis, ajouta-t-elle avec un sourire maléfique.

Un an de contrat. Je n'étais pas au courant de ce détail. Mais était-ce une si mauvaise nouvelle ? J'avais toujours eu envie de partir… jusqu'à hier. Pourtant, quelque chose me disait que cette situation n'aurait rien à voir avec la liberté que je fantasmais.

— Si nous sommes d'accord, je suppose ? demandai-je.

— Ce point n'est pas négociable. Le gagnant devra travailler pour nous. Dans l'éventualité où cela vous poserait un problème, vous êtes libre de partir dès maintenant.

Elle prit le temps de nous dévisager en silence. Personne ne se leva de son siège.

La vie sans Maman n'aurait aucun sens. Je n'avais pas le choix.

Mylo poussa un soupir théâtral.

— Alors au boulot. On ne compte pas abandonner. À quand la première épreuve ?

— Elle a déjà débuté.

Tout le monde se figea. À mes côtés, Devroe se pencha en avant, l'air ultra-concentré.

L'Arbitre fit glisser un doigt sur sa tablette. Une image s'afficha sur la table au centre de la pièce.

— Waouh ! lâcha Kyung-Soon en étudiant le meuble illuminé.

D'après la convoitise dans son regard, je devinais qu'elle se demandait déjà comment le dérober. Les plans d'un bâtiment apparurent. Trois étages, peu de fenêtres. Au moins quatre sorties que je repérai au premier coup d'œil.

— Nous nous trouvons dans les réserves d'un musée d'art classique situé tout près de...

— Cannes, en France, la coupa Noelia.

L'Arbitre lui lança un regard approbateur.

— Tout à fait. Les collections de cet établissement privé recèlent quinze objets auxquels vous devrez vous intéresser tout particulièrement.

Une série d'œuvres défilèrent sur l'écran. Une miniature représentant un aristocrate français très apprêté, une boîte à musique dorée, la statue d'un empereur romain en tenue d'apparat. La plupart de ces cibles semblaient assez petites pour être transportées facilement. L'empereur avait ma préférence. En général, les sculptures ne sont pas exposées derrière des vitrines. Après avoir été tous présentés, les quinze objets se rangèrent en trois lignes de cinq.

— Votre mission est de livrer l'une de ces œuvres à l'hôtel Graphe de Marseille avant 22 heures aujourd'hui. Vous prétendrez être invités à la cérémonie organisée à la mémoire de Spaggiari.

Spaggiari ? Comme...

— À la mémoire d'*Albert* Spaggiari ? bredouilla Taiyō.

Personne d'autre ne semblait connaître ce nom. Au moins, je n'étais pas la seule à savoir qu'Albert Spaggiari était le cerveau du fameux casse de Nice. Il était l'une de mes idoles, non seulement parce qu'il avait été déterminé au point de passer des mois à creuser un tunnel à partir des égouts pour atteindre la salle des coffres, mais aussi parce que j'étais sous le charme de ce voleur qui avait commis son premier larcin pour offrir un diamant à sa petite amie.

L'Arbitre se contenta de confirmer d'un hochement de tête.

— Il est 16 h 02. Le samedi, le musée ferme à 19 heures. Nous sommes actuellement au sous-sol. Vous trouverez un escalier menant au premier étage derrière la porte sur ma gauche.

À ces mots, l'Arbitre se leva sans faire disparaître les objets affichés sur la tablette.

— Seuls huit d'entre vous pourront accéder à l'épreuve suivante, précisa-t-elle.

— Excusez-moi, s'empressa d'intervenir Kyung-Soon. Où sont passées mes affaires ? J'avais des sacs avec moi dans l'avion. L'hôtesse de l'air m'a dit que je pourrais les récupérer.

Je n'étais donc pas la seule à m'être fait voler mes bagages.

— C'est exact. Considérez cela comme une petite mise à l'épreuve supplémentaire. Vos effets personnels vous seront restitués dans un second temps. Avez-vous d'autres questions ? (Elle parcourut du regard l'assistance. Pas de réactions.) Bien. Il ne me reste qu'à vous souhaiter une bonne chasse. Oh ! une dernière chose, ajouta-t-elle au moment de franchir la porte. On raconte que ce musée appartient à la femme d'un parrain de la mafia. Les galeries sont… sous haute surveillance. Bonne chance à tous.

Mes doigts étaient agités de spasmes.

La première épreuve avait commencé.

Chapitre 8

Nombre de musées cambriolés par Rosalyn Quest avant ses dix-huit ans : trente.

Nombre de musées cambriolés par Rosalyn Quest sans l'aide d'un autre Quest : zéro.

Il y a un début à tout, non ?

— Cette histoire de sécurité renforcée, c'est juste pour nous faire peur, vous ne croyez pas ? demanda Yeriel, qui entortillait la pointe de sa natte.

— J'espère que non, répliqua Lucus en faisant craquer ses doigts.

Sans doute rêvait-il de pouvoir briser la nuque d'un gardien innocent au passage.

— Je ne vois pas pourquoi l'Organisation s'amuserait à nous mentir, déclara Taiyō.

Il était en train de prendre les plans en photo. Ne les avait-il pas déjà mémorisés ?

— Tu devrais poser la question à l'accueil du musée, se moqua Adra. Demande-leur une copie de leurs horaires de ronde, tant que tu y es.

Noelia éclata de rire. Après quoi, elle fit un clin d'œil à Yeriel avant d'entraîner Adra à l'écart. Yeriel ouvrit la bouche, visiblement étonnée d'être la seule à s'inquiéter, mais elle poussa juste un soupir.

J'entrepris d'examiner la pièce plus en détail. Ce sous-sol ne figurait pas sur les plans de l'Arbitre. Nous nous trouvions dans un espace indéterminé, or, j'aimais connaître les lieux de mes forfaits comme ma poche.

En plus de nos neuf portes entrouvertes, il y en avait quatre autres, dont celle qu'avait empruntée l'Arbitre. La seule qui n'était pas surmontée d'un écran. J'inspectai quelques-unes des cellules, en finissant par celle où je m'étais réveillée. Elles paraissaient identiques. Des parois noires et presque aucun meuble. Un amas de cadenas par terre. Je relevai tout de même une différence notable : si, comme moi, Mylo et Adra avaient entassé les verrous, Lucus semblait les avoir expédiés sous sa banquette à l'aide de coups de pied, tandis que Noelia les avait alignés avec soin. Quant à Kyung-Soon, elle les avait disposés de manière à former un smiley.

Cette découverte avait piqué ma curiosité ; comment avaient procédé Devroe et Taiyō ? Et Yeriel ?

Au moment de jeter un coup d'œil dans la pièce de Taiyō, je me figeai devant l'une des portes closes. Je venais de remarquer un interstice entre le bas du battant et le sol. Alors que les autres s'enfonçaient dans la moquette, celui-ci lévitait quelques millimètres au-dessus, c'était indéniable.

Indéniable pour moi, en tout cas.

Après une seconde d'hésitation, je tendis la main vers la serrure. Cette porte était spéciale. Y avait-il quelqu'un derrière ? Ou quelque chose ?

Dès que mes doigts se posèrent sur la poignée, mon téléphone vibra. Pas seulement le mien : ceux des autres aussi.

C'était un message d'un numéro inconnu :

Les cellules des candidats éliminés sont interdites d'accès. Toute tentative de les ouvrir entraînera votre exclusion du concours. 😊

— C'est sa façon de nous dire : « Pas touche à mes affaires », commenta Mylo avec un sourire désinvolte. Détrousser des inconnus sans défense ? Il faudrait vraiment être sans cœur.

Son ton ne laissait aucun doute : il pensait tout le contraire.

— Voler un voleur n'est pas voler, lâcha Taiyō, qui se dirigeait déjà vers la porte empruntée par l'Arbitre.

— Tu sors ça d'où ? D'un film ? demanda Adra.

— C'est un proverbe, expliquai-je sans trop savoir pourquoi je me donnais cette peine.

J'avais perdu mon temps. Il n'y avait aucune issue dans cette pièce.

Je suivis Taiyō en m'évertuant à passer le plus loin possible de Noelia et Adra. Au fond de moi, j'étais un peu triste pour cette dernière ; meilleure amie jetable numéro… je ne savais même pas combien.

Mylo s'était engagé dans le couloir à la suite de Taiyō. Ce corridor menait droit à un ascenseur, l'une de ces vieilles machines munies d'une porte en accordéon.

Elle était superbe, mais je devais cesser de me laisser déconcentrer par toutes les portes que je croisais. Il me restait très peu de temps pour explorer le musée, étudier les mesures de sécurité, dresser une liste concise des objectifs prioritaires et planifier ma fuite.

Mylo se tourna vers moi.

— Tu as l'intention de me coller ?

— Seulement si tu décides de le suivre, répliquai-je en désignant Taiyō.

Mylo s'immobilisa et se frotta le menton, sans doute pour se donner un air intelligent.

— Un voleur qui suit un autre voleur... euh... n'a pas le sens de l'orientation.

J'étouffai un rire.

— Tu viens de l'inventer, celui-là ?

— D'accord, je ne suis pas un pro des proverbes. Mais bon, si tu veux mon avis, c'est plus facile d'ouvrir un coffre avec un pied-de-biche qu'avec un dicton.

Il consulta son smartphone. Aucune notification. Il sursauta et s'empressa de ranger son appareil dans sa poche. Depuis son arrivée, il n'arrêtait pas de regarder son téléphone, et quand ce n'était pas le cas, il semblait lutter pour ne pas le faire.

— Tu attends un message, ou quoi ?
— Pas du tout.

Taiyō ouvrit la porte de l'ascenseur. S'il avait entendu Mylo se moquer de son proverbe (ce qui était probable), il avait choisi de ne pas réagir.

Mylo monta dans la cabine avec lui. Je préférai passer mon tour. S'aventurer dans un ascenseur avec d'autres personnes est le meilleur moyen de se faire faire les poches. En tout cas, c'est ce que je me dis toujours quand j'en emprunte un.

Quand Taiyō appuya sur le bouton, une alarme secoua l'appareil. Il réessaya. Même résultat.

L'Arbitre nous aurait-elle coincés dans ce sous-sol avec un ascenseur en panne ? Allions-nous devoir grimper à mains nues le long d'un câble ?

— Une seule personne à la fois, lut Mylo en tapotant sur un écriteau fixé au fond de la cabine. Et ça ressemble plus à un ordre qu'à un conseil d'ami.

Taiyō rouvrit la porte et poussa Mylo dehors.

— Hé ! s'indigna celui-ci, qui se retourna juste à temps pour voir Taiyō refermer le battant d'un coup sec.

Cette fois, l'ascenseur s'éleva lentement.

— On aurait pu jouer ça à pierre-feuille-ciseaux !

— Je choisis les ciseaux, répliqua Taiyō.

Il leva deux doigts, avant de replier son index pour ne laisser que son majeur brandi.

— Tant pis, grommela Mylo tandis que Taiyō disparaissait. Je mise toujours sur la feuille, de toute façon.

#

94

J'empruntai l'ascenseur moi aussi. Il menait à un entrepôt. L'élévateur était dissimulé derrière de fausses étagères. Je rejoignis un large couloir, et les bruits du musée envahirent alors l'espace. Presque aussitôt, je percutai une femme blanche qui arborait une énorme broche en forme de coccinelle. Elle fit un bond de quatre mètres de haut.

Mes doigts commencèrent à me démanger ; Tatie adorerait ce bijou hideux. Et Maman s'empresserait de le jeter à la mer.

À cette pensée, ma gorge se noua. Maman était quelque part. Hors d'atteinte.

Concentre-toi.

J'entrepris d'explorer l'aile ouest du musée, qui était la plus proche de l'ascenseur. J'allais repérer les sorties et examiner tous les objets de la liste. Il y en avait quinze et nous étions neuf. Mes chances d'être la seule à viser une cible en particulier n'étaient pas très élevées, mais pas non plus inexistantes.

J'entrai dans une salle blanche et scintillante : la galerie des sculptures. Cette pièce voûtée renfermait une forêt de marbre et de porcelaine. Une centaine de statues de différentes époques se dressaient sur leurs piédestaux. Chacune d'entre elles était accompagnée d'un cartel en argent, ainsi que d'un QR code invitant les visiteurs à le flasher pour en apprendre davantage. Il me fallut une bonne minute pour repérer mon objectif. J'allais devoir revoir mes plans.

Au centre de la galerie, illuminé par la verrière au plafond, trônait le premier objet de la liste de l'Arbitre. La sculpture en marbre de l'empereur. Sur l'écran, elle m'avait semblé grande comme mon avant-bras. Je m'étais dit qu'au pire, elle m'arriverait aux genoux.

Je ne lui arrivais même pas à la taille.

Je dus me retenir de grogner quand je levai la tête pour regarder le Romain droit dans les yeux. La masse volumique du marbre est de deux mille sept cents kilos par mètre cube, et ce type faisait clairement plus d'un mètre cube. Le déplacer était mission impossible. On s'était moqué de moi.

Je ressortis de la galerie en serrant les poings dans les poches de ma veste. Je pouvais faire une croix sur le premier objet. Combien d'autres étaient juste destinés à nous faire enrager ? Je passai l'heure suivante à sillonner les couloirs et les salles d'exposition pour examiner chacune de nos cibles.

Sur les quinze, huit seulement étaient envisageables.

À moins de planifier son coup pendant un mois entier, impossible de faire disparaître une toile de cinq mètres de large ou la plaque commémorative vissée au sol dans le hall d'entrée. Oh ! et je doutais fort que l'un d'entre nous décide de voler la fontaine du patio.

J'avais envie d'enfouir mon visage dans un oreiller pour hurler à pleins poumons. Les Organisateurs devaient bien s'amuser, en nous regardant découvrir leurs petites farces.

Au fil de mon exploration, je gardais un œil sur mes adversaires. Vu comment Kyung-Soon avait jailli de la galerie des sculptures ou la tête que faisait Lucus en quittant celle des peintures à l'huile, je n'étais pas la seule à m'arracher les cheveux. Nous avions perdu un temps précieux à chercher ces cibles ridicules.

Mon téléphone vibra. Après l'avoir tiré de ma poche arrière, je grimaçai. Tatie.

Au fond, c'était un miracle qu'elle n'ait pas déjà essayé de me joindre.

Je me glissai dans une petite salle d'exposition, où se trouvait l'un des objectifs ; une pièce chaleureuse à la lumière tamisée. Je pris une grande inspiration avant de décrocher.

— Ouais ?

— Ouais ? Tu disparais au beau milieu de la nuit pour participer au jeu préféré de Satan, et tout ce que tu trouves à me dire, c'est : « Ouais » ?

Mon premier réflexe était de répondre par un nouveau « ouais », mais je me retins juste à temps.

— J'aurais envie de te dire que je suis désolée, mais tu sais comme moi que je ne le suis pas vraiment, alors… ouais.

Je soupirai en m'appuyant contre une vitrine. C'était derrière que se trouvait l'objet le plus facile à dérober. Un petit portrait dans un cadre ovale orné d'un ruban rouge. Le présentoir en contenait une vingtaine d'autres. Des *boîtes à portrait*, d'après le cartel. C'était le seul moyen dont disposaient les Européens du XVIIᵉ siècle de se promener avec un selfie de leur petite copine. Je savais qu'au moins un de mes adversaires tenterait de le voler ; peut-être même tous. Et si c'était le but recherché ? Les Organisateurs espéraient peut-être que nous allions nous entre-tuer pour ce portrait.

À l'autre bout du fil, ma tante soupira.

— Ne me demande pas de rentrer, Tatie. Tu sais très bien qu'il n'en est pas question. Sauf si un milliard de dollars se sont miraculeusement échoués sur la plage depuis mon départ.

— Je sais. Je sais, Rossie. Raconte-moi. Où es-tu ?

— En France. On est dans un musée.

— « On » ?

— Mes huit adversaires et moi. Je n'ai pas encore eu besoin d'en étrangler un avec mon bracelet, et si on fait abstraction du moment où j'ai été droguée puis enfermée dans un sous-sol, personne ne m'a agressée non plus, alors… ça ne se passe pas si mal. Sauf que Noelia Boschert est là aussi.

— Oh ! que les dieux nous viennent en aide.

J'étais sûre qu'elle avait levé les yeux au ciel. Elle était la seule à comprendre parfaitement pourquoi je détestais autant Noelia.

— Ne te laisse pas distraire par sa présence. Si tu veux gagner, tu ne peux pas te le permettre, Rossie.

— Sans blague, répliquai-je avant de m'éloigner des boîtes à portrait qu'un couple désirait admirer. Pour l'instant, j'ai d'autres soucis. Nous sommes neuf, Tatie. Mais il n'y a que huit objets à voler. J'ai l'impression de jouer à la courte paille.

— Et si tu… te trouvais un allié ?

Mon téléphone déconnait, ou quoi ?

— Tu veux rire ?

— Pas du tout !

— Tatie…, murmurai-je. Tu as oublié la règle numéro un ? Ne fais confiance à personne.

— Il ne s'agit pas de leur faire confiance, mais de les manipuler. En faisant équipe avec l'un d'eux, tu pourrais doubler tes chances de réussir. Choisis le plus influençable. Et plus tard, quand vous aurez mis la main sur un objet, tu t'arrangeras pour être la seule à partir avec.

J'en avais mal au ventre. Je ne connaissais que trop bien cette stratégie pour y avoir tenu le rôle de la victime.

J'aurais préféré m'y prendre autrement.

— Maman ne la jouerait pas comme ça. Elle essaierait de s'en sortir toute seule.

— N'en sois pas si sûre.

Le couple quitta la pièce tamisée main dans la main, et une silhouette élégante fit son apparition. Devroe m'adressa un sourire désarmant. Je me répétai que, si mon cœur s'affolait, c'était uniquement parce qu'il avait travaillé son effet pendant des heures, probablement devant le miroir de sa salle de bains.

— Il faut que j'y aille. Je t'enverrai un message.

Je raccrochai. Devroe me regarda ranger mon téléphone dans ma poche.

— Ton copain ?

— Non.

Pourquoi avais-je répondu si vite ?

— Oh. Ta copine, alors ?

— Qu'est-ce que ça peut te faire ?

— Donc, c'est encore un non. Bon à savoir.

Il était vraiment exaspérant. Je lui tournai le dos (non, je ne cherchais pas à lui cacher que je m'étais remise à rougir) pour retourner devant le présentoir. Il me suivit.

— Tu vises le petit portrait ? C'est le plus facile à voler… et pourtant, c'est aussi le plus risqué.

Je faillis m'étouffer.

— Je crois que la fontaine poserait un peu plus de problèmes.

— C'est vrai, mais au moins tu serais seule sur le coup. Alors que pour celui-ci…, ajouta-t-il en se penchant vers la vitrine. J'ai vu Mylo et Lucus rôder deux fois dans les parages. Et Yeriel.

Il fit un petit pas de côté. Dans la vitre, j'aperçus soudain le reflet de Yeriel, qui feignait d'observer une autre œuvre quelques mètres derrière nous. Elle avait abandonné sa veste en jean, et ne portait à présent qu'un chemisier blanc qui lui donnait une apparence plus distinguée. Bien vu.

Je lançai un regard entendu à Devroe avant de m'éloigner. Il m'emboîta le pas.

— C'est ça, ton plan ? lui demandai-je. Deviner ce que chacun prévoit de voler ?

J'avais pris soin de noter où allaient mes concurrents pendant mes repérages, mais nous n'avions pas assez de temps devant nous pour le gaspiller à jouer aux devinettes. Ma priorité, c'était d'élaborer ma propre stratégie.

— En quelque sorte, me confirma Devroe.

Nous marchâmes ensemble jusqu'à un couloir d'exposition occupé en son centre par une rangée de bancs. Qu'est-ce qu'il me voulait ? D'accord, il était beau et de bonne compagnie, mais ni lui ni moi n'étions là pour bavarder.

— Dégage.

Je m'arrêtai net pour lui faire face. Je m'efforçais d'avoir l'air calme. Rien n'attire plus l'attention qu'un « couple » en train de se disputer. Or, pendant un repérage, il est crucial d'être discret.

— Non, merci.

Son rictus satisfait me donnait une furieuse envie de lui écraser mon poing sur le nez. Il s'appuya contre le mur, tout près de moi. Trop près. On devait vraiment nous prendre pour des amoureux.

Il planta ses yeux marron dans les miens. J'essayai de rester concentrée. Il avait certainement l'habitude de se servir de sa beauté pour déstabiliser ses adversaires.

— Qu'est-ce que tu veux ? lançai-je.

— Fais équipe avec moi. Certaines œuvres sont plus faciles à voler que d'autres, mais à deux, elles deviennent toutes plus abordables. Que dirais-tu d'une petite alliance ?

Sa proposition faisait écho à la suggestion de Tatie. C'était une occasion rêvée…

— Est-ce que tu as conscience qu'on doit chacun rapporter un objet au point de rendez-vous ? Un pour deux, ça ne va pas le faire...

— Tu te doutes bien que j'y ai pensé. On va donc en voler deux. Un pour chacun.

— En commençant par lequel ? Le tien, je parie ?

— On verra ça plus tard.

Ne leur fais pas confiance. Manipule-les. Si Tatie avait envisagé cette stratégie, quelles étaient les chances que Devroe y ait pensé aussi ?

M'avait-il perçue comme la cible idéale ? La plus influençable ?

Il plissa les yeux.

— Alors, qu'est-ce que tu en dis ?

— Pourquoi moi ? Les autres ont déjà tous refusé, c'est ça ?

— Jamais de la vie. Tu étais mon choix numéro un.

— Et on peut savoir pourquoi ?

Il me sourit.

— Tu me crois, si je te dis que c'est parce que je te trouve magnifique ?

— Non. Et je me sentirais insultée.

— D'accord, d'accord. Vu les places que vous occupiez dans la pièce au sous-sol, j'ai supposé que tu avais réussi à sortir de ta cellule en deuxième, juste après Noelia. J'aurais préféré la choisir, mais elle s'était déjà alliée avec l'autre fille. Inutile de perdre mon temps à chercher à la convaincre.

— Et tu t'imagines avoir plus de chances avec moi ?

— Je suis plutôt doué pour cerner les gens.

Je le dévisageai quelques secondes.

Sa proposition semblait presque désintéressée. J'étais à deux doigts d'accepter… quand un courant d'air glacé imaginaire souffla sur ma nuque. Le souvenir des menottes qui s'étaient refermées sur mes poignets à la fin d'un certain stage de ski refit surface. La fille qui m'avait piégée était en train de vadrouiller dans ce musée. À l'époque, j'avais laissé mes émotions stupides m'aveugler. Pas question de commettre deux fois la même erreur. L'enjeu était trop important.

Règle numéro un : s'il ne s'appelle pas Quest, ne lui fais pas confiance. Ce n'était pas le moment idéal pour vérifier le bien-fondé de cette loi.

— Laisse tomber, lâchai-je. Je n'ai pas besoin d'aide. Si c'est ton cas, tu n'as peut-être rien à faire là.

Son visage se décomposa, mais il ne semblait pas en colère ; il paraissait plutôt déçu.

— Dommage, soupira-t-il avant de s'écarter. J'espère que tu ne vas pas le regretter.

J'espère aussi, pensai-je en le regardant s'éloigner.

Chapitre 9

J e ne vais pas mentir : perchée dans ma trappe de ventilation, neuf mètres au-dessus de la galerie, je me sentais assez excitée. J'avais même des fourmis dans les doigts.

Tandis que s'écoulaient les dernières minutes d'ouverture du musée, je retraçais la carte des lieux dans mon esprit. Deux entrées, quatre issues de secours. Deux portes de service à l'arrière. Et puis il y avait le système de ventilation. J'avais dessiné un schéma sur la paume de ma main pour ne rien oublier. Dans un premier temps, je n'avais pas prévu de me recroqueviller dans ce conduit jusqu'à la fermeture. J'aurais préféré me réintroduire à l'intérieur du musée par l'une des portes de service, mais je ne connaissais pas les horaires des gardiens. Je ne pouvais pas prendre le risque de me retrouver dans le champ d'une lampe torche.

Les derniers visiteurs partis, les gardiens firent une première ronde. Enfin, les lumières s'éteignirent, à l'exception des loupiotes des vitrines. Le musée avait fermé ses portes.

Les agents patrouillaient par intervalles de vingt minutes. Ce qui me laissait donc un peu moins de vingt minutes pour m'emparer de ma cible et déguerpir. Un petit quart d'heure, dans l'idéal. Toujours compter un délai inférieur au cas où.

Il me faudrait ensuite deux heures pour rejoindre Marseille au volant d'une voiture volée. J'avais une heure devant moi, en tout et pour tout.

Sous mes pieds, à l'abri derrière sa protection de verre, m'attendait mon plan A. Un masque en forme de croissant de lune issu d'un opéra parisien du XIXe siècle. J'étais presque certaine d'être la seule à l'avoir choisi.

Avant de me hisser à l'intérieur du conduit de ventilation, j'avais passé une heure à espionner mes adversaires. Mylo couvait des yeux une collerette ornée de perles attribuée à Élisabeth Ire. À ma grande surprise, il s'était servi d'une espèce de stylo laser pour perforer discrètement la barre de fer dans laquelle s'insérait la vitrine. L'espace d'un instant, j'avais cru qu'il aurait l'audace de voler la collerette sans attendre la fermeture du musée, mais après avoir eu la confirmation que son gadget était apte à percer le métal, il s'était éloigné. Provisoirement.

Lucus avait réussi à mettre la main sur l'uniforme d'un des gardiens. J'imaginai le pauvre type à moitié nu, bâillonné et ligoté dans une benne à ordures. La dernière fois que j'avais aperçu mon adversaire, il faisait semblant de patrouiller dans la galerie où était exposé le rouge à lèvres de l'actrice Vivien Leigh.

Cette brute avait bien de la chance ; se faire passer pour un gardien était clairement la meilleure solution. Mais je n'étais pas un colosse intimidant, je n'aurais trompé personne.

Kyung-Soon avait fait un nombre louche de selfies avec une certaine boîte à musique sertie de diamants. Je savais que Noelia lorgnait les chaussons de Marie-Antoinette. Dans le cas contraire, je les aurais choisis. Elle s'était même offert le luxe de me faire coucou au moment d'entrer dans la galerie des trésors de Versailles. Adra aussi avait rôdé dans les parages. Avec un peu de chance, elle allait finir par comprendre que Noelia se servait d'elle, et elle se chargerait de l'éliminer du jeu à ma place.

Malheureusement, je n'étais pas parvenue à deviner les intentions des autres. Après notre discussion, Devroe n'avait plus donné signe de vie. Quant à Taiyō, je ne l'avais pas vu depuis des heures. Cela n'avait pas d'importance. Le tout, c'était de savoir ce que personne n'avait décidé de voler.

Plan A : ce masque. La salle d'exposition étant protégée par un digicode, je n'avais pas eu d'autres choix que de passer par le plafond. Vu qu'il n'y avait cette fois aucun indice à attendre d'une hôtesse de l'air, je doutais qu'un de mes adversaires parvienne à pirater le digicode avant que je bondisse au sol, attrape le masque et m'enfuie par l'issue de secours située au fond de la pièce.

Plan B : la bague de l'impératrice. Un anneau en or serti de rubis à un million de dollars exposé deux salles plus loin. En repassant par le conduit, je pouvais arriver juste au-dessus de la vitrine. Elle était au centre d'une pièce balayée par un entrecroisement de lasers rouges thermosensibles. Je n'étais pas particulièrement inquiète à la perspective de me contorsionner pour franchir cet obstacle ; juste assez pour en faire mon plan B.

Restait le plan C. Si les précédentes options tombaient à l'eau, je pouvais encore ramper dans le conduit jusqu'au hall d'entrée, et de là traverser tout le musée pour mettre la main sur deux éventails en ivoire. Effectuer un tel trajet à découvert était risqué, alors j'espérais ne pas devoir en arriver là.

Le cœur battant, j'attendais que le silence se fasse avant l'heure fatidique : 19 h 20. Les gardiens ne repasseraient pas par ici avant une vingtaine de minutes.

Maintenant. Une fois la grille déplacée, je fis glisser mes jambes dans l'ouverture tout en m'appuyant des deux mains sur les parois du conduit. Je me balançai jusqu'à n'être plus retenue que par mes avant-bras. Puis par mes mains.

En général, à une telle hauteur, on conseille de ne pas regarder en bas. Mais cette recommandation ne s'applique qu'à ceux qui ne veulent pas tomber. Pas le temps d'avoir peur. Maman n'aurait pas hésité. Maman aurait déjà sauté.

À l'autre bout de la pièce, un petit cliquetis rompit le silence. Je me retins à la dernière seconde. Les gardiens ? Si c'était le cas, je n'avais aucune chance de parvenir à me hisser dans le conduit avant leur arrivée.

Encore un bruit. Cela venait de la porte d'accès. Un bip, un grattement, un nouveau bip.

Je sentais mon bracelet météore peser à mon poignet ; en cas de nécessité, je pourrais toujours compter sur lui.

Je repris mon souffle, prête à me laisser tomber au sol. *OK, je vous attends.*

La porte s'ouvrit, mais aucun faisceau lumineux ne perça la pénombre. Au lieu de quoi, une ombre se glissa dans la pièce.

Cette silhouette se déplaçait avec assurance, rasant le mur avant de filer droit vers la vitrine où trônait le masque. Et cette silhouette, je la connaissais.

Devroe.

Je repérai également Kyung-Soon, qui faisait le gué devant l'entrée. Elle tenait un petit appareil numérique relié au digicode par des câbles fins. Et moi qui la croyais décidée à voler la boîte à musique…

Mon pouls s'était emballé, mais pas à cause de l'excitation que j'avais l'habitude de ressentir au cours d'un cambriolage. Je braquai mes yeux sur Devroe, dans l'espoir de lui communiquer toute ma fureur.

Lorsqu'il mit la main sur le masque, il leva la tête.

Nos regards se croisèrent. Il haussa les sourcils. Je resserrai ma prise. J'avais l'impression d'être une guirlande de Noël suspendue au-dessus d'une rue. Devroe me fit un petit coucou, avec l'air de n'avoir jamais rien vu d'aussi amusant.

C'est un beau jour pour mourir.

J'avais le visage en feu. Je pouvais dire adieu à mon plan A. Pas question d'essayer de reprendre le masque des mains de Devroe. Même si je m'y risquais, je me doutais que Kyung-Soon, sa nouvelle partenaire, n'allait pas me laisser faire sans réagir.

Sans se départir de son sourire ravi, comme s'il avait lu dans mes pensées, Devroe sortit de sa veste un petit outil qu'il déposa sur la vitrine. Puis il fit quelques pas pour se placer juste en dessous de moi. Alors, dans une posture horripilante de parfait gentleman, il ouvrit les bras comme pour me rattraper.

Je le haïs de toute mon âme.

Je me hissai dans le conduit, avec une conscience aiguë de lui offrir un spectacle ridicule.

Malgré mon envie de hurler, je conservai mon calme comme une pro. Bon, il avait le masque. Et alors ? C'est à ça que les plans B sont censés servir.

Direction la bague.

Chapitre 10

Les rayons de lumière rouge zigzaguaient à travers la salle. Je pouvais m'estimer heureuse qu'ils ne soient pas invisibles. Je n'avais pas pris mes lunettes infrarouges.

Le plafond n'était qu'à trois mètres du sol. J'allais pouvoir atterrir juste devant le présentoir, puis me servir d'un banc pour regagner le conduit.

Mais il fallait croire que rien ne serait simple.

Pour la deuxième fois de la soirée, je vis une silhouette se déplacer dans un coin de la pièce. Je me figeai. Une sensation de panique m'écrasa la poitrine. Non, ça n'allait pas recommencer !

L'ombre se contorsionna avec grâce autour des rayons laser, à la manière d'une danseuse en pleine représentation.

Noelia.

J'avais pourtant fait mon possible pour deviner les intentions des uns et des autres. Tout dans son attitude m'avait laissée penser qu'elle visait les chaussons de Marie-Antoinette. C'était donc un piège ?

Statufiée de rage pour la seconde fois en une demi-heure, je la regardai se diriger vers le présentoir. Quelque chose de gris dépassait à sa tempe. Une oreillette ? Un petit voyant bleu s'alluma sur l'appareil. Quelqu'un lui parlait. Trop bas pour que je puisse l'entendre.

— Non, j'y suis, murmura Noelia de cette voix à la fois claire et à peine audible que seuls les voleurs accomplis maîtrisent à la perfection.

De la poche de sa veste elle sortit une sorte de carte de crédit aux bords si aiguisés que j'avais mal aux yeux rien qu'à la regarder. Je fronçai les sourcils. Avait-elle l'intention de découper la vitrine ? C'était plus prudent que de la briser (tracer une ligne nette sur le dessus de la vitre permettait de tout remettre en place comme si rien n'était arrivé), mais normalement, cela prenait beaucoup de temps.

Pourquoi avais-je le pressentiment que ça ne serait pas si long ?

Sa carte fendit le verre comme une lame de couteau s'enfonce dans du beurre. Adieu, plan B, bonjour, plan C.

Et si le plan C échouait à son tour ?

Si Noelia ne s'était pas attaquée aux chaussons…

À cet instant, mon ennemie préférée ouvrit le sac beige qu'elle portait en bandoulière. À l'intérieur, j'aperçus une forme rose et gracieuse.

Impossible, ça ne pouvait pas être…

Lorsque Noelia se pencha pour retirer le bloc de verre, le talon qui dépassait du sac ne laissa plus aucune place au doute.

Les chaussons de Marie-Antoinette.

Je la regardai faire, l'esprit assailli de questions. Si elle avait déjà mis la main sur un objet, pourquoi s'embêtait-elle à en voler un deuxième ? Pour Adra ? Pourquoi ne l'avait-elle pas trahie à la seconde où elle avait obtenu ce qu'elle convoitait ?

La voix mystérieuse murmura dans l'oreillette. Je pensais deviner de qui il s'agissait, ce qui ne faisait qu'ajouter à mon exaspération.

Sans interrompre sa tâche, Noelia lui répondit :

— Ça ne m'étonne pas. Tant que tu y es, tu devrais t'occuper de la boîte à musique.

Mon cœur s'arrêta de battre. La boîte à musique… Une autre de nos cibles. Combien d'objets avaient déjà été volés ?

J'enfonçai mes doigts dans mes tresses. C'était un désastre.

Pourquoi avaient-ils tous fait équipe aussi vite ?

J'aurais dû accepter l'offre de Devroe.

Un faisceau lumineux jaillit du couloir. Noelia se précipita à travers les lasers avant de se plaquer contre le mur. Le gardien se contenta de balayer rapidement la pièce avec sa torche, le temps de vérifier que le système de sécurité était bien activé.

Après qu'il se fut éloigné, Noelia s'adressa à son partenaire :

— RAS. Ouais, mais ça vaut toujours mieux que Quest.

Tout s'expliquait. Elle cherchait à m'empêcher de réussir l'épreuve.

J'étais hors de moi. Elle m'en voulait à ce point de lui avoir piqué quelques missions ? C'était pourtant sa faute : elle n'aurait pas dû s'attaquer à moi tant d'années plus tôt. Cette fois, ce n'était pas qu'un jeu, et il ne s'agissait pas seulement d'échapper à la police. La vie de Maman en dépendait.

Pas question de laisser Noelia me mettre des bâtons dans les roues.

Rien à foutre.

Je sautai.

Surprise, Noelia se précipita en direction des lasers. Parfait. Un coup d'avance, il n'en faut pas plus à un bon voleur.

Je plongeai la main dans la vitrine ouverte pour cueillir la bague. Noelia tenta de m'arrêter, mais je bondis entre les lasers jusqu'au mur opposé. Elle s'apprêtait à se lancer à mes trousses quand une lumière illumina le fond de la pièce. Avec un cri étouffé, elle retourna se plaquer contre le mur, tout comme je m'aplatissais contre le mien. Nous n'avions plus qu'à nous dévisager tandis que le faisceau lumineux se rapprochait.

Le gardien procéda à une nouvelle inspection des lieux. Mon cœur battait à tout rompre. Ce qui se produirait si ce type nous apercevait, je n'en avais pas la moindre idée.

Un souvenir enfoui dans les tréfonds de ma mémoire refit surface. Une réplique de cette situation mettant en scène des versions miniatures de Noelia et moi, en pyjama dans la cuisine de notre colonie de vacances, occupées à voler des cookies alors que nous étions censées être au lit. Cette nuit-là, nous ne nous étions pas fait prendre.

Est-ce qu'elle y repensait, elle aussi ? Quelque chose me disait que oui.

Elle fit la grimace. Pour elle, ce n'était sans doute pas un bon souvenir. Ce qui n'avait rien d'étonnant, puisqu'elle avait joué la comédie, à l'époque.

N'ayant rien repéré de suspect, le gardien reprit sa ronde. Je serrai la bague entre mes doigts. Haïssait-elle tous nos souvenirs communs ? Peut-être que je pouvais en trouver un qu'elle détestait plus que tous les autres.

Je me rappelai alors ce jeu que nous avions inventé : la première qui parvenait à attraper l'un des M&M's répandus sur une table remportait la victoire. Elle n'avait jamais réussi à me battre, ce qui la rendait malade. D'autant que la gagnante avait le droit de donner une pichenette sur le front de son adversaire.

Je brandis la bague d'une main, avant de presser mon index contre mon pouce pour lui envoyer une chiquenaude à travers la pièce.

Comme à l'époque, son visage passa par toutes les nuances du rouge. Je lui fis un grand sourire.

Mais Noelia ne trouvait pas ça drôle du tout.

Elle plongea une main dans sa poche pour en sortir la carte qui lui avait servi à découper la vitrine.

Fini de rire.

Chapitre 11

Noelia se jeta dans la toile d'araignée formée par les lasers. Je l'imitai sans délai. Nous nous étions lancées dans une danse mortelle, que je maîtrisais un peu mieux qu'elle.

Je projetai les chaînettes de mon bracelet vers sa tête, mais elle esquiva l'attaque. Sa riposte ne se fit pas attendre : d'un coup de pied, elle envoya valser la bague que je tenais à la main. Je me jetai au sol pour la ramasser. Elle m'écrasa les doigts une seconde fois.

J'étais furieuse.

Noelia fit un grand moulinet avec sa carte ; je tentai de l'atteindre avec mon bracelet. Au milieu des lasers, notre tango tournait à la roulette russe.

Sa carte passa à quelques centimètres de mes yeux ; trop près. Je devais la désarmer. Plutôt que de chercher à reprendre la bague, j'enroulai mon bracelet autour de son poignet, et je tirai de toutes mes forces pour l'entraîner entre deux rayons. Je donnai un coup de talon sur son torse, puis sur sa main. Sa carte vola jusqu'à l'autre bout de la pièce. Je ne risquais plus d'être découpée en rondelles.

Elle grimaça. *Eh oui, pas de chance.* Je ne pouvais pas perdre mon arme si facilement, et j'avais même réussi à récupérer la bague au passage.

Mon bracelet était encore enroulé autour de son poignet. Alors que j'allais la libérer, elle saisit les chaînettes pour me tirer vers elle. Elle essayait de me reprendre la bague, mais j'éloignai mon bras.

Dans un recoin de ma tête, les secondes du compte à rebours s'égrainaient toujours. Combien de temps avant le retour du gardien ? Nous ne pouvions pas nous battre toute la nuit. Je devais détourner son attention à tout prix.

Mon regard tomba sur les froufrous des chaussons de Marie-Antoinette, qui dépassaient du sac de Noelia. Je réussis à en attraper un, que j'envoyai valser au fond de la pièce. Mon adversaire lâcha prise. Qu'allait-elle décider ? S'acharner sur moi ou partir à la recherche de son objectif initial ?

Elle n'avait pas le choix, et elle le savait.

Avec un grognement, elle bondit en direction du chausson. Je me précipitai dans l'autre sens. Après une ultime roulade, je m'extirpai du réseau de lasers juste au moment où une lumière jaillissait d'un couloir adjacent. Noelia n'allait pas pouvoir sortir de sa cachette dans l'immédiat.

Je me glissai dans la galerie des trésors de la mode avant l'arrivée du gardien. Au bout de cet alignement de robes de satin et de corsets, une vaste salle donnait sur la réception. De là, je pourrais atteindre une issue de secours. Si je parvenais à me tenir à distance des bruits de pas et des lampes torches, Cannes était à portée de main, ainsi que l'épreuve suivante.

Lorsque je franchis le seuil du hall, quelqu'un m'agrippa le bras. Je m'arrêtai net. Un objet très pointu s'enfonçait sur mon cou. Quand mon agresseur accentua la pression, je me mis à haleter. Mon cœur s'était emballé. Mon cerveau me hurlait de dérouler mon bracelet météore, mais je savais qu'au moindre geste, on risquait de me trancher la gorge.

Je levai les mains très lentement. Ce n'était ni un gardien ni Noelia. Alors qui ?

Sans lâcher mon bras ni retirer la lame pointée sur mon cou, l'inconnu fit un pas en avant. J'aperçus le clignotement bleuté d'une oreillette.

Adra.

Chapitre 12

J e serrai les dents si fort que ma mâchoire faillit se
déboîter. La douleur était telle que j'en oubliais
presque l'objet enfoncé dans ma peau.

Je compris que c'était l'une des bagues d'Adra. Elle
aussi faisait un usage très original des bijoux. Ces trucs
étaient incroyablement aiguisés, et elle s'en servait à la
perfection.

J'avais la bouche sèche.

— Donc à part moi, tout le monde a décidé de
faire équipe pour cette épreuve ?

— Et c'est bien pour ça que tu seras la seule à
échouer, répondit Adra, dont les yeux sombres lui-
saient de plaisir. La bague. Tout de suite.

— Comme si tu n'en avais pas assez comme ça...

Elle me poussa contre le mur. Je frémis ; une goutte
de sang chaud coulait le long de ma gorge.

— Ne me tente pas trop.

Je mourais d'envie de dégager sa main. Mais cette
fille était aussi concentrée qu'un tigre face à sa proie.
Au moindre geste, sa bague me trancherait la jugu-
laire. Je me souvins des paroles de l'Arbitre. *Pendant*

les épreuves, l'usage de la force est toléré, y compris si les
conséquences sont mortelles.

Je n'avais aucun moyen de lui échapper, mais je ne pouvais pas lui céder la bague pour autant. Je m'étais donné trop de mal pour l'obtenir.

— Ta partenaire est douée, tu sais, murmurai-je. C'est Noelia qui l'a. J'essayais juste de m'enfuir.

— Mais c'est pas vrai ! Tu tiens vraiment à te faire égorger, toi…

Une silhouette se glissa derrière Adra. Il y avait désormais une troisième voleuse dans ce couloir. Elle avait remis sa veste en jean.

Mieux valait Yeriel qu'un gardien. Mais ça ne changeait pas grand-chose à ma situation.

Adra pressa sa bague contre ma peau.

— Dernière sommation.

J'avais la poitrine en feu. Je devais trouver un moyen de détourner son attention.

Peut-être que je pourrais lui céder la bague et en profiter pour l'attaquer ?

Quelles étaient mes chances de réussite ?

— D'accord, d'accord, soupirai-je.

Dès qu'elle baisserait les yeux, j'allais dégager son bras, récupérer la bague et prendre la fuite. Si le destin voulait bien me donner un petit coup de pouce.

— Dans ma poche, précisai-je en désignant ma veste du regard.

J'attendais ce moment crucial durant lequel elle allait baisser sa garde. Au mieux, j'aurais une fraction de seconde pour agir. Je ne pouvais pas me permettre de la gâcher.

À cet instant, Noelia fit son apparition. Elle semblait un peu essoufflée et ses cheveux blonds étaient tout décoiffés. Elle tenait son headband comme une fronde, mais je ne voyais pas le projectile logé à l'intérieur. Qu'était-il arrivé au gardien ? L'avait-elle vraiment éliminé avec un bandeau pour les cheveux ?

Adra se tourna vers sa complice. Je saisis l'occasion pour plaquer une main sur son épaule tout en la frappant au menton. La violence du coup la projeta en arrière. Elle laissa échapper un cri. J'étais déçue par son manque de self-control, mais il était trop tard pour lui demander de faire moins de bruit.

Je fonçai droit vers le hall.

L'ombre de Yeriel se figea. Elle devait se demander ce qu'il se passait. L'issue de secours n'était plus qu'à une dizaine de mètres.

Une main m'attrapa par la veste et je m'étalai par terre. Adra m'agrippa la jambe pour me tirer vers elle. *Quelle plaie !* Alors qu'elle s'apprêtait à me cogner, je me relevai avec un saut carpé qui lui fit perdre l'équilibre. J'en profitai pour la plaquer au sol.

Elle tenta de me donner un coup de poing, mais je stoppai sa main à quelques centimètres de mon visage. Les angles aigus de ses bagues étincelaient juste devant mes yeux.

J'avais intérêt à éliminer cette menace au plus vite. Sans lâcher son poignet, j'entrepris de lui ôter ses bijoux des doigts.

J'entendais Noelia approcher. Quand les bruits de pas ralentirent, je me retournai. Elle leva son arme. Un objet sombre et métallique.

Je plongeai en avant. Le projectile fusa juste au-dessus de ma tête.

Une explosion de verre fracassa le silence. L'une des vitrines venait de se briser.

— Hé ! Plus un geste ! cria un gardien.

Yeriel était tout près de la vitrine cassée, juste devant l'entrée de la pièce. Elle n'avait pas le temps de s'enfuir.

Un coup de feu retentit. Yeriel poussa un hurlement. *Oh ! non.*

J'étais comme pétrifiée, hypnotisée par le liquide rouge qui coulait de sa veste.

Adra se dégagea. Je m'écrasai au sol. Fuir. Je devais fuir.

Je sentis quelque chose bouger tout contre moi. Cette cinglée me faisait les poches.

Il ne m'en fallait pas plus pour recouvrer mes esprits.

— Non…

Mais Adra était déjà debout devant moi, le poing serré.

— Une nouvelle bague ? C'est trop gentil…, minauda-t-elle en me faisant un clin d'œil.

Maintenant qu'elles avaient obtenu ce qu'elles voulaient, elles pouvaient détaler. Noelia contemplait Yeriel d'un air horrifié. Je crus d'abord qu'elle allait tenter de lui venir en aide, mais elle fit volte-face avant de partir en courant.

Je me relevai d'un bond. Du feu coulait dans mes veines. Je pouvais encore les rattraper…

Un gémissement.

J'entendais le gardien approcher au pas de course. Adra et Noelia étaient en train de m'échapper. Mon cœur battait la chamade. Il n'y avait plus un seul objet à voler.

Je me tournai vers Yeriel.

La bague, ou elle ? La vie de Maman, ou la sienne ?

Maman me dirait de la choisir. La famille avant tout, bien sûr. Aucun voleur n'hésiterait à m'abandonner à mon sort si j'étais à la place de Yeriel.

Mais je n'étais pas à sa place.

Tout en me traitant de tous les noms, je me ruai vers elle.

Chapitre 13

Je me tapis au seuil du hall, à l'affût, prête à bondir sur le gardien dès qu'il serait à ma portée. La respiration de Yeriel n'était plus qu'un râle agonisant. Je me demandais si elle m'avait vue. Si c'était le cas, je priais pour qu'elle ne regarde pas dans ma direction.

J'aperçus d'abord le canon de son arme. Le gardien avançait prudemment, sans quitter Yeriel des yeux, comme s'il s'attendait qu'elle riposte. Il se tenait prêt à lui tirer de nouveau dessus.

Ses collègues étaient en chemin, cela ne faisait aucun doute.

Constatant qu'il me tournait le dos, je passai à l'offensive. Je l'immobilisai d'un bras tout en pressant une main sur sa bouche, un enchaînement répété des centaines de fois. Il rua pour se dégager, mais je ne lâchai pas prise. Seule Maman aurait été capable de m'échapper. Moins d'une minute plus tard, il avait perdu connaissance.

— Tu es en état de marcher ?

J'avais soulevé Yeriel sans attendre sa réponse. Un flot de sang se déversait de ses côtes. Elle émit un grognement sourd. Espérer la voir se tenir debout sans mon aide, c'était comme s'imaginer que mon mannequin d'entraînement allait se mettre à bouger ses jambes remplies de billes de polystyrène.

Aucune chance.

Une grosse flaque rouge s'étalait sous ses pieds. J'enroulai l'un de ses bras autour de mes épaules avant de presser son flanc blessé pour empêcher le sang de couler. Ma main était poisseuse, glissante et chaude. Lorsque nous fîmes quelques pas en avant, des gouttes écarlates tombèrent au sol. C'était de pire en pire.

— Allez, il faut que tu trouves la force de marcher, lui ordonnai-je en espagnol.

Les plus petites salles d'exposition étaient tapissées de moquette rouge. Vu les traces de sang que nous laissions sur notre passage, c'était notre seule chance.

Yeriel s'affaissa contre moi. Je dus presque la traîner jusqu'à la galerie des trésors de la mode. Des lumières s'allumaient au loin ; j'entendais des éclats de voix et des bruits de clés. Je la poussai derrière un mannequin affublé d'une de ces larges robes d'avant-guerre. Je réussis à nous dissimuler juste avant qu'une armée de gardiens défile devant nous au pas de course. Malgré la pénombre, je distinguais les traits tordus de Yeriel, qui faisait son possible pour respirer en silence.

Après leur départ, nous restâmes prostrées quelques secondes de plus sous notre jupon de satin. Je m'évertuais à lui cacher le caractère désespéré de notre situation. Nous avions laissé derrière nous une piste ensanglantée, un gardien évanoui, et Yeriel pouvait à peine tenir debout.

— Ils vont nous trouver, bredouilla-t-elle.

Ses premières paroles depuis le coup de feu. Elles ne m'étaient d'aucun secours.

Je secouai la tête, même si j'étais tout à fait d'accord avec elle. Que pouvais-je faire d'autre, hein ?

— On va y arriver.

Elle renifla. Moi aussi, je me serais sûrement mise à pleurer, à sa place.

— Ils ont dû bloquer toutes les sorties. Même les issues de secours. Qu'est-ce qu'on pourrait faire ?

Elle avait raison. Toutes les portes que j'avais repérées étaient à oublier. Je les visualisai ; chacune était certainement flanquée d'une paire de gardiens prêts à appuyer sur la gâchette.

Hormis celle que nous avions empruntée pour entrer dans le musée. Je doutais que les gardiens se soient donné la peine de surveiller ce débarras insignifiant.

— Allez, debout.

Je jetai un rapide coup d'œil dans la pièce avant d'aider Yeriel à se redresser. La douleur déformait son visage.

— Où…, marmonna-t-elle.

Mais elle ne finit pas sa phrase, probablement de peur de se mettre à crier de douleur.

— L'ascenseur. Celui qu'on a pris pour venir, chuchotai-je. Plus un bruit.

Elle secoua la tête de toutes ses forces.

— C'est… un… cul-de-sac…

Quand bien même, nous serions plus en sécurité au sous-sol qu'ici, à attendre d'être abattues. Du moins, c'était mon idée de départ. Mais j'avais autre chose en tête. Une hypothèse qu'il me restait à vérifier.

L'ascenseur n'acceptait qu'un seul passager à la fois. Il refuserait de démarrer si nous montions toutes les deux à l'intérieur.

Dans ce cas, comment s'y était-on pris pour nous conduire en bas ?

Puisque nous étions tous inconscients, il avait bien fallu que quelqu'un nous accompagne. Ou alors on nous aurait portés à travers le musée sans éveiller les soupçons ? Peu probable.

Ce n'était pas pour rien que cet ascenseur était si contraignant. C'était un indice. Il y avait une issue secrète, là-dessous. J'en étais certaine.

La veste de Yeriel semblait teinte en rouge sombre. Je la pressais contre moi dans l'ombre. Le musée autrefois silencieux s'était mué en une caverne remplie d'échos. Des éclats de voix ricochaient de couloir en couloir. Au loin, les plafonniers s'illuminaient les uns après les autres. Les gardiens inspectaient les pièces une à une. Notre temps était compté.

Guidée par les plans que j'avais mémorisés, je nous conduisis jusqu'au débarras en nous cachant derrière les colonnes et les présentoirs. La pièce était verrouillée, mais je réussis à crocheter la serrure juste au moment où la lumière du couloir s'alluma.

Après avoir traîné Yeriel à l'intérieur, je l'adossai à un mur. Je fis courir mes doigts sur les étagères, à la recherche du système permettant d'activer la porte secrète. Entre deux pots de peinture, je finis par repérer un petit interrupteur. Un pan de mur s'ouvrit à côté de Yeriel, révélant la grille de l'ascenseur.

Je la poussai d'abord à l'intérieur, en prenant bien soin de lui expliquer qu'elle devrait se débrouiller pour sortir afin que je puisse rappeler l'appareil. Elle acquiesça, mais j'eus quand même un instant d'hésitation. Je m'apprêtais à lui faire confiance : tout reposait sur elle, désormais.

J'en avais mal au ventre. *Lui faire confiance.* Dès l'instant où j'avais décidé de l'aider, je n'avais eu d'autre choix que de lui faire confiance.

Je refermai la porte de l'ascenseur. Il disparut vers les profondeurs. Il ne me restait qu'à fixer le signal lumineux en croisant les doigts pour qu'il repasse au vert.

J'attendis.

Longtemps.

À l'extérieur, les voix se rapprochaient. Du sang, quelqu'un parlait de sang. Étaient-ils parvenus à nous suivre à la trace ?

Ils allaient me retrouver.

Je n'aurais jamais dû la laisser partir la première. Elle m'avait abandonnée. Bien sûr, qu'elle m'avait abandonnée.

La lumière passa au vert. Je me serais évanouie de soulagement si je n'avais pas été à ce point survoltée.

Quand l'ascenseur arriva, je me précipitai à l'intérieur et je pressai le bouton.

À en croire la longue trace de sang étalée entre la cabine et la salle d'attente, Yeriel avait dû sortir en rampant. Elle gémit lorsque je la redressai. Nous nous trouvions dans la même salle que quelques heures plus tôt, avec ses canapés moelleux et ses écrans high-tech. Face à moi, la porte que j'avais été tentée d'ouvrir. Celle qui s'arrêtait à quelques millimètres du sol. Puisqu'elle n'était pas étanche, le gaz soporifique n'aurait pas pu rester à l'intérieur de la pièce. Il n'y avait jamais eu personne, là-dedans.

Lorsque je poussai la porte, elle s'ouvrit sans résistance.

Les cellules des candidats éliminés sont interdites d'accès.

Visiblement, l'Arbitre aimait jouer sur les mots.

À l'intérieur, un escalier s'élevait dans l'obscurité. Une sortie secrète.

Chapitre 14

À la lueur de la lune, Yeriel semblait pâle comme un cadavre. Et pourtant, elle était parvenue à se hisser jusqu'en haut de l'escalier ; elle aurait mérité une médaille olympique.

Une mare de sang s'était formée à ses pieds. Elle n'était presque plus capable de maintenir sa main sur sa plaie.

Nous avions débouché sur une ruelle tout en longueur. Il ne nous restait qu'à la parcourir pour atteindre l'avenue. Yeriel gémit de douleur lorsque je jetai une nouvelle fois son bras par-dessus mes épaules. J'étais convaincue qu'aucun gardien n'allait surgir dans notre dos pour nous mitrailler. Mais vu l'état de Yeriel, nous n'allions peut-être jamais réussir à rejoindre la rue.

Quelqu'un me susurrait des conseils égoïstes à l'oreille. Quelqu'un qui ressemblait beaucoup à Maman. *Je* pourrais y arriver. Il me suffisait de l'abandonner.

— Mer… ci…, articula Yeriel.

Sa voix était presque inaudible. Désespérée. Je suis convaincue qu'elle avait perçu que c'était le moment de me parler. Je n'étais certes pas un ange, mais je ne m'étais jamais senti l'âme d'une meurtrière. Et si je l'avais livrée à son sort, je n'aurais été rien d'autre.

Je restais à l'affût du moindre bruit, redoutant par-dessus tout d'entendre l'une des issues de secours s'ouvrir. Si les gardiens apparaissaient, que pourrions-nous faire ? Y avait-il une cachette à proximité ?

Une voiture surgit sur notre gauche et nous fit des appels de phares.

— Est-ce que c'est la tienne ? demandai-je à Yeriel.

Elle trouva la force de secouer la tête.

La voiture accéléra avant de s'immobiliser quelques mètres devant nous. Le conducteur descendit sa vitre.

Devroe.

J'avais eu tort de refuser son aide. Je n'allais pas commettre deux fois la même erreur.

— On y va, ordonnai-je à Yeriel.

Je ne parvenais plus à la soutenir. Elle allait devoir marcher toute seule.

Nous nous traînâmes jusqu'à la voiture, un modèle européen, aux phares arrondis et aux portières carrées.

Quand je tendis la main vers la poignée, le véhicule se mit à avancer. Qu'est-ce qu'il foutait ?

Devroe me regarda droit dans les yeux.

— Si tu montes, tu auras une dette envers moi.

J'hésitai.

On n'a rien sans rien.

— Ouvre.

Il poussa la portière depuis l'intérieur. Je jetai Yeriel sur la banquette arrière. Elle s'y écrasa en hurlant.

Lorsque je montai à bord à mon tour, je réalisai que Devroe n'était pas seul. Assise sur le siège passager, Kyung-Soon nous lançait des regards paniqués.

Devroe n'attendit même pas que j'aie refermé pour appuyer sur l'accélérateur. Je jetai un œil par le pare-brise arrière ; un bataillon de gardiens se déversait dans la ruelle. Ils avaient un train de retard : nous avions déjà disparu dans les rues de Cannes.

— Qu'est-ce qu'il lui est arrivé ? s'écria Kyung-Soon.

Elle s'accroupit sur son siège pour pouvoir mieux nous regarder. À ses pieds gisait un sac à dos, qui contenait sans doute son butin et celui de Devroe.

— C'est évident, non ? répliqua ce dernier tout en changeant brusquement de direction.

On aurait dit qu'il passait toutes ses soirées à faire des rodéos dans cette ville.

— C'est la faute de Noelia, expliquai-je.

Je retirai ma veste pour la presser contre la plaie de Yeriel. La balle l'avait frappée quelque part entre le ventre et la poitrine. Elle hurla, mais je ne pouvais pas la laisser se vider de son sang.

— Il faut qu'on l'emmène à l'hôpital.

Kyung-Soon attrapa le téléphone qui ricochait à l'intérieur du porte-gobelet intégré.

— Il est déjà 19 h 50. Marseille est à plus de cent soixante kilomètres. On pourrait la déposer là et appeler une ambul…

Le cri de douleur poussé par Yeriel l'arrêta net. Ma veste était déjà devenue rouge. Elle était en train de mourir. Pour de vrai. Un être humain était en train de mourir sous mes yeux.

— Je... Je..., balbutia Kyung-Soon, désemparée. Le plan. Il faut respecter le plan.

— Conduis-nous à ce putain d'hôpital ! ordonnai-je à Devroe, puisque c'était lui qui tenait le volant.

Il me regarda dans le rétroviseur intérieur, le front plissé. Des dizaines de pensées défilaient dans mon esprit. C'était comme feuilleter les pages d'un livre. Pourquoi nous avaient-ils aidées ? Noelia et Adra n'avaient pas hésité à nous laisser nous débrouiller, alors pourquoi ces deux-là avaient-ils pris un risque pareil ? Pourquoi ne conduisait-il pas cette pauvre fille aux urgences ? Et tout au fond de mon cerveau, bien cachée derrière toutes ces préoccupations, une autre idée me tourmentait. J'étais sortie du musée les mains vides. J'étais éliminée.

Devroe tergiversait. Je l'aurais étranglé.

— On ne peut pas se permettre de l'accompagner, affirma-t-il. Les médecins nous poseraient des questions auxquelles nous ne pouvons pas répondre.

— Dans ce cas, on peut la laisser devant l'entrée de l'hôpital, proposai-je. Ça ne devrait pas nous prendre plus de dix minutes.

Je vis la gorge de Kyung-Soon se serrer. Elle ne quittait pas des yeux Yeriel, qui luttait pour respirer.

— Vas-y, Devroe, lâcha-t-elle.

Il fit une brusque embardée. Je m'accrochai au dossier de son siège.

— Puisque tu insistes.

Devroe fonça jusqu'à l'hôpital. Je n'arrêtais pas de murmurer des paroles apaisantes à Yeriel pour la convaincre qu'elle serait bientôt hors de danger. Je m'efforçais de faire taire ma colère. Non seulement elle s'était fait tirer dessus et pourrait bien en mourir, mais tout ça n'aurait jamais dû arriver. Aucun gardien ne nous aurait repérées si Noelia ne m'avait pas jeté ce truc à la tête.

Enfin, nous atteignîmes l'hôpital, un haut bâtiment dressé au milieu d'une espèce de terrain vague. Devroe se faufila entre les voitures en klaxonnant, puis il pila juste devant les portes d'entrée. Mon cœur se fendit quand j'entrepris de faire sortir Yeriel. Nous étions vraiment sur le point de l'abandonner là.

— Qu'est-ce que…

Deux infirmières interrompirent leur pause cigarette pour se précipiter vers nous. Sans réfléchir davantage, je leur jetai Yeriel dans les bras.

— Elle a besoin d'aide, leur expliquai-je en français.

Tout comme Maman. Sauf que je n'allais rien pouvoir faire pour cette dernière. Ce n'était que la première épreuve, et j'étais hors circuit. J'avais laissé passer ma seule chance pour sauver une inconnue. Je pouvais d'ores et déjà me considérer comme une orpheline.

Yeriel s'agrippa à moi.

— Attends.

Elle glissa la main dans sa poche arrière. Je sursautai, déterminée à déguerpir de là. Mais un éclair doré me stoppa net.

Le portrait miniature.

Elle le déposa dans le creux de ma main en me faisant un petit signe de tête. Je me ruai sur la banquette, les doigts crispés sur l'objet de métal.

J'étais toujours dans la course.

Chapitre 15

— Nous venons pour la cérémonie Spaggiari, annonça Devroe à la réceptionniste de l'hôtel, qu'il gratifia de son plus charmant sourire.

Le rouge aux joues, elle demanda à un employé de nous conduire à la fête.

Je cachais mes mains au fond de mes poches. Par chance, ma tenue sombre masquait les taches de sang, mais je n'avais rien trouvé dans la voiture pour essuyer les traces sur ma peau. Le reste du trajet pour Marseille avait amplement suffi à me laisser prendre toute la mesure de la situation. J'avais été à deux doigts d'échouer. Et même si Yeriel m'avait sauvé la mise, Devroe, Kyung-Soon et moi n'arrivions que vingt minutes avant l'heure fatidique. J'avais failli merder. Pas de deuxième épreuve. Pas de vœu. Pas d'argent pour la rançon. Plus de Maman.

La suite du concours n'allait certainement pas être plus simple.

Je devais me reprendre.

Ou cesser de me préoccuper des autres pour mieux me concentrer sur mes propres problèmes, comme Maman n'aurait pas manqué de me le dire.

Notre guide aux gants blancs s'arrêta face à une porte dorée à double battant. Il l'ouvrit, s'inclina devant nous, puis il regagna la réception. Devroe se tourna vers Kyung-Soon. Elle fit glisser le sac qu'elle portait à l'épaule, et en sortit le masque d'opéra. Devroe me lança un regard qui signifiait : « Tout aurait été tellement plus simple si tu avais accepté mon offre. » Peu importait. Je ne pouvais pas (ou ne devais pas) leur en vouloir. Même si mon orgueil en avait pris un coup, ils m'avaient tirée d'affaire.

Nous entrâmes dans un petit salon. Un mélange alléchant d'odeurs sucrées tourbillonna autour de moi. Au moins six chariots avaient été alignés le long du mur du fond. Ils étaient recouverts de plats sous cloche, de sauciers en porcelaine posés sur des soucoupes, d'assiettes et de carafes en argent remplies de boissons (qui, avec un peu de chance, n'étaient pas empoisonnées). L'Arbitre, toujours vêtue de son tailleur rouge, se tenait debout derrière une table avec sa tablette. On aurait dit la maîtresse d'hôtel d'un restaurant où tous les plats risquaient d'être toxiques. Lucus jonglait dans son coin avec une boulette de papier. Taiyō était assis dans un fauteuil et s'évertuait à ignorer Adra, qui l'accablait de questions. D'après son sourire ravi, je devinais qu'elle prenait un malin plaisir à le tourmenter.

Noelia, adossée à un mur, remuait son thé avec une petite cuillère. Elle regardait le fond de sa tasse, avec l'air d'espérer y trouver la solution à tous ses problèmes.

— Hé ! lança Adra en tapant sur l'épaule de Taiyō. Tu me dois cent euros.

Celui-ci regarda l'endroit où elle l'avait frappé comme s'il songeait à le désinfecter.

— J'ai dit qu'il était improbable de les voir rentrer avant la deadline. Pas que c'était impossible, protesta-t-il en consultant sa montre connectée. Et, au passage, je n'ai jamais parié quoi que ce soit.

Mylo, qui tenait une assiette remplie de petits sandwichs, intervint :

— Un pari ?! s'exclama-t-il, la bouche pleine. Pourquoi personne ne m'a prévenu ?

Noelia leva la tête. Pendant une longue seconde, nous nous défiâmes du regard, avec le bruit de sa cuillère contre la porcelaine comme seul fond sonore.

Ressentait-elle quelque chose ? Allait-elle me demander des nouvelles de Yeriel ?

Elle fit mine de boire une gorgée d'un air détaché avant de se détourner.

J'avançai vers elle.

— Mesdemoiselles…, intervint l'Arbitre.

Mes intentions devaient se lire sur mon visage.

Noelia posa sa tasse par terre et se mit en position de combat. Elle avait désormais une écharpe de soie blanche autour du cou, sans doute pour dissimuler les traces de notre confrontation au musée. Un moyen commode de faire comme si rien n'était arrivé.

— Ross, ne fais pas n'importe quoi, me lança Devroe.

Je fléchis le poignet auquel était attaché mon bracelet météore, puis je retirai son écharpe d'un geste vif. Sous les yeux écarquillés de Noelia, je m'en servis pour m'essuyer les mains. La soie se couvrit de paillettes rouges.

Après quoi, je jetai l'écharpe roulée en boule contre sa poitrine.

— Aux dernières nouvelles, elle était toujours vivante, lâchai-je.

Je retournai près de la porte d'entrée.

Noelia laissa tomber l'écharpe comme si elle était en feu. Durant quelques secondes, personne ne pipa mot.

Enfin, Mylo s'adressa à Kyung-Soon en chuchotant :

— J'ai l'impression d'avoir raté le début du film…

— Madame l'Arbitre, lança Noelia, qui était allée s'asseoir avec sa tasse. Qu'est-ce que Quest fait là ? Elle est censée être éliminée, non ?

— Pardon ?! m'étouffai-je.

— L'Arbitre l'avait bien spécifié : les armes étaient interdites pour la première épreuve. Il fallait utiliser sa cervelle. Et toi, tu te balades avec un garrot autour du poignet depuis le départ.

— Se plaint la fille qui a tenté de me décapiter.

— C'est un outil pour découper le verre…

— Et le mien sert à *casser* le verre.

— On ne nous a jamais interdit d'utiliser une arme, la corrigea Devroe. L'Arbitre nous a juste dit de faire avec ce qu'on avait. Ross avait le droit de se servir de son bracelet, tout comme Adra pouvait utiliser ses bagues et Taiyō ses lunettes de crochetage.

À ces mots, Adra remua ses doigts bagués. Taiyō toisait Devroe d'un œil noir. Visiblement, il lui en voulait d'avoir révélé son secret. J'avais d'ailleurs très envie de savoir de quoi il retournait exactement.

Devroe fit tournoyer le masque entre ses mains sans quitter Noelia du regard.

— Tu ne peux pas lui reprocher d'avoir été plus prévoyante que toi.

Les phalanges de Noelia devinrent toutes blanches. Elle serrait sa tasse si fort que je m'attendais qu'elle éclate en mille morceaux. Devroe me fit un petit signe de tête. Il prenait ma défense, et peut-être même qu'il cherchait à l'énerver pour… me faire plaisir. Comme je ne savais pas comment réagir, je baissai les yeux.

— M. Kenzie a raison, déclara l'Arbitre. Nous étions curieux de voir comment chacun de vous s'était préparé.

Je serrai les dents. Elle poursuivit :

— Que les derniers arrivants apportent leurs trouvailles.

Elle retira alors la nappe qui recouvrait la table, révélant plusieurs des objets de la liste, dont les chaussons de Marie-Antoinette.

Kyung-Soon s'avança pour déposer une boîte à musique incrustée de diamants. Après quoi, Devroe livra le masque d'opéra. Avec un terrible sentiment d'échec, je sortis le portrait miniature (l'objectif de Yeriel) de ma poche avant de l'installer à côté des autres. L'Arbitre pianota sur sa tablette, ce qui éveilla ma curiosité.

— Qui conserve ce que nous volons pendant les épreuves ? demandai-je. Les Organisateurs ?

L'Arbitre ne répondit pas.

— J'ai assuré comme jamais, et ça ne m'a rien rapporté du tout, grogna Mylo. Ça commence bien. (Affalé dans un fauteuil, il goba un macaron entier.) Mais c'était fun. Enfin, si on oublie le côté sanglant, bien sûr, précisa-t-il après avoir croisé mon regard.

— Hum, grommela Lucus, qui n'avait pas bougé du fond de la pièce.

À sa façon d'admirer les taches écarlates qui maculaient ses manches, je devinais que l'aspect sanglant de l'opération lui avait plu.

Cette pièce était remplie de psychopathes.

Je m'adossai au mur en me massant les ailes du nez. L'Arbitre devait attendre un message avec impatience, car elle sourit lorsque sa tablette vibra.

— Les juges ont décidé de tous vous qualifier pour l'épreuve suivante. Félicitations. Vous en saurez plus demain matin. N'oubliez pas de consulter vos téléphones.

Le mien vibra dans la foulée. Je pouvais m'estimer heureuse d'avoir encore de la batterie. C'était un message de la réception de l'hôtel.

Veuillez trouver ci-joint une clé électronique et votre numéro de chambre. Vos effets personnels s'y trouvent déjà. Vous êtes attendue dans ce salon demain à 6 heures du matin. Reposez-vous… ou non. Cela ne nous regarde pas.

Sans prendre la peine de nous saluer, l'Arbitre se retira dans une pièce adjacente.

#

Je marchai jusqu'à l'ascenseur en soulevant mes jambes lourdes comme du béton. Ma chambre était au dixième étage. Juste après avoir appuyé sur le bouton, j'envoyai un texto à Tatie. Première épreuve réussie. C'était… compliqué. À quoi ressemblerait la prochaine ? Un autre cambriolage improvisé ? Peut-être aurais-je dû suivre le conseil de Tatie et me trouver un allié dès le départ.

Qu'aurait fait Maman ? Et comment réagirait-elle si elle apprenait que j'avais failli perdre en sauvant une inconnue ?

En fin de compte, cette inconnue m'avait sauvée. Yeriel m'avait confié sa vie. D'accord, elle n'avait pas eu le choix, mais quand même. Elle m'avait fait confiance, et ça avait marché.

Une main jaillit entre les portes de l'ascenseur, les forçant à se rouvrir. Devroe entra.

Génial.

— Ouf ! juste à temps.

J'eus droit à l'un de ses sourires éblouissants, puis il appuya sur le bouton de fermeture des portes. Je n'étais pas d'humeur à me laisser séduire. J'aperçus Mylo et Kyung-Soon un peu plus loin, mais Devroe ne semblait pas disposé à patienter.

Je haussai un sourcil.

— Je déteste les ascenseurs bondés, expliqua-t-il.

— Alors tu aurais pu attendre d'en avoir un pour toi tout seul.

Il posa une main sur son cœur.

— On pourrait croire que tu n'as pas envie d'être avec moi. J'y penserai, la prochaine fois que tu auras besoin d'un chauffeur.

Je reçus la réponse de Tatie. Tu t'étais trouvé un allié ? J'imagine qu'il est out ?

Évidemment : si j'avais choisi un partenaire, elle s'attendait que je l'aie piégé. Car c'est ainsi qu'agissent les gens comme nous. En fait, c'est même ainsi qu'agirait n'importe qui. Yeriel avait eu un coup de chance.

Mais Devroe, qu'est-ce qu'il lui avait pris ?

Je me tournai vers lui.

— Je ne comprends pas pourquoi tu as fait ça. Ce n'était pas ton problème, alors pourquoi nous avoir aidées ?

— C'était intéressé. N'oublie pas que tu m'es redevable, désormais.

J'éclatai de rire.

— Ouais, mais...

Un peu de sérieux. Il n'avait aucun moyen de pression. Qu'est-ce qui lui faisait croire que j'allais honorer ma dette ?

— Tu t'imagines vraiment que je compte être réglo ? Et pourquoi ça, hein ?

Encore ce demi-sourire. Le même qui avait fait rougir la réceptionniste.

— Je pense pouvoir te faire confiance.

Il en était persuadé. Alors, il... croyait juste en moi ?

Je ris de nouveau. En partie parce que cette idée m'amusait, mais aussi parce qu'il se tenait tout près

142

de moi, et qu'il savait admirablement moduler sa voix pour me donner l'impression que tout ceci n'était qu'un petit secret coquin entre nous.

— Tu es fou.

— Fou d'amour ?

— Arrête ça.

Cette fois, il ne cachait pas son amusement et j'avais bien du mal à ne pas sourire. Mais si je me laissais aller, nous allions finir par rire ensemble, puis ce moment privilégié créerait un lien entre nous, et alors j'allais devoir me forcer à ne pas penser à cette scène de l'ascenseur la prochaine fois que je le verrais.

— Tu ne me connais même pas.

Son sourire s'effaça.

— Peut-être que je ne voulais pas laisser quelqu'un pour mort.

Je n'avais rien à répondre à ça. Quelque chose se fendilla en moi. Possiblement le même endroit qui s'était déjà fissuré quand j'avais décidé d'aider Yeriel plutôt que de fuir ce musée sans me retourner.

— Je tiendrai parole, finis-je par décréter. Mais si tu crois pouvoir exiger quelque chose… d'excessif, tu fais fausse route.

— Ne t'inquiète pas, je n'attends rien d'incroyable. Je le jure sur ma vie, ma bien-aimée.

Je levai les yeux au ciel.

Avec un tintement, la porte de l'ascenseur s'ouvrit sur le couloir du dixième étage. Je m'y engageai, imitée par Devroe.

— Je suis fatiguée. Tu peux éviter de me suivre ?

— Ma chambre aussi est à cet étage, expliqua-t-il en se mettant à marcher à reculons devant moi. On est peut-être voisins ! Peut-être même que nos chambres communiquent entre elles. L'idéal pour un rendez-vous galant. On pourrait dîner ensemble sans que personne le sache. Je ne voudrais pas rendre mes adversaires jaloux.

Un *date* ? J'avais manqué un épisode, ou il venait de sauter une bonne dizaine d'étapes d'un coup ? Impossible de nier que cette idée me troublait.

— Pardon ?

— Tu viens de me jurer que tu tiendras parole. Tu as une dette envers moi, et je te propose de l'honorer en dînant avec moi.

— C'est une dette professionnelle.

— Bouh, c'est triste comme tout.

J'avais envie de secouer la tête pour me remettre les idées en place.

— Devroe…, soufflai-je. Que ce soit bien clair : dans cette vie, il n'y a aucune chance que Ross Quest accepte de dîner avec toi, ou de… faire je ne sais pas quoi d'autre. Inutile de perdre ton temps.

Il aurait dû retenir la leçon. Mais Devroe n'était pas garçon à renoncer si facilement. Il me suffit de le voir plisser les yeux pour le deviner.

— Intéressant. Tu n'as pas clairement dit que ça ne te faisait pas envie.

Quand il pencha la tête, je me crus en tête à tête avec un foutu sex-symbol tout droit sorti d'Hollywood.

Mais c'était encore l'une de ces mimiques qu'il avait répétées un million de fois. Une astuce tirée de son manuel personnel.

D'accord, peut-être qu'une toute petite part de moi en avait envie. Il était assez observateur pour le deviner. Raison de plus. J'avais une dette envers lui, c'était incontestable. Mais je ne comptais pas batifoler davantage avec ce garçon. Je ne comptais batifoler avec personne, d'ailleurs.

Je le poussai d'une main contre le mur. Visiblement déstabilisé, il se laissa faire sans cacher une certaine excitation.

— Devroe…, susurrai-je d'une voix langoureuse.

Je sentais sa poitrine se soulever. Le tissu de sa veste était rugueux et doux à la fois. Je me penchai vers lui, ne m'arrêtant qu'à quelques centimètres de son visage.

— Laisse. Moi. Tranquille.

Je fis un pas en arrière et je partis en direction de ma chambre. Bizarrement, j'étais un peu déçue de ne pas l'entendre s'élancer à ma poursuite. Je présentai mon téléphone devant la serrure, dont le voyant passa au vert.

— Tu auras besoin de ce truc pour entrer dans ta chambre, annonçai-je.

Puis je lançai son téléphone à Devroe, qui l'attrapa au vol.

Il retroussa les lèvres, comme s'il ne savait pas encore s'il était énervé ou impressionné. Dans ce flottement, il me salua de la main.

Une fois dans ma chambre, je restai allongée sur mon lit une minute pour reprendre mon souffle. Mon téléphone vibra. Ah ! oui, Tatie. Elle m'avait réécrit.

??

Je m'assis pour lui répondre.

Pas de partenaire. Me suis déjà battue avec Noelia B. Une fille s'est fait flinguer. Presque morte. Moi, ça va.

Et un garçon m'a invitée à dîner pour la première fois…

J'effaçai cette dernière phrase avant d'appuyer sur « Envoyer ».

Dans la seconde, je reçus un appel FaceTime de Tatie.

— Tout va bien ? Oh ! mon Dieu, tu saignes ?

Tatie était apparue à l'écran. Elle était aussi débraillée qu'au moment de mon départ.

— Ce n'est pas sur moi qu'on a tiré, Tatie. Sinon tu penses bien que je te l'aurais précisé.

— J'avais compris. Je parlais de cette histoire de bagarre avec l'autre petite pétasse. Dis-moi que tu lui as botté les fesses.

— Tatie ! m'écriai-je, le sourire aux lèvres. (Personne ne savait me mettre de meilleure humeur.) Je… On peut dire ça.

Je me sentais déjà moins tendue. J'avais presque l'impression d'être rentrée à la maison. C'était un peu comme parler avec Maman…

Je respirai un bon coup.

— Comment ça va, de ton côté ?

Tatie se figea.

146

— Pas mieux qu'hier. Je n'ai plus la moindre piste, et tu te doutes qu'aucune mission à un milliard n'est apparue dans la *black box*. Tu es notre seul…

Elle ne finit pas sa phrase ; c'était inutile. J'étais notre seul espoir. Et j'avais failli tout faire foirer dès le premier jour.

— Je vais l'appeler, annonçai-je.

— Tu veux contacter les kidnappeurs ? Bon. Passe-leur le bonjour. Mais après… au lit, ma cocotte. Tu dois être en pleine forme pour la suite.

Elle m'adressa un ultime sourire rassurant avant de couper la communication.

J'appuyai sur le numéro de Maman.

Personne ne décrochait. Au moment où je m'étais résignée à tomber sur le répondeur, mon nouvel ennemi juré prit l'appel.

— Ah ! la petite Quest. Tu me contactes pour avoir mon RIB ?

Je tremblais déjà de rage.

— Je suis sur le coup.

— Oh, oh, c'est vrai ? Est-ce que je dois me préparer à entendre parler du vol de *La Joconde* ? ricana-t-il.

La Joconde, l'œuvre d'art la plus chère et la moins volable au monde, n'était estimée qu'à huit cent soixante-dix millions de dollars. Je me demandais si ce débile était au courant.

— Je suis sur le coup, je vous dis. Maintenant, je veux parler à ma mère.

— Dommage, j'aime bien discuter avec toi. Il faut croire que toutes les bonnes choses ont une fin…

Il n'y avait plus un bruit au bout du fil, mais il n'avait pas raccroché. Les ongles enfoncés dans la paume de ma main, j'attendais.

Et s'il me menait en bateau ? Et s'ils l'avaient déjà tuée ? Et si… ?

— Ma belle ?

— Maman, lâchai-je dans un sanglot.

Merde, j'ignorais que j'étais au bord des larmes. On aurait dit qu'elles avaient surgi de nulle part. Je m'écroulai au pied de mon lit, et là, agrippée à la couette, je pleurnichai comme je ne l'avais plus fait depuis mes neuf ans, le jour où ma meilleure amie m'avait trahie.

— Je suis… désolée…

Pour tout. D'avoir laissé ce bateau l'emporter. De ne pas lui avoir parlé de la porte secrète. D'avoir voulu m'enfuir. Si j'avais pu remonter le temps, j'aurais réparé tout ça. Maintenant que je pouvais lui parler, après avoir cru ne plus jamais entendre le son de sa voix, j'étais convaincue d'être prête à tout pour sauver ma maman.

— Ne t'excuse pas. Des erreurs, tout le monde en fait. Ce n'est pas grave.

Elle cherchait à m'apaiser, comme si c'était moi la prisonnière en sursis. Lorsque je parvins enfin à maîtriser mes sanglots, je m'essuyai le visage dans la couette.

— Est-ce que tu vas bien ? Ils t'ont fait du mal ?

— Je vais bien, je vais très bien. Ne t'en fais pas pour moi.

Je ravalai mes dernières larmes.

— Je vais te sortir de là. Je suis en train de participer au Trophée. C'est un concours qui pourrait nous aider à…

— Je sais de quoi il s'agit.

Bien sûr. Si Tatie avait entendu parler du Trophée, Maman connaissait forcément, elle aussi.

— J'ignorais qu'ils t'avaient sélectionnée, murmura-t-elle. Écoute, si tu veux aller au bout, tu dois jouer pour gagner. Quoi qu'il en coûte. Tu comprends ?

Je hochai la tête, comme si elle était devant moi.

— Je sais. Enfin, je le sais, désormais.

— *Désormais* ?

J'avais la gorge nouée. Inutile de tout lui raconter en détail. De lui parler de Yeriel. De lui dire que je m'étais engagée à honorer une promesse quand rien ne m'y obligeait.

— Je ne laisserai rien se mettre en travers de ma route, affirmai-je.

J'imaginai Maman approuver d'un hochement de tête, ou lever le menton avant de poser sur moi ce regard de défi qu'elle maîtrisait si bien.

— Règle numéro un, ma belle ?

J'avais déjà commencé à l'enfreindre. Terminé.

— Ne fais confiance à personne.

Chapitre 16

Le lendemain matin, Taiyō vint frapper à ma porte. C'était la dernière personne que je m'attendais à voir. Enfin, peut-être pas la dernière, mais c'était tout de même une vraie surprise.

— Euh… Bonjour ? le saluai-je en me glissant dans le couloir.

Il portait un gilet fraîchement repassé et un pantalon moulant. Et il était aussi bien peigné que la veille. Je me dis que, si sa carrière de voleur venait à battre de l'aile, il pourrait se reconvertir en top model pour salons de coiffure et gagner des millions. Sa tenue, totalement appropriée à notre hôtel de luxe, me fit prendre conscience de mon apparence déplorable : j'avais enfilé un tee-shirt noir, un jean et la même veste que le jour précédent. J'allais devoir me débrouiller avec le contenu de mon balluchon destiné au stage de gym, c'est-à-dire pas grand-chose ; l'essentiel étant fourni sur place, on m'avait demandé de n'apporter que ma paire de chaussures préférée (à savoir mes pauvres baskets *Nuit étoilée*, dont les semelles étaient à jamais teintes en rouge). Au moins, mes tresses ne s'étaient pas défaites, et pour voir le verre à moitié plein, je pouvais toujours me dire qu'elles me donnaient un style plutôt cool.

Je m'avançai vers l'ascenseur, puisqu'il ne restait que vingt minutes avant le rendez-vous et que j'étais prête à partir. Taiyō m'emboîta le pas.

— Comment as-tu fait pour sortir du musée ?

Il me transperçait du regard. On aurait dit que cette question l'avait taraudé toute la nuit.

— Qu'est-ce que ça peut te faire ? La première épreuve est terminée.

— Pourquoi crois-tu que tout le monde se passionne pour le casse de la United California Bank ? Ou pour le cambriolage du musée de Dresde ? On ne peut qu'être fasciné et intrigué quand quelqu'un parvient à accomplir ce genre d'exploit.

J'étais stupéfaite.

— Quoi, tu fantasmes sur les autres voleurs ? C'est un peu comme tomber amoureux de son reflet, non ?

— Combien pour connaître la vérité ?

Nous avions fait halte devant une alcôve encadrée par deux tables basses inutiles. Les bras croisés, je le dévisageai en plissant le front. Il avait réussi à m'intriguer.

— Je n'ai pas besoin d'argent, répliquai-je (je me doutais qu'il n'allait pas me proposer un milliard de dollars). Mais je veux bien te raconter, si tu me dis pourquoi ça t'intéresse autant. Et n'essaie pas de me faire croire que c'est par simple curiosité.

Il m'observa quelques secondes avant de remonter ses lunettes sur son nez, ce que j'interprétai comme un signe d'abdication.

— Pourtant, c'est la vérité : j'adore les histoires de cambriolage, insista-t-il. Contrairement à toi, je ne suis pas issu d'une famille de malfaiteurs. Personne ne m'a expliqué comment m'y prendre. J'ai tout appris en étudiant les autres. Si je veux devenir un voleur accompli, je dois comprendre ce qui m'a échappé.

— C'est sacrément ambitieux. Si tu as été invité à participer au Trophée, ça signifie que tu te débrouilles déjà très bien.

— Très bien n'est pas assez. Les Boschert contrôlent le marché européen. Ta famille règne sur l'Amérique du Nord. En Asie, personne ne sort du lot : il y a une galaxie de petites mafias.

— Pour le moment, c'est ça ?

J'avais vu des étoiles briller dans ses yeux.

— Je veux savoir comment travaillent les meilleurs. Qu'ont-ils en commun ? Qu'est-ce qui les différencie ? Il n'y a qu'en procédant ainsi que je pourrai déterminer les critères essentiels pour former des débutants.

C'était une idée étonnante. Et ingénieuse. S'il parvenait à transformer des gens ordinaires en voleurs de première classe prêts à œuvrer sous ses ordres, il pourrait bien mettre la main sur un continent entier. S'il en recrutait suffisamment, cela ne lui prendrait peut-être que quelques années.

J'avais un tas de questions en tête. Quel serait l'âge idéal pour débuter ? Où trouver des candidats pour un projet pareil ? Je laissai à Taiyō le soin d'y réfléchir et je lui racontai ce qu'il voulait savoir.

#

À la suite de notre discussion, Taiyō se précipita dans sa chambre pour tout noter. Je descendis seule à la salle du rendez-vous.

Devroe et Kyung-Soon étaient déjà là, assis côte à côte devant l'une des deux tables de chêne qu'on avait installées durant la nuit. Devroe leva la tête à mon entrée et me fit un sourire radieux. Je devinais une interrogation dans son regard. Ce qui n'avait rien de surprenant, au fond, car, plus j'y pensais, plus je me disais que j'avais pu paraître… intéressée, hier soir. Sur le moment, c'était intentionnel. Mais depuis mon appel avec Maman, je n'étais plus disposée à poursuivre sur cette voie. Pas question de créer le moindre lien entre nous, pas plus qu'avec n'importe laquelle des personnes rassemblées dans cette pièce.

Et je m'assurai de le lui faire comprendre au moyen d'un regard glacial. Son sourire s'évanouit. Les dents serrées, il se redressa et fourra les mains dans ses poches. De toute évidence, je venais de repousser quelqu'un qui n'y était pas habitué. Ou du moins, qui n'aimait pas ça du tout.

J'étais si absorbée par cette conversation muette que je remarquai trop tard qu'une certaine blonde s'approchait du chariot devant lequel je m'étais arrêtée.

J'hésitai un instant à m'en aller, sauf qu'on aurait pu croire que je fuyais devant elle. Je n'allais tout de même pas lui faire ce cadeau !

Je n'avais pas très faim, mais j'attrapai une assiette. Noelia prit un verre qu'elle remplit de jus d'orange. Malgré ses efforts pour être discrète, je remarquai qu'elle essayait d'apercevoir les semelles de mes baskets. Mes orteils s'agitèrent tandis que je luttais pour ne pas me trémousser. Les chaussures que je portais ce jour-là étaient noires et couvertes d'étoiles brodées tout aussi sombres, qu'on ne pouvait distinguer qu'en y regardant de plus près. Mais le clou du spectacle était les semelles, sur lesquelles resplendissait la Voie lactée. Dans une autre vie, une vie radicalement différente, j'aurais pu soulever mon talon pour les lui montrer. Sauf que nous n'étions pas dans une fiction. Noelia avait chaussé une nouvelle paire de bottines très élégantes. Ses semelles étaient-elles décorées, elles aussi ?

— J'avais les mêmes, la version montante, lâcha Noelia après avoir bu une gorgée de jus d'orange. Mon père m'a forcée à les jeter. Je ne sais plus pourquoi. Dommage.

Je n'en croyais pas mes oreilles. Elle comptait vraiment parler chiffons avec moi ? Malgré… tout ce qui s'était passé ?

— C'est tout ce que tu as trouvé pour m'empêcher d'évoquer Yeriel ?

154

Noelia grimaça. Elle fit tourner son verre entre ses doigts avant de protester à voix basse :

— *J'allais* demander de ses nouvelles. Tu ne m'en as pas laissé le temps.

— Promis, je te donnerai une meilleure occasion de te justifier la prochaine fois que tu tenteras de tuer quelqu'un.

Avant qu'elle puisse répondre, Adra fit son entrée en lançant un « Salut les nazes » tonitruant. Elle transportait une petite boîte en bois qu'elle déposa sur la table inoccupée. Elle fit signe à Noelia de la rejoindre. Tout sourire, celle-ci partit à sa rencontre sans manquer de me flanquer un coup d'épaule au passage. Comme il était bien trop tôt pour se battre, je laissai courir.

Mais j'en profitai pour inspecter la semelle de ses bottines. C'était un tableau abstrait constitué de courbes et de volutes colorées.

Cette Noelia Boschert était un foutu mystère.

Soudain, une silhouette apparut dans mon champ de vision. Lucus. Après avoir pris une assiette, il resta debout devant moi à me fixer. J'avais la vague impression de faire face à un semi-remorque sur une route à sens unique. Enfin, je compris qu'il attendait que je lui cède la place. Je l'empêchais d'accéder à… ce qu'il désirait.

Pas de chance pour lui : je n'étais pas d'humeur à me laisser intimider. S'il voulait me faire partir, il allait devoir me le dire.

— Oui ? je feignis de l'interroger.

Il tira un couteau à cran d'arrêt noir de sa manche et l'ouvrit d'un coup de poignet. Je me crispai. Toutes mes techniques pour parer une attaque à l'arme blanche me revinrent en mémoire.

Mais Lucus était incroyablement rapide. Il plongea devant moi, et j'eus tout juste le temps de voir la lame transpercer une saucisse.

— Je ne demande jamais la permission, déclara-t-il.

Malgré moi, je laissai échapper un soupir de soulagement quand il rangea son couteau.

Il grimaça un sourire sinistre.

— Pas de panique, Quest. On n'a pas le droit de se battre…

Il attrapa une bouteille d'eau. Sous sa veste, j'aperçus un holster et la courbe d'une crosse. Lucus se pencha alors vers moi pour ajouter quelques mots à mon oreille :

— … enfin, jusqu'à la prochaine épreuve.

Une brise glaciale me lécha la colonne vertébrale. J'avais besoin de m'asseoir. Mais cela m'obligeait à sélectionner une table. Il ne restait que quatre chaises libres. Pour une raison mystérieuse, les autres sièges avaient disparu.

Lucus mangeait debout contre le mur, au même endroit que la nuit dernière, ce qui me laissait le choix entre Kyung-Soon et Devroe, et la table où s'étaient installées Noelia et Adra. Elles comparaient les bagues rangées dans la boîte d'Adra pour voir lesquelles iraient le mieux avec sa tenue. Un souvenir enfoui refit surface. À l'époque, Noelia m'avait aidée à choisir mes barrettes.

Je me dirigeai naturellement vers Devroe et Kyung-Soon.

Devroe, qui n'avait qu'un mug devant lui, parut contrarié quand je m'assis en face de lui.

Kyung-Soon retira son casque de ses oreilles.

— Hein ?

— Je n'ai rien…

— Elle a dit qu'elle aimait ta musique, prétendit Devroe.

Son visage ne laissait rien transparaître. Qu'est-ce qu'il fabriquait ?

J'allais le démentir, mais Kyung-Soon embraya :

— C'est vrai ? C'est DKB, le groupe de K-pop. Tu connais ?

— Euh… non. Mais ça a l'air cool.

— Tu sais quoi ? Je les ai rencontrés en vrai. Ils jouent hyper souvent à Séoul. C'est complet en deux minutes, mais je trouve des places quand même, tu t'en doutes. Après leur dernier concert ce printemps, je me suis infiltrée dans les coulisses en me faisant passer pour une maquilleuse, ajouta-t-elle en soupirant, visiblement enchantée par cette évocation. E-Chan est encore plus beau qu'à la télé. C'est mon chouchou.

Je souris.

— Juste E-Chan ? Et les autres ?

— Berk ! Une bande d'abrutis. Je leur ai piqué quelques paires de chaussures pour les revendre en ligne.

— Moi, je suis plutôt branché J-pop, déclara Mylo en s'asseyant sur la dernière chaise libre.

Il avait rempli son assiette de pancakes, de toasts, de crêpes et d'une dizaine de viennoiseries. Le tout noyé dans du sirop d'érable.

— Malheureusement, personne n'écoute de J-pop, à Vegas. Pas encore, en tout cas. Vous voulez bien de moi, hein ? Il y a une sale ambiance, par là-bas, expliqua-t-il, se tournant vers Noelia et Adra, puis lançant un regard inquiet en direction de Lucus.

— C'est le moins qu'on puisse dire, l'approuvai-je.

Mylo inspecta notre table en tapotant la nappe blanche.

— Où sont passés les couverts ?

Je ne m'en étais pas rendu compte, mais il n'y en avait effectivement pas un seul, à l'exception de la cuillère de Kyung-Soon.

— Ne me regarde pas comme ça, je viens juste d'arriver, protestai-je.

Mais je voyais bien que Mylo se méfiait toujours.

— J'ai trop faim pour jouer à ça, soupira-t-il.

Il posa un billet de vingt dollars au centre de la table. Kyung-Soon s'en empara et le remplaça par une fourchette.

Et moi qui m'estimais kleptomane.

— Bon, enchaîna Mylo comme si cet événement était un classique du petit déjeuner, j'ai essayé de deviner ce qui a pu se passer hier soir.

Il baissa la voix, et pour la toute première fois de ma vie, j'eus l'impression d'être en train de critiquer les stars du lycée avec ma bande.

— C'est vrai que Noelia a tiré sur Yeriel ?

Kyung-Soon donna un coup de cuillère sur la table.

— Ouais, et d'ailleurs… je suis désolée de ne pas avoir accepté direct de l'emmener à l'hôpital. (Elle fit crisser la cuillère contre le rebord de son bol.) Il paraît que, des fois, j'ai du mal à prendre des décisions. J'essaie de changer ça.

Ce n'était pas réellement à moi que s'adressaient ses excuses. Au lieu de lui confirmer que l'indécision était un gros défaut, je me contentai d'acquiescer en silence. D'un geste, Mylo nous fit comprendre qu'il attendait toujours de savoir pourquoi c'était à cause de Noelia que quelqu'un avait fini en sang sur la banquette arrière d'une voiture.

— Ce n'est pas vraiment elle qui a tiré, dus-je avouer. Mais c'était sa faute. Si elle n'avait pas fait exploser une vitrine, le gardien n'aurait pas flingué Yeriel.

Mylo secoua la tête avant de caler ses cheveux derrière son oreille.

— C'est du délire.

— C'est ça, la compétition, rétorqua Devroe tout en me lançant un regard froid comme une lame. Ceux qui ne sont pas avec toi sont contre toi.

Subtil.

Mylo s'attaqua à sa pile de pancakes et de viennoiseries. La veille, quand chacun accusait les autres d'avoir utilisé des objets interdits, l'un d'entre nous était passé entre les gouttes.

— C'était quoi, ce stylo, Mylo ? l'interrogeai-je.

Il ricana nerveusement.

— Euh… Tu parles du truc dont je me sers pour prendre des notes ?

— Laisse tomber. Je t'ai vu trancher une barre de fer avec au musée.

Il soupira.

— OK, tu as gagné.

Il retroussa sa manche, et un petit stylo argenté banal glissa dans sa main.

— Tu peux sectionner du métal avec ça ? s'écria Kyung-Soon. C'est quoi, un sabre laser ?

Par chance, je n'avais pas la bouche pleine, sinon je me serais étranglée. Je n'aurais jamais cru qu'on pouvait évoquer un sabre laser avec autant de sérieux.

— Ouais, c'est un maître Jedi, me sentis-je forcée de répondre.

Mylo rebondit sur ma blague en agitant les doigts à la manière d'Obi-Wan Kenobi.

— Ce n'est pas ce portefeuille-là que vous recherchez.

Malgré son humeur massacrante, Devroe ne put s'empêcher de rire.

— Presque aucun métal ne résiste à ce truc, reprit Mylo en tournant le stylo vers nous. L'autre bout est un mini-fer à souder. Vous n'imaginez pas combien de charnières de porte j'ai scellées pour bloquer mes poursuivants. Ce machin m'a sauvé les fesses au moins dix fois.

Je me penchai pour mieux voir son stylo magique.

— Comment ça fonctionne ?

Il le rangea dans sa manche.

— Aucune idée. Je suis nul en sciences. À une époque, je faisais équipe avec un fan de gadgets. Quand il a arrêté, il m'a laissé ça, expliqua Mylo. En vrai, il a disparu après m'avoir piqué dix mille dollars, et c'était mon lot de consolation. Bref.

Taiyō apparut enfin, à l'heure dite ; mon petit doigt me disait que la ponctualité faisait partie de son manuel du criminel accompli. Il lisait un livre couvert de Post-it et de signets. C'est tout juste s'il leva les yeux pour prendre deux morceaux de pain, puis il observa tour à tour notre table et celle de Noelia. J'étais tentée de l'inviter à se joindre à nous, mais comme toutes nos chaises étaient occupées, il partit de l'autre côté.

L'Arbitre, tout aussi ponctuelle que notre adversaire, entra par la porte qu'elle avait empruntée la veille au soir. Elle avait enfilé un tailleur gris à liseré rouge.

— Parfait, vous êtes à l'heure. J'espère que vous avez bien dormi.

— Allez droit au but, lança Lucus. La prochaine épreuve. C'est comme hier ? Ne me dites pas qu'on est déjà sur place et qu'il faut piquer le bureau de la réceptionniste…

— Non. La deuxième épreuve aura bien lieu aujourd'hui, mais cette fois vous n'aurez pas le luxe de choisir entre quinze cibles. C'est un peu plus compliqué que ça.

L'Arbitre alluma une télé accrochée au mur avant de faire glisser un doigt sur sa tablette.

Je faillis me déboîter la mâchoire en découvrant l'image qui s'était affichée sur le téléviseur.

Un masque d'or incroyablement sophistiqué. Le passage du temps avait effacé certains détails, mais les pommettes hautes, le trait bleuté autour de l'œil et les pupilles blanches donnaient l'illusion d'être face à un être de chair et de sang plutôt qu'à un objet façonné des siècles et des siècles plus tôt.

— Ceci est le sarcophage d'un pharaon égyptien inconnu, expliqua l'Arbitre. Il est en or pur et pèse environ cent dix kilos, soit deux cent cinquante livres selon le système impérial. Sa valeur est estimée à plus de vingt millions d'euros, mais les enchères monteront certainement bien au-delà. (Elle se tut quelques instants, comme si elle était elle-même éblouie par ce chef-d'œuvre.) Il s'agit de votre nouvel objectif.

Je sentais la panique me gagner peu à peu. Comparée à ce défi, notre équipée au musée semblait (même si j'avais bien du mal à le reconnaître) une bagatelle.

Je peux voler des choses, je suis douée pour voler des choses, mais l'étais-je assez pour y parvenir si huit autres personnes visaient la même cible que moi ?

Respire, Ross.

— Ce n'est pas très clair, soulignai-je. Est-ce que ça signifie qu'il ne peut y avoir qu'un vainqueur ? L'épreuve suivante manquerait un peu de sel…

— Bien sûr que non, répondit l'Arbitre. Quatre d'entre vous seront qualifiés pour la phase finale.

Mylo s'adossa à sa chaise en se grattant la tête.

— Euh… Vous voulez dire qu'il y a trois autres sarcophages ?

Noelia croisa les bras.

— Madame l'Arbitre, vous devriez poursuivre ou ils ne vont pas arrêter de vous interrompre.

Argh.

L'Arbitre s'exécuta.

— Il s'agit d'un défi par équipe. Vous serez divisés en deux groupes de quatre.

— Oh ! *pitiééééé*, gémit Adra. On est où, à la crèche ? Dites-moi qu'on a au moins le droit de choisir ses partenaires.

Je me tournai vers mes compagnons de table. Devroe tenta de masquer son sourire en buvant une gorgée de café. Kyung-Soon et Mylo ne quittaient pas l'Arbitre des yeux. Ils n'avaient pas encore compris.

Raides comme des piquets, les membres de la Team Noelia regardèrent Lucus les rejoindre.

— Vous ferez équipe avec les personnes assises à la même table que vous, confirma l'Arbitre.

Nous nous dévisageâmes. Kyung-Soon semblait sceptique. Mylo paraissait plutôt content. Quant à Devroe, eh bien, il affichait son air supérieur habituel. Je me sentais idiote d'avoir refusé son alliance. C'était devenu une règle du jeu.

— Mettre la main sur le sarcophage avec l'aide de nos complices…, murmura Taiyō, qui devait déjà imaginer des dizaines de tactiques possibles tout en feuilletant son livre. C'est tout ?

— Pas tout à fait, répondit l'Arbitre. Nous pourrions bien vous confier quelques… missions subsidiaires en cours de route, mais vous en saurez plus le moment venu, expliqua-t-elle avant d'éteindre la télé. J'espère que vous étiez bien concentrés. Je n'ai pas l'intention de me répéter. Vous avez trois jours pour dérober votre cible. Lorsque ce sera fait, je vous communiquerai une adresse de livraison.

Une notification fit vibrer mon téléphone. Un e-billet. L'Organisation nous offrait un voyage en train pour Paris.

Chapitre 17

Moi, je pense qu'on devrait leur proposer une trêve.

J'arrêtai tout net de préparer mes affaires pour me tourner vers Kyung-Soon. Elle avait vraiment dit ça ?

Je me demande encore pourquoi nous avions atterri dans ma chambre. Nous devions nous réunir quelque part pour élaborer notre stratégie, et les autres avaient simplement décidé de me suivre.

— Une trêve ? s'indigna Mylo. Avec nos ennemis ? Tu trouves que c'est dans l'esprit du Trophée, toi ?

— Pas pour toujours, juste le temps du trajet en train jusqu'à l'aéroport.

Kyung-Soon était allongée sur le dos sur mon lit, la tête en suspension au-dessus du sol. Elle venait de faire le poirier pendant au moins une minute. Vu le volume de la musique qui jaillissait de son casque, je ne pensais même pas qu'elle nous écoutait.

— Vous ne croyez pas que tout le monde serait soulagé de souffler quelques heures ? insista-t-elle.

— Ils n'accepteront jamais, protestai-je. Et même s'ils disaient oui, il ne faudrait surtout pas les croire. Si l'Arbitre a choisi de nous faire tous voyager dans le même train, c'est sans doute qu'elle espère que nous allons nous mettre des bâtons dans les roues. Ça ne me pose pas de problème.

J'arrachai mon chargeur de la prise murale située à côté de la tête de lit. D'accord, je ne savais pas comment nous allions nous attaquer à la Team Noelia pendant ces trois heures de trajet, mais la simple perspective de me montrer aimable avec eux suffisait à me rendre folle. Exception faite de Taiyō.

— Du calme, dit Devroe, qui se tenait debout près de la fenêtre. Moi non plus, je ne crois pas que nous puissions leur faire confiance, mais un cessez-le-feu est peut-être une bonne idée. Tout le monde ne passe pas sa vie à tenter de t'éliminer, tu sais.

Là-dessus, il m'adressa un regard lourd de sens, comme pour me mettre à l'épreuve. C'était un peu différent de notre conversation silencieuse du petit déjeuner. Je préférai l'ignorer.

Mylo faisait les cent pas. Il n'avait pas encore pris sa décision.

— Vous savez quoi ? m'emportai-je. Je croyais que vous étiez venus squatter ma chambre pour qu'on puisse discuter de… Au hasard, de notre stratégie pour voler le sarcophage avant eux. Ou pour trouver comment les éliminer du concours. Et voilà que, tout à coup, il s'agit de les laisser souffler.

Je refermai la fermeture Éclair de mon sac à dos si brutalement que je faillis me coincer un doigt.

— C'est quoi, ton problème, avec Noelia ? me demanda Kyung-Soon, sans cesser d'agiter ses mains au rythme de sa musique. Moi aussi, j'étais dégoûtée de voir Yeriel dans cet état, mais elle cherche juste à gagner. On sait tous dans quoi on a mis les pieds. Tu ne devrais pas en faire une affaire personnelle.

Une affaire personnelle. Je ne supportais plus d'entendre cette excuse. Désolée, je t'ai tiré dessus, mais n'y vois rien de personnel. Désolée, tu t'es fait arrêter à cause de moi à neuf ans, mais n'y vois rien de personnel. Désolée, je t'ai trahie, mais n'y vois rien de personnel.

Certaines attaques sont personnelles.

— J'ai bien compris les règles du jeu. Simplement, il se trouve que, oui, j'en fais une affaire personnelle depuis qu'elle s'est mis en tête de me voler mon objectif pour m'éliminer du Trophée.

Mylo pouffa.

— Attends, c'est pour ça que vous vous êtes battues ? Mais c'est génial !

Je lui lançai un regard noir. Il se racla la gorge.

— Je veux dire… Génialement cruel.

J'avais donc au moins un allié… en quelque sorte.

— Il faut se souvenir qu'on n'a sûrement pas toutes les cartes en main, déclara Devroe. Il y a un aéroport international à Marseille. Alors pourquoi nous faire transiter par Paris ?

J'étais tellement obnubilée par Noelia que je n'y avais même pas pensé. Il était clair que les Organisateurs ne cherchaient pas à limiter notre budget voyage. Il n'y avait donc qu'une seule explication possible.

— Il va se passer quelque chose à bord de ce train.

— Exactement, m'approuva Devroe. Ce qui signifie que laisser ces petites rivalités de côté nous aiderait à rester concentrés sur l'essentiel.

Et une ligne de plus dans la colonne des petits arrangements avec le diable. Je n'étais plus à ça près.

— Et si on leur posait la question directement ? proposa Kyung-Soon. Nous avons tous intérêt à coopérer. On n'a rien à perdre, même s'ils nous mentent.

— Ils *vont* nous mentir, affirma Mylo.

— Alors c'est réglé, dit Devroe. Je vais leur en parler. De vive voix. Qu'ils acceptent ou qu'ils refusent, ça nous aidera à deviner leurs intentions. Quelqu'un pour m'accompagner ?

Il marchait déjà vers la porte.

Hein ?! Il n'allait même pas attendre notre accord ?

— Hé ! qui t'a dit que c'était OK ? s'indigna Mylo, avant d'ajouter entre ses dents : Il se prend vraiment pour Hans Gruber. Jusqu'à la cravate.

— Qui ça ? demanda Kyung-Soon en se redressant.

— Sérieux, t'as pas vu *Piège de cristal* ? s'offusqua Mylo.

— Je l'accompagne, lançai-je, constatant que mes partenaires s'écartaient du sujet. Attendez-nous ici.

Je courus après Devroe.

— Super travail d'équipe. Je suis vraiment passée à côté de quelque chose, hier.

Il balaya mon sarcasme d'un revers de la main.

— Je n'ai pas de temps à perdre avec ce genre de débats stériles.

— Ou peut-être que tu détestes qu'on te dise non. Perso, cette idée me met mal à l'aise.

— Alors tu devrais sortir de ta zone de confort. Personne ne te demande de collaborer avec eux. Au pire, s'ils prévoient de nous attaquer au cours du voyage, je serai capable de voir clair dans leur jeu. Fais-moi confiance.

— Ce n'est pas le cas.

— Tu devrais. (Il s'approcha de moi en souriant de toutes ses dents.) Ah ! qu'est-ce qu'on s'amuserait, si tu faisais au moins semblant…

Quand je sentis son parfum épicé, mon estomac se retourna. C'était précisément dans ce but qu'il avait fait un pas vers moi, n'est-ce pas ? Oh ! il était doué, et il comptait profiter de ce trajet pour me déstabiliser. L'arrivée de l'ascenseur me tira d'affaire. Une fois à l'intérieur, j'hésitai face à la rangée de boutons.

Devroe appuya sur celui du huitième étage.

— Comment tu sais où on doit aller ?

— Je connais les numéros de chambre de tout le monde. Ça m'a semblé utile de chercher à les découvrir.

Il n'avait donc pas surveillé que moi, hier soir. Étrangement, j'étais un peu déçue.

— Tu comptes frapper à chaque porte jusqu'à trouver la bonne ?

— Ils sont chez Taiyō.

— Chez Taiyō ?

J'aurais plutôt misé sur Noelia. Dans mon esprit, leur leader ne pouvait être qu'elle.

— C'est le plus lucide. Alors je parie qu'ils se sont retrouvés chez lui.

De notre côté, nous avions fini dans ma chambre. En avait-il tiré la même conclusion à mon sujet ?

Il devait vraiment lire dans les pensées, car il répondit à mon interrogation muette :

— Si on est allés dans ta chambre, c'est parce que tu y as foncé tout droit sans poser de questions. Déduis-en ce que tu veux.

Lorsque les portes de l'ascenseur s'ouvrirent, nous nous retrouvâmes face à ce que nous étions venus chercher : la moitié de nos adversaires.

Noelia portait un *tote bag* très chic en bandoulière tandis que Taiyō avait un sac à dos carré sur les épaules. Ils interrompirent leur conversation (en japonais, une langue que je ne parlais pas) dès qu'ils nous aperçurent.

— Parfait. On voulait justement vous voir, dit Devroe.

Il leur bloqua l'accès à l'ascenseur en posant une main sur la porte.

Noelia était sceptique.

— Ne me dis pas que tu comptes encore me harceler avec ces vieilles histoires, me lança-t-elle.

C'était moi qui la harcelais ?

— Pas d'inquiétude, intervint Devroe d'un ton aimable. J'ai convaincu Ross de ne pas t'agresser aujourd'hui, ni physiquement ni verbalement. Nous voulions juste vous poser une question.

— Nous n'avons rien à vous dire, rétorqua Taiyō, qui semblait éviter mon regard.

Nous étions adversaires, à présent, et il se disait sans doute qu'être courtois avec ses concurrents n'était pas digne d'un voleur accompli.

— Pardon, ajouta-t-il en voulant contourner Devroe.

Mais Noelia le retint par l'épaule.

— Attends. Je veux entendre ce qu'ils ont à nous dire. Mais faites vite, on n'a pas que ça à faire.

La simple évocation d'un retard éventuel paraissait mettre Taiyō au supplice.

Devroe leva un doigt.

— Juste une chose : avez-vous prévu de nous attaquer dans le train ?

Noelia esquissa un sourire.

— Ne lui réponds pas, ordonna Taiyō.

— Et pourquoi pas ? Ça ne nous coûte rien. Non, Devroe. On a mieux à faire que vous provoquer pendant trois heures.

— Alors, vous seriez prêts à signer une trêve ? proposa Devroe en soutenant son regard.

— Bien entendu. Mais seulement si c'est Quest qui me le demande.

On aurait dit qu'elle voulait me faire craquer, et qu'elle savait parfaitement comment s'y prendre.

— Accepte ou refuse, ça m'est égal.

Je touchai les chaînettes de mon bracelet en faisant en sorte qu'elle le remarque.

Plus de sourire sur ses lèvres.

— Très bien. On va vous laisser tranquilles, puisque vous l'avez tous les deux demandé si gentiment.

Noelia se glissa dans la cabine, suivie par Taiyō. Nous prîmes leur place dans le couloir.

— Mais dites-vous bien que la trêve prendra fin dès notre arrivée à Paris, précisa-t-elle en se tournant vers une caméra fixée dans un coin de la cabine. Sinon notre public va finir par s'ennuyer.

Les portes se refermèrent sur eux.

Je croisai les bras.

— Alors ?

— Ils disaient la vérité.

— Tu en es sûr ?

Devroe rappela l'ascenseur.

— Mets-toi à leur place. Ils ont tout intérêt à se reposer avant que les affaires sérieuses reprennent.

J'aurais dû être plus attentive quand Maman cherchait à m'enseigner ses techniques d'analyse psychologique.

— Et si tu te trompes, et qu'ils tentent de nous jeter d'un train en marche ?

— Dans ce cas, c'est nous qui les ferons sauter d'abord.

Chapitre 18

Tous les voleurs aiment les trains : les gares sont beaucoup moins surveillées que les aéroports. La dernière fois que j'en avais pris un, c'était avec Maman. Je me souviens qu'elle comptait un petit tas de diamants bruts dans notre compartiment privé, tandis que je cherchais une excuse pour partir à la poursuite du charmant bagagiste qui s'était occupé de nos sacs. Quand j'étais enfin parvenue à lui fausser compagnie, le train avait déjà fait deux arrêts, et le beau gosse avait disparu.

Mais, pour l'heure, je regardais la campagne française défiler avec l'impression de traverser une paisible peinture à l'huile. Quelle injustice : j'avais l'opportunité d'admirer ce paysage bucolique alors que Maman était piégée dans un cauchemar. Elle avait été enlevée dans la nuit de jeudi, et nous étions déjà dimanche. Les trois jours les plus longs de toute mon existence.

J'eus soudain envie d'exiger une preuve de vie, mais mettre la patience de son geôlier à l'épreuve deux fois en moins de vingt-quatre heures n'était pas l'idée du siècle. Alors je choisis de me concentrer sur mes nouveaux partenaires.

Nous étions tous les quatre installés dans un carré proche de la tête du train.

La Team Noelia s'était dispersée dans la même voiture que nous. Au moment de monter à bord, ils avaient tenu un conciliabule à voix basse ; à présent chacun semblait vaquer à ses occupations.

Contrairement à nous. Kyung-Soon jeta ses cartes sur la table en faisant la grimace. C'était notre troisième partie de Texas Hold'em, et une troisième victoire de Mylo. Devroe, Kyung-Soon et moi avions déjà dû lui virer un millier de dollars chacun. Des « mises de bébés », selon lui.

— Il triche, grinça Devroe.

Nous n'aurions sans doute pas dû l'autoriser à mélanger les cartes, mais sa technique était si spectaculaire que nous étions presque prêts à nous laisser escroquer juste pour le voir faire.

— Évidemment, que je triche, répliqua Mylo avant de faire de nouveau cascader les cartes. (J'avais l'impression de regarder une vidéo ASMR particulièrement relaxante.) Attendez, vous voulez dire que vous ne trichez pas ? Tout s'explique !

Kyung-Soon donna un coup de pied à Devroe, qui était assis en face d'elle.

— Aïe !

— Tu ne pouvais pas le dire plus tôt ?

— Je n'arrive pas à comprendre comment il s'y prend. Je n'allais pas l'accuser sans preuve.

— Passe-moi ces cartes, ordonnai-je en tendant une main.

Mylo les plaqua d'abord contre sa poitrine comme s'il s'agissait de son bien le plus précieux, mais un regard glacial de Kyung-Soon le contraignit à s'exécuter.

— Ma mère triche tout le temps, expliquai-je. Aux petits chevaux, au jeu de l'oie, au Puissance 4...

— Au Puissance 4 ? pouffa Mylo. Comment c'est possible ?

— Je te jure que c'est vrai. Elle est allée jusqu'à acheter de faux pions numériques qu'elle pouvait changer de couleur à volonté. Elle s'arrangeait pour me faire regarder ailleurs, et quand je me retournais, paf : elle avait une rangée complète. Des centaines de dollars dépensés juste pour battre une petite fille de huit ans. (Tout en parlant, j'avais plié les cartes plus fort que je ne l'aurais voulu.) Alors maintenant, je refuse de jouer avec elle. Sauf au menteur.

— Ah ! oui, c'est le seul jeu où il faut tricher, commenta Devroe avec un sourire amusé.

— Oui, avec des variantes maison. Tiens, on va en faire une partie, à quitte ou double. Si l'un d'entre nous bat Mylo, il devra nous rendre notre argent. Mylo, si c'est toi qui gagnes, on te devra le double de ce que tu nous as déjà pris. Vous êtes partants ?

Devroe haussa les épaules. Kyung-Soon hocha la tête. Les yeux de Mylo brillaient d'excitation.

J'entrepris de distribuer les cartes après avoir expliqué les règles et m'être assurée que le paquet était complet. À cet instant, Taiyō quitta le compartiment en nous jetant un regard au passage. Je poussai un soupir de soulagement quand il revint alors que je finissais tout juste de répartir les cartes.

— Dame de cœur, à toi l'honneur.

— Je me demande ce qu'il trafique, chuchota Mylo avant de poser la première carte au milieu de la table. Un as.

Devroe ne cherchait même pas à cacher qu'il observait Mylo avec attention. Je crois qu'il était bien plus agacé par la tricherie de notre adversaire que Kyung-Soon et moi.

— Sans doute qu'il voulait juste savoir ce qu'on fait, répondit-il. Ce n'est pas parce qu'on a conclu une trêve qu'on n'a plus le droit de s'espionner.

J'aurais dû me réjouir que nos concurrents jouent le jeu. Nous étions partis depuis une heure, et personne n'avait encore essayé de nous jeter par la fenêtre.

— Un deux, annonça Kyung-Soon.

Le principe du menteur façon Quest est très simple : il faut se débarrasser de toutes ses cartes le plus vite possible. Tour à tour, chaque participant doit poser une ou plusieurs cartes d'une valeur immédiatement supérieure à celle du joueur précédent. Ou, du moins, le prétendre. Car les cartes sont jouées face cachée, si bien qu'on est libre de mentir. Mais si l'un des joueurs demande à vérifier alors qu'on vient de poser un roi au lieu du valet annoncé, on ramasse toute la pile. À l'inverse, si on est accusé à tort, c'est l'autre qui récolte le tas.

— On devrait peut-être préparer la suite, non ? suggéra Kyung-Soon.

Devroe étudiait sa main.

— Pas question d'en parler tant qu'ils sont dans la même voiture que nous. (Il choisit une carte et la jeta sur le tas d'un air détaché. Trop détaché.) Un trois.

Je plissai les yeux.

— Menteur.

Il ramassa la pile en grommelant.

— Tu es douée, Ross, apprécia Mylo.

— Je vous l'avais bien dit : je ne joue plus qu'à ça avec ma mère.

— Avec ta mère, d'accord, mais avec tes amis ?

Avec mes amis ?

— Je ne joue jamais avec eux, répondis-je avant de poser une carte à mon tour. Un quatre.

Mylo ne dit même pas : « Menteuse ». Il retourna juste ma carte. Pas de chance pour lui, c'était bien un quatre de carreau. Il pinça les lèvres et jeta deux cartes d'un coup.

— Deux cinq.

Il tapota le dos des cartes pour nous défier de l'accuser, ce qui nous dissuada de le faire.

— Trois six, annonça Kyung-Soon en posant les cartes une à une.

Je pensais qu'elle disait la vérité, mais quand je remarquai que Devroe épiait ma réaction, je décidai de faire un test. J'ouvris juste la bouche sans intention d'aller plus loin.

— Menteuse ! s'écria-t-il en croyant me devancer.

Kyung-Soon se fit un plaisir de retourner ses cartes. Trois six. J'adressai un grand sourire à Devroe.

— Tu ne me feras pas deux fois le même coup, jura-t-il.

Mylo se pencha vers moi.

— Tu devrais passer me voir à Vegas. J'ai besoin d'un nouvel équipier pour une arnaque au casino.

— Qu'est-il arrivé à ton ancien partenaire ? demanda Kyung-Soon.

— Conseil de pro : quand je dis « On se casse, y a les flics », ce n'est jamais une blague, même si on est le 1er avril.

— Je croyais que ton complice avait quitté la ville ? m'étonnai-je.

— Je parle d'un autre type.

Devroe annonça un sept. Comme je n'avais pas de huit, je posai un valet en le défiant du regard.

Mylo vit clair dans mon jeu : il poussa la pile vers moi sans même prendre la peine de vérifier.

Je haussai les épaules et ramassai les cartes.

— Si tu me proposes de devenir ta nouvelle associée, c'est que tu penses qu'aucun de nous deux ne va gagner le Trophée.

Mylo annonça deux neuf.

— Le vainqueur ne va pas disparaître. Enfin, j'espère que non.

Kyung-Soon se frappa le front.

— Elle parle du contrat d'un an, abruti, se moqua-t-elle tout en abattant plusieurs cartes d'un coup. Trois dix.

Devroe hésita, mais il ne réagit pas.

— Sérieux ? ricana Mylo. Quand j'aurai gagné, je ne compte pas bosser jour et nuit pour l'Organisation. Même les criminels ont droit à des vacances.

— Ne te fais pas trop de films, répliqua Devroe.

Ce dernier annonça trois valets. Après une fraction de seconde de flottement qui ne m'avait pas échappé.

Je souris.

— À propos des vacances ou à propos de la victoire ? demandai-je. Menteur.

— Les deux. Ouille ! ajouta Devroe en ramassant la pile.

— Parce que toi, tu t'imagines pouvoir remporter le Trophée alors que tu n'es pas foutu de gagner une partie de cartes ? se moqua Mylo, impitoyable.

Devroe s'étrangla en découvrant le contenu du tas qu'il venait de récolter.

— Kyung-Soon, ça t'arrive, de dire la vérité ?

Celle-ci était perdue dans ses pensées (ou elle simulait pour esquiver la question).

— J'aimerais bien acheter des cartes numériques, pour faire comme la mère de Ross avec ses faux jetons, murmura-t-elle.

— Bref, bref, reprit Mylo. Qu'est-ce qui vous fait croire que je compte obéir à l'Organisation si je gagne ?

— Une dame. Euh, je ne pense pas que tu aurais tellement le choix, lui répondis-je tout en posant bel et bien une dame.

179

Mylo jeta une carte par-dessus la mienne, sans faire d'annonce.

— Ah oui, tu crois ça ?

— J'en suis certain, Mylo, insista Devroe. Si les Organisateurs veulent que le vainqueur travaille pour eux, il devra s'exécuter.

— Ils ont l'air super chiants, grommela Mylo. Mais je n'ai jamais dit que j'allais les trahir. Imaginez : je gagne, et mon vœu c'est d'annuler le contrat d'un an. Qu'est-ce qu'ils pourraient faire, hein ?

— Ils te demanderaient ce que tu as fumé, rétorquai-je. Quelle espèce de cinglé s'infligerait tout ça pour rien ?

Je fronçai le nez. N'était-ce pas très précisément ce que j'étais en train de faire ? Non, dans mon cas, c'était différent.

— Peut-être que Mylo est juste intéressé par le challenge, se moqua Kyung-Soon. En tout cas, moi, je n'ai pas l'intention de gaspiller mon souhait.

Je voyais très bien où cette discussion allait nous mener.

— Des trois, prétendis-je en lançant mes cartes au hasard, dans le seul espoir de les forcer à se concentrer de nouveau sur le jeu.

Mais personne ne me suivit, pas même Devroe.

— Ah oui ? Alors dis-nous tout, Kyung-Soon, susurra Mylo. Quel est donc ce souhait grandiose pour lequel tu endures toutes ces souffrances ?

Les lèvres pincées, Kyung-Soon mélangea ses cartes.

— Euh, je… Je crois… Je voudrais… Ou… Tu vois, quoi.

Puis elle ouvrit et ferma la bouche plusieurs fois à toute vitesse.

Mylo et moi échangeâmes un regard interloqué.

— Tu peux répéter ? lui lançai-je.

— Elle n'en sait rien ! explosa Mylo. Et après, elle m'accuse de participer juste pour le fun…

— Je ne joue pas pour le fun. Je tiens à mon souhait, fulmina Kyung-Soon. Mais il me faut… plus de temps pour faire un choix si important. (Elle caressa le bord de ses cartes avant de hausser les épaules.) Je ne sais pas comment vous expliquer. Je n'ai pas envie de faire un vœu et d'avoir une meilleure idée deux jours après. Si on me posait la question aujourd'hui, je crois que je choisirais… de pouvoir décider plus tard.

— Être indécise à ce point-là, c'est carrément suicidaire ! s'indigna Mylo en agitant un doigt devant le nez de Kyung-Soon. Les gens trop hésitants n'accomplissent jamais rien, tu sais. Ce n'est pas en passant des mois à y réfléchir que tu vas trouver le vœu idéal.

Kyung-Soon se recroquevilla sur elle-même, ce qui cassa l'ambiance. Vu la tête que faisait Mylo, je devinai qu'il s'en voulait déjà.

— Est-ce qu'on aurait le droit de faire ça ? j'intervins. Garder son souhait pour plus tard ?

— J'imagine, marmonna Kyung-Soon. Ils n'ont pas dit le contraire, en tout cas.

— Depuis quand vous connaissez l'Organisation ? demandai-je. Je croyais tout savoir sur le milieu, pourtant, jusqu'à la semaine dernière, je n'en avais jamais entendu parler. Pareil pour le Trophée, d'ailleurs.

— Sérieux ? s'étonna Kyung-Soon. J'aurais imaginé qu'on racontait ça aux petits Quest tous les soirs pour les endormir.

Il faut croire que non.

Je haussai les épaules avec l'espoir de ne pas être la seule ignorante.

— Ta famille devait avoir de bonnes raisons de garder le secret, déclara Devroe.

Ça, je m'en doutais déjà. La question, c'était : « Lesquelles ? »

— Moi, ça fait au moins trois ans que je suis au courant, frima Kyung-Soon. C'est mon mentor qui m'en a parlé. Au début, je pensais que c'était juste un truc qu'elle me sortait quand ça l'arrangeait. Elle me disait : « Ces types ne plaisantent pas, Kyung. Je crois qu'ils ont un lien avec le Trophée. » Ou alors : « Si tu assures sur ce coup, peut-être que les Organisateurs s'intéresseront à toi. » Quand j'ai fini par en avoir marre, d'obéir à ses ordres, je l'ai plaquée et j'ai vite oublié tout ça. Jusqu'à ce que je reçoive cette invitation il y a deux semaines. Personne ne peut obtenir mon numéro sans mon accord. C'est comme ça que j'ai su que ce n'était pas une blague. Ils doivent être vraiment capables de réaliser n'importe quel souhait. Ça veut dire que l'Organisation implique des gens très puissants.

— J'ai comme l'impression que tu avales tout ce que te raconte ton mentor.

Je dus me retenir de frissonner : au fond, j'avais moi aussi cru Tatie sur parole. Mais c'était ma tante. Elle n'avait aucune raison de me mentir. Elle était une Quest comme moi.

— Moi, je ne me suis pas fié à de vagues rumeurs, lança Mylo. Figurez-vous que j'ai rencontré l'un des Organisateurs en personne.

Nous lâchâmes tous nos cartes.

— Ne nous prends pas pour des débiles, Mylo, je l'avertis.

— Mais c'est vrai ! Il y a un peu moins d'un an, on a fait appel à moi pour un job facile. Cambrioler deux suites dans un hôtel de luxe sur le Strip, à Las Vegas. Je ne savais pas du tout qui m'avait recruté. Tout s'était fait à distance. Bref, j'ai forcé les coffres et j'ai raflé ce qu'il y avait à l'intérieur. Des tonnes de trucs. Des montres en or, des ordis portables et compagnie. Ils m'avaient bien précisé de tout emporter, alors je ne me suis pas privé. Dans le lot, il y avait quelques dossiers papier et plusieurs clés USB.

— Mylo, le coupa Kyung-Soon. Tu peux abréger ?

— OK, concéda-t-il en glissant une mèche de cheveux derrière son oreille. Donc j'ai filé au point de rendez-vous. Ça se passait dans un parking souterrain sous un genre d'immeuble de bureaux. Un plan à la James Bond. Une seule voiture à l'horizon. J'ai livré le matos à mon contact et j'ai dégagé de là vite fait. Mais il m'a rappelé. Sa boss voulait me voir. Comme la curiosité est mon plus vilain défaut, j'ai dit d'accord. La femme devait avoir la cinquantaine. Je ne la connaissais pas. Le genre à ne jamais se déplacer sans chauffeur. Elle m'a invité à m'asseoir, et c'est là qu'elle a évoqué le Trophée.

— Elle t'en a parlé elle-même ? s'étonna Kyung-Soon.

— Et tu l'as crue ? je renchéris.

— Ben, au départ, c'était un peu cinquante-cinquante. Est-ce qu'elle se foutait de moi ? Avant de me laisser partir, elle a pris les dossiers et les clés USB et elle m'a fait cadeau de tout le reste, comme si c'était bon pour la poubelle. Elle m'a dit qu'elle ne saurait pas quoi faire de cette camelote et elle m'a payé trois fois le prix convenu, ajouta Mylo, les yeux écarquillés. Elle m'a expliqué *qu'ils* allaient me contacter, et là, la voiture a démarré. Je n'avais pas l'intention de lui courir après pour lui rendre tout ça.

Le triple ? Je n'en revenais pas. Il ne faut jamais accepter de bonus. Il y a toujours une contrepartie. Dans le cas de Mylo, je supposai qu'il s'agissait de participer au Trophée.

— Et alors ? protesta Devroe. (Il était le seul à avoir ramassé ses cartes, bien que nous ayons très clairement abandonné notre partie.) Rien ne prouve que cette femme était l'une des Organisatrices.

— Elle lui a dit qu'ils allaient le contacter et c'est ce qui est arrivé, répliqua Kyung-Soon. Ça se passe de commentaires, non ?

— Attends, ce n'est pas la fin de l'histoire, continua Mylo. Je ne vous ai pas encore parlé des gens que j'ai cambriolés.

— Mais si, contesta Devroe. Tu viens de nous expliquer que tu ne savais rien sur eux. Tu changes de version, alors ?

— J'ai dit que je ne les connaissais pas au moment du job. C'est après, que j'ai découvert qui ils étaient. Le gros curieux que je suis n'a pas pu s'empêcher de mener l'enquête. Ces types travaillaient en sous-main pour une officine du gouvernement chinois.

— En sous-main ? répéta Kyung-Soon d'un air perplexe.

— Des espèces d'employés clandestins, je traduisis. Ces gens n'étaient pas officiellement liés à la Chine, mais ils étaient chargés de négocier pour elle.

— Ah ! d'accord…

— Mais ce n'est pas l'important, hein ? reprit Mylo. C'était quoi, ces documents ? Et qu'est-ce que cette femme en a fait ?

J'avais la gorge nouée. Je n'étais pas fan des théories conspirationnistes. Dans toute ma vie, j'avais passé tout au plus une heure à me renseigner sur les Illuminati ou sur n'importe quelle autre assemblée clandestine censée manipuler en secret nos existences.

Mais à cet instant précis, je dois reconnaître que mon cerveau était assailli par des idées de ce genre.

Qui sont les Organisateurs ? Suis-je prête à me mettre à leur service pendant un an ?

— Soit je commence à comprendre pourquoi ma famille ne m'a pas parlé du Trophée, soit j'ai vraiment du mal à saisir, murmurai-je sans plus me préoccuper de ma gêne d'avoir été la seule ignorante de la bande.

Je sentis Devroe s'agiter à côté de moi.

Mylo soupira.

— J'imagine que toutes les familles ont leurs secrets. C'est même le principe, en fait.

Il sortit alors son smartphone. J'avais déjà remarqué que c'était une sorte de tic, mais il ne l'avait plus fait depuis que nous nous étions mis à jouer aux cartes. Est-ce que cela signifiait... qu'il ne nous trouvait plus assez divertissants ?

La famille. Peut-être que c'était ce mot qui l'avait poussé à consulter son téléphone.

Mon regard tomba sur Devroe par hasard. Il était le seul à ne pas avoir encore évoqué son lien avec l'Organisation. C'était pourtant le moment ou jamais...

Il jeta ses cartes sur la table, d'un geste si brusque que j'en sursautai.

— On ne joue plus, si je comprends bien ? Dans ce cas, je vais faire un tour.

Il se leva et quitta la voiture. Je ne l'avais jamais vu marcher si vite.

Je le regardai faire en grimaçant. Il avait dû sentir que je m'apprêtais à l'interroger. Grâce à son prétendu don pour lire dans les pensées.

Pourquoi tenait-il tant à esquiver le sujet ?

Pourquoi avais-je autant envie de lui courir après ?

— Laisse-le tranquille, me conseilla Kyung-Soon. Il va s'aérer un peu la tête et il reviendra. Sûrement.

Elle posa son jeu à son tour ; c'était fini.

Mylo rassembla les cartes, en commençant par le gros tas de Devroe.

— Bon, on a le choix entre deux options : soit il est parti pour éviter nos questions, soit c'est juste un mauvais perdant.

Chapitre 19

Chère Rosalyn,

Je me présente : M. Mutter, l'entraîneur du stage de gymnastique de haut niveau organisé par l'université de Louisiane. Nous n'avons pas eu le plaisir de vous rencontrer aujourd'hui. Avez-vous toujours l'intention de participer ? Dans le cas contraire, je me dois de vous rappeler que les frais d'inscription ne sont pas remboursables. Sachez par ailleurs que la seconde session est d'ores et déjà complète.

J'avais changé de place pour lire et relire le message un nombre incalculable de fois. Je finis par le supprimer. La culpabilité s'était remise à me grignoter de l'intérieur. J'avais prévu d'abandonner Maman pour... pour quoi, au juste ? Pour essayer de devenir copine avec d'autres ados capables de faire le grand écart ?

Je croisai les bras en tentant d'invoquer l'odeur de beurre de cacao dégagée par la peau de Maman. Ce simple souvenir suffisait à me réconforter un peu.

N'étais-je pas heureuse, à ses côtés ? J'aurais très bien pu passer le reste de ma vie avec elle et Tatie. Si je l'avais écoutée, rien de tout ça ne serait arrivé. Rien à foutre, des amis. Rien à foutre, des expériences nouvelles. Tout irait bien si Maman était avec moi.

Quand j'aurais remporté la victoire, j'allais tout faire pour me faire pardonner.

Pour le moment, je devais me concentrer sur l'épreuve. D'un doigt, je dessinai un train invisible sur le couvercle de l'ordinateur pour passer en revue l'emplacement de toutes les sorties. J'avais trouvé les spécificités techniques de ce modèle précis sur Internet. Les analyser et chercher les issues possibles allait me détendre. Du moins, cela *aurait dû* me détendre. Depuis que mon plan d'évacuation de ma propre vie avait échoué, je n'étais plus aussi sûre de mon talent en la matière.

À l'autre bout du wagon, Taiyō annotait un nouveau livre. Intriguée, je zoomai avec l'appareil photo de mon téléphone pour pouvoir lire le titre : *Confessions d'un maître du vol de bijoux*, par Bill Mason. J'avais visionné quelques reportages sur ce personnage, mais d'après le nombre de Post-it collés par Taiyō, il devait en savoir bien plus que moi.

Il était absorbé par sa lecture, jusqu'à ce qu'Adra jette une cacahuète sur ses lunettes. Elle me tournait le dos, si bien que je ne pus voir que ses épaules tressauter sous sa veste ultra-snob lorsqu'elle lui lança un second projectile. Taiyō poussa un profond soupir. Il se servit d'un chiffon en microfibres pour essuyer

189

ses verres avant de rechausser ses lunettes. Adra repassa à l'attaque, mais cette fois Taiyō attrapa la cacahuète au vol et la laissa tomber dans une tasse posée devant lui. Quelque chose me disait qu'il notait mentalement le nombre de projectiles pour pouvoir les lui faire payer au centuple plus tard, et je devinais aussi que le seul but d'Adra était de voir comment il allait réagir. Je regrettais vraiment qu'il ait atterri dans la Team Pourrie.

De retour, Devroe s'assit en face de moi.

— Ton petit congé sabbatique est déjà terminé ? lui demandai-je.

Je m'en voulus sur-le-champ. J'aurais dû le chasser illico. Il avait sans doute l'intention de flirter. Je n'avais pas été très habile.

— En effet. Mais ne t'en fais pas, je t'ai rapporté un souvenir.

— Oh ?

— Moi-même. De rien.

Il accompagna sa blague minable d'un sourire atrocement mielleux, mais… Bon sang, je ne pus me retenir de rire. J'évitai son regard, comme si cela pouvait l'empêcher de m'entendre glousser. Quand je levai les yeux, je constatai que son visage s'était éclairé.

Je croisai les bras sur la table qui nous séparait.

— Alors, quel est le pourcentage de réussite de cette tactique de drague ? Vingt pour cent ? Trente ?

— Oh ! quand je suis en forme, on approche les soixante pour cent, prétendit-il d'une voix de velours en se penchant vers moi. Et sache que l'important, ce n'est pas le sourire. Tout est dans le regard. Rien n'est plus sensuel qu'un regard entendu. C'est le meilleur moyen de faire rougir sa cible.

Prise au piège d'un traquenard dans lequel j'avais foncé tête baissée, je le laissai scruter mes yeux avant d'étudier le reste de mon visage.

J'avais beau savoir ce qu'il était en train de faire (il venait de me décrire en détail sa méthode), je réagis exactement comme annoncé.

Je baissai la tête avec l'espoir de ne pas rougir trop fort.

— Qu'est-ce que tu fous ? Je croyais t'avoir dit que je voyais clair dans ton jeu.

— C'est que tu me plais.

Je ricanai.

— Quoi ? Je n'aurais pas le droit d'utiliser mes dons pour séduire quelqu'un qui me plaît vraiment ? Ce serait un comble.

— Je ne te plais pas, insistai-je. Tu viens à peine de me rencontrer.

— Et je suis tombé amoureux au premier regard.

— Tu as oublié de sourire, cette fois.

Il s'exécuta. Le résultat était moins spectaculaire, mais plus convaincant.

— Voilà, c'est ce que je voulais dire, déclara-t-il. C'est plus drôle comme ça. Peut-être que je suis heureux de constater que tu apprécies à sa juste valeur ma maîtrise de la technique.

Je sentis un léger frisson parcourir tout mon corps. C'était un jeu. Je m'amusais à repousser ses avances, et lui prétendait adorer ça. Si j'acceptais de continuer sur cette lancée, combien de temps nous faudrait-il avant de nous lasser ? Quelques semaines ? Quelques mois ? Quelques années ?

Ce n'était qu'une hypothèse.

Son genou frôla le mien, sans que je puisse dire s'il l'avait fait exprès. Mon ventre se noua, ce qui, contre toute attente, me remit les pieds sur terre. Qu'il apprécie de savoir que je n'étais pas dupe ne changeait rien à l'affaire. Me laisser faire, l'autoriser à se comporter ainsi en faisant comme s'il ne s'agissait que d'un jeu innocent était… dangereux. Au bout de combien de temps allais-je finir par oublier de le repousser ? Au bout de combien de jours allais-je me contenter d'aimer ces échanges, me mettre à lui faire confiance ?

Ross Quest n'est pas là pour flirter avec de charmants voleurs. Ross Quest est venue sauver sa mère.

Je pouvais presque sentir tout mon être se durcir. Mes épaules, mon visage, mon cœur. La machine s'était réinitialisée.

Devroe se décomposa. Il soupira.

— Tu dois avoir une vraie raison de participer au Trophée, si tu es capable de te verrouiller si vite à la simple idée de t'amuser deux secondes.

Je relevai la tête. Il se contentait de m'observer, les mains posées sur ses genoux. Son attitude n'avait plus rien d'espiègle ; il était sérieux.

— C'est…

Je m'interrompis. Lui parler de Maman, en parler à qui que ce soit, n'était pas une bonne idée. D'autant que je venais de me souvenir que je ne devais me fier à personne.

— Chacun, chacune est ici pour des raisons qui lui appartiennent, repris-je. Les miennes sont importantes, et je suis sûre que c'est pareil pour toi.

Sa mâchoire tressauta. Il redressa son épingle à cravate. On pourrait me traiter d'hypocrite, mais le fait est qu'à cet instant précis je mourais d'envie de savoir ce qui l'avait poussé à participer au Trophée. Or il n'était pas question de l'interroger.

— Mon père, lâcha-t-il en se tournant vers la campagne qui défilait de l'autre côté de la vitre. Quand il avait mon âge, il était… du métier. Il a été invité, mais à l'époque il n'était pas en mesure d'accepter. Voilà pourquoi je suis venu. Je veux gagner… pour lui.

Un silence. Le murmure du train. Les cahots. J'avais eu envie de savoir, et lui s'était immédiatement… confié ? Ses yeux brillaient. Il battit des paupières avant de balayer une poussière invisible sur sa cravate. Il agissait ainsi quand il était mal à l'aise, je l'avais remarqué à plusieurs reprises. Il ajustait son apparence.

Il m'avait dit la vérité.

— Tu l'as déjà rencontré ? Ton père ? je me surpris à demander.

Il laissa échapper un rire sans joie.

— Je l'ai manqué de peu. Il est mort un mois avant ma naissance. (Cette fois, il tira sur l'une de ses manchettes en évitant mon regard.) Il m'a légué une lettre. C'est… déjà ça, si on veut. Maman m'a dit qu'elle avait tenté de le convaincre de se filmer, mais il avait trop conscience de son aspect et de l'état de sa voix. De toute façon, d'après ma mère, il était plus à l'aise avec l'écrit. C'était une sorte de gentleman des temps modernes, et rien n'est plus élégant qu'une lettre manuscrite, non ?

— C'est de lui que tu tiens, alors.

Ma remarque le fit sourire.

Son histoire m'avait touchée. Tout le monde ne peut pas comprendre ce que ça fait, de regretter quelqu'un qu'on n'a jamais connu. Alors que le manque n'en est en fait que décuplé.

— Mon père à moi est mort dix mois avant ma naissance.

Devroe semblait perplexe.

— Ce n'était pas vraiment mon père, bredouillai-je. Enfin, si, techniquement. Ma mère avait choisi la voie du don de sperme, de l'éprouvette et de la FIV. C'était juste un type qu'elle avait sélectionné dans un catalogue. En tout cas, c'est comme ça qu'elle voyait les choses. Mais moi...

Je baissai le regard et observai mes mains. J'avais la peau foncée de Maman, ses lèvres et d'autres détails. Mais ma silhouette était radicalement différente : une mâchoire moins large et des cheveux plus épais. Et tout cela, la moitié de mon sang, je l'avais hérité d'un homme qui n'était personne aux yeux de ma mère, et qui, dans son esprit, n'aurait pas dû avoir d'importance pour moi non plus.

— Parfois, quand je m'observe dans le miroir, je me mets à penser à lui. Je tente de l'imaginer. J'ai son dossier médical et un test de personnalité, rien d'autre. Dans un monde idéal, je pourrais partir à sa recherche dès mes dix-huit ans, mais, coup de bol : ma mère a choisi un type qui a réussi à planter sa voiture dans un lampadaire quelques semaines après avoir donné son sperme. Elle l'ignorait, mais… (Je laissai retomber ma main sur la table.) J'avoue que ça craint. Tu peux t'estimer chanceux d'avoir une lettre.

Je luttai contre mon envie de me mordiller le doigt. Un poids m'écrabouillait la poitrine. Je n'avais encore jamais parlé de mon père à qui que ce soit. Il faut dire qu'il n'y avait personne pour m'écouter, à part peut-être Tatie. Qui ne me comprenait pas vraiment. Dans ma famille, tout le monde semblait se dire qu'il n'aurait de toute façon pas fait partie de ma vie. Pourquoi regretter une chose à laquelle je n'aurais jamais eu droit ?

Devroe pensait peut-être la même chose. Nos situations n'étaient pas vraiment similaires.

Il posa ses mains sur les miennes.

— Je suis désolé pour toi. Tu as raison, je devrais m'estimer heureux. Je suis très triste que tu n'aies même pas une lettre.

J'en avais le souffle coupé. Pourquoi avais-je le sentiment d'avoir espéré entendre ça toute ma vie ?

Je serrai ses mains dans les miennes tandis que nous savourions ce merveilleux silence.

Une vibration dans ma poche fit tout voler en éclats. Nous nous regardâmes droit dans les yeux avant de consulter nos téléphones. Des messages simultanés. C'était mauvais signe.

Un passager très spécial se trouve à bord de ce train. Un fonctionnaire parisien nommé Gabriel Raines. Nous aimerions avoir accès à des informations contenues dans son smart-phone. Et si vous vous en chargiez ? L'équipe perdante écopera d'un jour de pénalité.

Votre train arrive à destination dans 28 minutes.
Bonne chance 😊

Un compte à rebours s'afficha dans un coin de mon écran. Les secondes s'égrainaient déjà.

Chapitre 20

Mylo et Kyung-Soon nous rejoignirent dans la minute. Les membres de la Team Noelia étaient déjà debout. La situation se passait de mots : nos regards en disaient bien assez long. La hache de guerre avait été déterrée.

Soudain, tous les autres dégainèrent leurs téléphones pour chercher la composition du train. Où se trouvaient les wagons de première classe ? Et la classe affaires ?

J'avais donc été la seule à m'en préoccuper ?

— Le wagon de première classe est à l'avant, chuchotai-je.

— Génial ! s'exclama Mylo.

Il replia la tablette et se leva d'un bond, imité par Kyung-Soon. Ils sortirent du wagon comme des flèches. La Team Noelia était dans les starting-blocks.

Devroe s'apprêtait à les suivre, mais je lui fis signe de se rasseoir. Il eut l'air de me prendre pour une folle.

— Attends une seconde.

Adra, Lucus et Noelia passèrent devant nous, et cette dernière ne se priva pas de me défier du regard au passage. Je me forçai à rester immobile jusqu'à leur départ.

— Tu comptes laisser Mylo et Kyung-Soon faire tout le travail ? m'interrogea Devroe.

— Ils vont dans la mauvaise direction, lui annonçai-je.

— Mais tu viens de dire que la classe affaires était…

— Je sais.

Je me glissai devant lui avant de m'engager dans l'allée, vers le wagon opposé à celui dans lequel s'étaient engouffrés les autres. J'entendais ses pas derrière moi.

— Depuis 1990, la voiture de queue de tous ces trains peut être facilement décrochée par l'équipage en cas de tentative de détournement. Si j'étais un politicien important inquiet d'être pris en otage…

— … tu choisirais de te mêler au commun des mortels à l'arrière, conclut Devroe, qui était passé devant moi pour ouvrir la porte de la voiture suivante. (Décidément, il ne pouvait pas s'empêcher de jouer les gentlemen.) Comment le savais-tu ? J'imagine que ce n'était pas indiqué dans le livret de bord.

— J'ai déniché les détails techniques sur Internet.

Devroe hocha la tête ; j'aurais juré qu'il était fier de moi.

— Toi, on dirait que tu adores parer à toute éventualité.

Je tentai de détourner son attention du rouge qui m'était monté aux joues.

— J'aime bien savoir où je mets les pieds, c'est tout.

J'entrai la première dans la voiture suivante. Tous mes sens étaient déjà en alerte. Devroe décida de m'infliger un cours magistral sur l'art de repérer les personnalités politiques.

— Il faut chercher des…

— Un badge ou une broche aux couleurs de la France, des assistants stressés et tout un bataillon de gardes du corps bodybuildés tentant désespérément de se faire passer pour des badauds. Merci, je suis au courant. Ils seront sûrement installés près de la sortie.

L'avant-dernière voiture était presque vide. Il n'y avait là qu'une famille dont tous les membres, depuis les parents jusqu'au bébé, étaient absorbés par leurs écrans, ainsi qu'un couple de baroudeurs endormis. Nous nous arrêtâmes un instant devant la porte de l'ultime voiture. Je risquai un œil à travers la vitre, mais le cahot du train ne me permettait pas de bien voir. Je pus tout de même constater qu'il y avait bien plus de monde à l'intérieur.

C'est alors que j'aperçus quelques mèches de cheveux incroyablement bien peignés.

— Taiyō est là, grondai-je à voix basse. Il s'est téléporté, ou quoi ?

Devroe fronça les sourcils.

— Il a dû décider de venir par ici au cas où.

Au cas où. Alors que j'aurais dû avoir de l'avance sur tout le monde, voilà que je me retrouvais devancée grâce à un vulgaire coup de chance.

— Attends-moi là. Si Taiyō sort avant moi, fais-lui un croche-pied et pique-lui le téléphone.

Devroe sembla hésiter. Mon plan ne lui plaisait-il donc pas ?

Il finit par acquiescer d'un signe de tête.

— Bonne chance.

Alors j'ouvris la porte de la dernière voiture.

J'avais eu raison. Une vingtaine de personnes étaient assises là. Hormis quelques passagers en jean et baskets, la plupart arboraient tous les attributs du staff d'un politicien. Des hommes et des femmes portant des chemises immaculées sous des vestes bien repassées, occupés à pianoter sur leur ordinateur ou à éplucher des dossiers recouverts de Post-it. Notre cible était tout au fond. Contrairement à ce que j'espérais, il n'y avait pas de drapeau français épinglé au revers de son costume, mais sa cravate de soie à rayures et sa coiffure d'invité du journal télévisé ne laissaient pas de place au doute. Il s'était assoupi.

De l'autre côté de sa rangée était assise une femme au chignon strict et à l'air pensif. La cheffe de sa garde rapprochée.

Elle m'étudia dès mon entrée. Je lui adressai un sourire gêné (c'est ce que font les gens normaux lorsqu'on les fixe du regard), et je m'installai à côté de Taiyō.

— Dégage.

— Comment tu comptes t'y prendre ? Impossible de lui piquer son téléphone sans alerter GI Jane.

Il hésita à me répondre.

— Je ne devrais même pas te parler.

— Comment ça ? Tu t'imagines que le roi des voleurs repartirait les mains vides ?

Taiyō fit la moue en tapotant sur le capot de son ordinateur. Il devait regretter de m'avoir confié ses ambitions démesurées.

— Il faut voir ça comme un test grandeur nature, insistai-je, puisque je sentais que j'avais une ouverture. Tous nos adversaires sont partis à l'autre bout du train. Il n'y a que toi et moi. C'est l'occasion de peaufiner une nouvelle leçon pour ton école : *Comment collaborer avec l'ennemi pour atteindre son but*. Plutôt intéressant, non ?

Il remonta ses lunettes de l'index. Est-ce qu'il faisait ça quand il réfléchissait, ou quand il était énervé ?

Je soupirai.

— Je suis même prête à te laisser le téléphone.

— Et pourquoi ça ?

— Il nous reste… seize minutes, expliquai-je après avoir consulté le compte à rebours. Je me débrouillerai pour te le reprendre à temps. Qu'est-ce que tu en dis ? Tu veux bien donner un coup de main à une jeune fille en détresse ?

Il se redressa, puis il réfléchit une seconde avant de me faire un sourire prétentieux.

— Occupe-toi de la garde du corps. Il va me falloir au moins une minute.

— C'est quoi, ton plan ? je ne pus m'empêcher de demander. Il va se rendre compte que son téléphone a disparu dès que tu l'auras pris…

— Il n'aura pas disparu.

Taiyō ne daigna pas m'en dire plus. Il se leva et s'avança droit vers notre cible.

— Excusez-moi, vous êtes bien M. Raines ? Je suis vraiment confus de vous déranger.

Son français était presque parfait. Et maintenant que j'y pensais, son anglais l'était tout autant. S'était-il là aussi inspiré des meilleurs ?

Gabriel, le politicien, parut un peu contrarié. Maintenant qu'un ado l'avait réveillé, il devait regretter de ne pas avoir opté pour un compartiment privé, quitte à prendre le risque de se faire enlever.

— J'ai eu la chance d'assister à votre dernier meeting, enchaîna Taiyō. C'était exaltant. Comment fait-on pour devenir un si brillant orateur ?

Cette fois, Gabriel avait les yeux grands ouverts. En bon politicien, il devait adorer parler de lui.

Il invita Taiyō à s'asseoir et se mit à lui raconter sa vie. Pendant ce temps, GI Jane étudiait l'intrus sous toutes les coutures. Tout étranger qui s'approchait de son client était une menace potentielle. J'allais devoir détourner son attention pendant soixante secondes.

Je me levai, puis j'entrepris de marcher dans sa direction. Plus je m'avançais, plus sa mâchoire se contractait. Qu'allais-je bien pouvoir lui dire pour la déconcentrer ?

Si j'étais à sa place, qu'est-ce qui pourrait me perturber ?

Je m'accroupis à sa hauteur en affectant un air très embarrassé.

— Quoi ? cracha-t-elle.

Super brutale. J'étais convaincue qu'elle m'aurait volontiers écrasée comme une mouche.

— Je voulais juste vous dire que j'ai vu une tache rouge sur votre pantalon quand vous êtes entrée dans le train…, chuchotai-je. J'ai pensé que vous seriez contente de le savoir…

Elle écarquilla les yeux, laissant tomber son masque de fer.

— Je… Euh…

Elle se tourna vers Taiyō, qui faisait toujours mine de boire les paroles de Gabriel.

— Excusez-moi, grommela-t-elle en se précipitant vers la porte.

Avant de regagner ma place, je vis la main de Taiyō glisser là où le téléphone de Gabriel avait été branché un peu plus tôt. Il était en train de le remplacer par un autre. Un leurre ? Notre victime allait forcément découvrir la supercherie, mais peut-être pas dans l'immédiat. *Bien joué, Taiyō.*

Ce dernier mit un terme à la conversation aussi vite qu'il l'avait engagée, en prenant soin de se prétendre décidé à participer au financement de la prochaine campagne de Gabriel. Lorsqu'il passa devant moi, je lui emboîtai le pas.

— Je ne te savais pas si intéressé par la politique, lui murmurai-je à l'oreille.

— Il est toujours utile de connaître sa cible.

Je pressentais qu'il ne s'agissait pas seulement d'une tactique. Taiyō aimait étudier les gens, tout comme j'aimais dresser le plan d'un lieu.

Je faillis soupirer quand il ouvrit la porte de la voiture.

— Dommage que tu ne te sois pas assis à notre table. Sans rancune.

Taiyō n'eut même pas le temps de s'alarmer : Devroe, qui avait enfilé une veste de velours côtelé verte, lui rentra dedans. Tout aussi « maladroite », je poussai un cri en « perdant l'équilibre », avant d'entraîner Taiyō dans ma chute.

Devroe déguerpit, tandis que Taiyō et moi restions enchevêtrés par terre. Une gentille dame s'empressa de nous venir en aide. Pendant qu'elle me relevait, je fis glisser les lunettes de mon adversaire entre deux sièges. Il grommela quelques mots en japonais que je m'estimais heureuse de ne pas savoir traduire.

Un second passager vêtu d'un costume rayé s'était levé pour voir ce qu'il se passait.

— Désolée, tout va bien. Merci beaucoup, lançai-je en me faufilant entre la dame et lui.

Je regagnai l'avant du train à grandes enjambées. Les regards curieux que m'adressèrent certains voyageurs me poussèrent à ralentir. Je devais avoir l'air plus stressée que je ne le croyais.

Je finis par rejoindre la voiture de mon équipe. Contrairement aux autres wagons où se mêlaient le bruit des conversations, des ronflements et des cliquetis de touches d'ordinateur, il y régnait un silence étrange. Mais il fallait dire que la voiture était presque déserte. Il n'y avait que Devroe, assis dans un carré au centre de l'allée, et un homme que je n'avais encore jamais vu, qui feuilletait un journal.

Quand je refermai la porte, Devroe se tourna vers moi. Il fit un signe de tête en direction du passager tout en levant les yeux au ciel. Pas question d'évoquer nos manigances devant cet inconnu. En fin de compte, nous n'avions pas grand-chose à nous dire. Devroe avait le téléphone. Il nous suffisait de rester assis en silence pendant dix minutes.

Je m'installai au fond de la voiture, à une place qui m'offrait une vue dégagée. Presque aussitôt, Adra et Lucus rentrèrent de leur expédition inutile à l'avant du train. Taiyō leur avait certainement tout raconté par texto.

Adra s'assit face à moi à l'autre bout du wagon. Mais Lucus s'installa vis-à-vis de l'homme au journal, donc tout près de Devroe.

— Puis-je vous emprunter la page des sports ? demanda-t-il en français.

L'inconnu la lui tendit avec un sourire. Lucus se mit à faire semblant de lire en laissant un pied traîner dans l'allée. Tout compte fait, c'était une chance, que l'inconnu ait choisi notre voiture. Sans lui, nous serions sûrement en train de nous étriper.

Taiyō arriva à son tour. Je me sentis un peu coupable quand il s'assit à mon niveau, de l'autre côté de l'allée.

— Mes verres sont rayés, fit-il en tapotant le coin inférieur de ses lunettes. Tu me le paieras.

— Envoie-moi la facture.

La porte du fond s'ouvrit de nouveau. Cette fois, c'était Kyung-Soon et Mylo. Ce dernier choisit un siège près d'Adra, dans la rangée opposée. Kyung-Soon s'assit à côté de lui. Les armées étaient en place. Kyung-Soon et Mylo contre Adra, Devroe contre Lucus, et moi contre Taiyō. Il ne manquait plus que…

Noelia fit son entrée. Elle n'était pas seule ; un homme en uniforme l'accompagnait. Il s'avança d'un pas autoritaire, les pouces glissés dans sa ceinture. Derrière lui, Noelia arborait un air affolé qui ne lui ressemblait pas. Elle aurait pu passer pour une ado fragile. Elle chuchota quelques mots en français à l'homme, tout en agitant les mains. Le nouveau venu avait un écusson brodé sur la poitrine. La police ferroviaire ?

L'agent hocha la tête et reprit sa marche. Lorsqu'il parcourut la voiture du regard, nos yeux se croisèrent un instant. Puis, brusquement, il se tourna vers Devroe.

Et merde.

Chapitre 21

Parfois, on pressent qu'une catastrophe est sur le point de se produire, et on ne peut rien faire pour l'empêcher. Il ne reste alors qu'à contempler le désastre.

Je vivais l'un de ces moments, avec l'impression d'étouffer.

L'agent s'approcha de Devroe, serré de près par Noelia.

— Excusez-moi, lança-t-il, avez-vous bousculé cette jeune fille, tout à l'heure ?

Je ne pouvais pas voir le visage de Devroe, mais le ton de sa réponse ne masquait rien de son irritation.

— Je ne crois pas, non.

— En êtes-vous sûr ?

Noelia intervint d'une toute petite voix :

— Mon téléphone était dans ma poche, j'en suis certaine. Il a disparu juste après qu'un homme à la peau noire m'est rentré dedans.

Mon sang était en train de bouillir. Un peu plus, et il allait s'évaporer. Je ne pouvais pas y croire. Elle avait vraiment choisi cette tactique pour récupérer le téléphone ? Même Adra la regardait d'un air dégoûté, comme pour lui montrer qu'elle n'approuvait pas sa méthode.

L'agent soupira.

— Nous devrions peut-être attendre le prochain arrêt. Le…

Noelia se tourna vers lui, avec un air hautain qui signifiait clairement : « Si vous n'agissez pas, je vais en glisser un mot à votre chef. »

Glisser.

Je venais d'avoir une idée.

Aussi vite que possible, j'écrivis un message sur le tchat de mon équipe.

Mylo, derrière toi. Par terre.

Et je lançai des regards appuyés à l'espace sous les sièges. Un espace bien assez grand pour y faire glisser un téléphone.

Je croisais les doigts pour que Devroe comprenne où je voulais en venir.

Il se redressa. J'espérais qu'il avait bien laissé tomber le téléphone sur la moquette avant de l'envoyer d'un coup de pied dans les bottes de Mylo.

Je retins mon souffle.

Mylo se tourna vers moi et me fit un clin d'œil.

J'aurais volontiers brandi le poing si ça n'avait pas été aussi ridicule que risqué.

— Fouillez-moi donc, faites-vous plaisir, proposa Devroe. Mais vous pouvez déjà préparer votre discours d'excuse.

Noelia fronça les sourcils un millième de seconde, puis elle remit son masque d'innocente.

L'homme la regarda, comme pour lui montrer qu'il comptait faire reposer la responsabilité de la suite des événements sur ses seules épaules. Elle hocha la tête.

Au moment où Devroe se levait, une annonce jaillit des haut-parleurs : nous serions à Paris dans dix minutes. L'agent pencha alors la tête ; je compris qu'il écoutait un autre message, dans son oreillette, celui-là.

— Bien reçu. Oui, je suis dans la voiture dix-sept.

Il se figea, les muscles tendus.

— Je viens d'apprendre qu'un passager très important a lui aussi perdu son téléphone, expliqua-t-il. Nous allons devoir fouiller l'ensemble des voyageurs, à commencer par ceux qui se trouvent dans ce wagon. Vous êtes libres de refuser, mais sachez que vous serez alors interrogés par la police une fois à Paris.

La police ? Non merci. Quelle galère. Gabriel avait ordonné la fouille complète du train pour un simple téléphone volé ?

Qu'est-ce qu'il pouvait bien y avoir à l'intérieur ?

Le voyageur inconnu ricana pour montrer son mépris.

— Ridicule…, l'approuva Lucus.

C'était sans doute la camaraderie des lecteurs de journaux.

Devroe écartait déjà les bras, tout disposé à se faire palper les poches.

— Ravi de ne pas être le seul à avoir cet honneur.

L'agent le fouilla avec autant de minutie qu'un douanier d'aéroport. Depuis les manches jusqu'aux chevilles, sans négliger son torse. Noelia ne le lâchait pas des yeux, mais je devinais qu'elle commençait à transpirer. Si l'agent découvrait le téléphone de notre cible, elle n'aurait aucun moyen de le récupérer. Il serait restitué à Gabriel dans la minute.

Après n'avoir trouvé dans les poches de Devroe que son propre téléphone et au moins trois épingles à cravate de secours, l'homme glissa une main entre les sièges, puis il inspecta les vide-poches et même le sol. Satisfait, il se redressa avant d'inviter Devroe à se rasseoir.

— Merci, jeune homme. C'est parfait.

— On me le dit souvent.

L'agent se tourna alors vers Noelia. Mon téléphone vibra. Un message de Devroe : Renvoie-le-moi.

Il venait de se faire fouiller. Si Mylo parvenait à lui restituer l'appareil de Gabriel, il ne pourrait plus rien nous arriver.

Mais c'était compter sans la perspicacité de Noelia.

Elle s'assit en face de Devroe, bloquant ainsi le passage entre Mylo et lui.

— Mademoiselle ? lança l'agent en faisant signe à Noelia de se relever.

Celle-ci prétendit s'indigner.

— Moi ? Vous plaisantez, j'espère. Je vous rappelle que je suis une victime. Vous avez vraiment l'intention de me fouiller alors qu'on m'a volé mon téléphone ? Je vous préviens, je n'hésiterai pas à porter plainte !

— Je regrette, ce sont les ordres…

— Il n'en est pas question. Je suis certaine que messieurs les policiers comprendront.

L'agent nota son nom (elle prétendit s'appeler Lyla) sur un carnet avant de reprendre son inspection.

— À moi, s'il vous plaît, demanda Mylo en levant la main.

Dans le même temps, il donna une bourrade à Kyung-Soon. Cette dernière s'empressa alors de quitter son siège pour aller s'asseoir de l'autre côté de l'allée, entre Lucus et Adra. Je n'avais pas besoin de recevoir de message pour comprendre que le téléphone était désormais dans sa poche à elle.

— Je n'avais encore jamais été fouillé, grogna Mylo dans un français teinté d'accent américain. C'était sur ma to-do list. Quelque part entre « rencontrer le président » et « faire du saut à l'élastique dans le Grand Canyon ».

Il regardait Kyung-Soon sans ciller pendant que l'agent lui palpait les poches. Il voulait qu'elle lui renvoie le téléphone une fois la fouille terminée.

Bien évidemment, Adra se planta au beau milieu de l'allée pour l'en empêcher.

— Pour votre information, cette robe et cette écharpe ont été faites sur mesure. Si vous les abîmez, vous n'aurez plus qu'à les rembourser.

Malgré cette intervention, Mylo encouragea Kyung-Soon d'un petit hochement de tête. Qu'est-ce qu'il lui prenait ? Elle n'avait aucune chance de réussir à faire passer le téléphone entre Adra et l'agent sans être repérée.

Mais Mylo semblait plus excité que jamais. Il mourait d'envie de tenter le coup. Par chance, contrairement à lui, Kyung-Soon n'était pas adepte de la roulette russe.

Au moment où l'agent en terminait avec Adra, ma complice laissa tomber le téléphone et me l'envoya. Je me baissai pour le ramasser, mais Lucus me prit de vitesse. Sans même tourner la tête, il l'intercepta du bout du pied avant de le faire glisser entre ses jambes. À croire qu'il avait joué au phoneball toute sa vie.

Dire que Maman m'avait assuré que faire du sport ne m'aiderait pas à devenir une meilleure voleuse…

Lucus me fit un clin d'œil par-dessus son journal. Je serrai les dents.

Pendant que Kyung-Soon se faisait fouiller à son tour, Lucus dribblait avec le téléphone, pour le simple plaisir de me laisser deviner à qui il comptait l'envoyer.

Avec une précision diabolique, il l'expédia d'un coup de pied pile sous le siège de Taiyō. Après l'avoir ramassé, ce dernier me tourna le dos. Qu'est-ce qu'il fabriquait ? Il écrivait un message ?

Lucus entreprit de parler de la Coupe du monde avec l'agent pendant que celui-ci le palpait, sans doute dans le seul but de me narguer. Mais je restais concentrée sur Taiyō. Il allait renvoyer le téléphone à Lucus d'une seconde à l'autre.

Je le vis se préparer, or il rata complètement son coup.

Un cahot secoua le train, ce qui lui fit lâcher le téléphone. L'appareil tomba dans l'allée et je me jetai dessus. Taiyō m'attrapa par la veste. Trop tard : j'avais récupéré notre cible.

Nous nous rassîmes sous le regard interloqué de l'agent. Lorsqu'il s'approcha de Taiyō, celui-ci leva la main.

— Je préfère attendre la police.

Dans un bruit strident, le train se mit à freiner.

L'agent prit le temps de noter le faux nom de Taiyō, alias Alex. J'allais faire une crise cardiaque. Devroe me fusillait du regard. « Vas-y », semblait-il m'ordonner.

Il n'y avait aucun obstacle entre nous. *Facile.* Aussi facile que ça aurait dû l'être pour Taiyō.

Quelles étaient les probabilités qu'il devienne si maladroit au moment idéal ?

Quelque chose clochait, mais je n'avais pas le temps de m'attarder sur la question.

Je devais transmettre le téléphone à Devroe. Je le regardai glisser jusqu'à lui pendant que je faisais semblant de refaire mes lacets. Personne ne tenta de l'intercepter. De plus en plus louche.

Je me laissai fouiller en apnée, prête à réagir car il allait forcément arriver quelque chose. Quelque chose de crucial.

Il ne se passa rien.

Le train entra en gare ; le compte à rebours s'arrêta.

Devroe m'envoya un message, à moi seule, cette fois : un smiley ravi. Le défi était terminé, nous avions gagné.

Alors pourquoi avais-je l'impression d'avoir perdu ?

Chapitre 22

C e sentiment d'avoir raté un épisode me tra-
vailla depuis notre arrivée à Paris jusqu'à
notre atterrissage au Caire.

Ils avaient trafiqué le téléphone que l'Arbitre nous
avait demandé de conserver, j'en étais persuadée.
Taiyō était très méticuleux, il n'avait pas pu commettre une bourde pareille. Après avoir exploré les
entrailles de l'appareil pendant une bonne partie du
vol, Kyung-Soon déclara qu'il était « probablement »
intact. Cela ne suffit pas à me rassurer.

À notre arrivée, j'achetai un pack de bouteilles
d'eau pendant que Kyung-Soon et Mylo attendaient
notre taxi devant le dépose-minute de l'aéroport. Je
bus la première d'un trait avant d'entamer la suivante.

— Tu aurais pu commander une boisson aux
hôtesses de l'air, se moqua Devroe.

Je me demandais s'il avait fait exprès de choisir une
tenue si adaptée à l'Égypte. Il portait une veste couleur sable et un pantalon moulant kaki que lui seul
pouvait se permettre de porter. Cet ensemble mettait

en valeur ses yeux chocolat, et je devais lutter pour ne pas le contempler sans arrêt.

— Le dernier verre que m'a offert une hôtesse de l'air m'a laissé un mauvais goût dans la bouche.

— Déjà qu'elle ne faisait confiance à personne, voilà qu'elle se méfie de l'eau. Aïe, c'est de pire en pire.

— La ferme.

Je fourrai la bouteille à moitié vide dans mon sac à dos. Le vol n'avait pas été désagréable, mais nous étions beaucoup moins bien installés que dans le jet six places de Paolo. Quand je regardais tous ces gens qui bavardaient, traversaient l'appareil ou attachaient leur ceinture, j'avais l'impression d'être dans un film catastrophe : l'avion était sur le point de s'écraser sur un atoll désert où nous allions devoir survivre.

— Je n'ai pas l'habitude des avions de ligne, lui confiai-je du bout des lèvres.

— Comment fais-tu pour voyager, alors ? Je croyais que tu vivais sur une île…

— On a un jet privé.

C'était la première fois que j'en parlais à qui que ce soit ; j'avais soudain l'impression de faire partie d'une élite hors-sol.

Mais Devroe fit comme si de rien n'était.

— Tu devrais t'estimer heureuse d'avoir pu monter à bord. On pourrait être à Paris, en train de purger notre journée de pénalité à la place de l'autre équipe.

Je tirai sur les bretelles de mon sac à dos.

— Peut-être qu'il aurait mieux valu perdre et subir la pénalité plutôt que de foncer tête baissée dans leur piège.

— Tu ne pourrais pas te détendre un peu ? On enfermera le téléphone à double tour quand on sera à l'hôtel. Il n'y a aucun piège, d'accord ?

— Tu as sûrement raison…

Tout ça ne me disait pas ce que la Team Noelia avait en tête, mais c'était mieux que rien.

Notre taxi arriva. Kyung-Soon, qui était jusqu'à présent assise sur les bagages avec son casque sur les oreilles, fit rouler sa valise rose jusqu'au SUV. Nous nous entassâmes dans la voiture, et le chauffeur prit la direction de l'hôtel.

Le Caire est une ville splendide. Une mer de brun et d'or. Des bâtiments anciens ornés d'arches, de dômes et de tourelles gracieuses côtoyaient d'immenses gratte-ciel de verre dressés autour des eaux étincelantes du Nil. On aurait dit un collage de différentes époques. Malheureusement, nous n'étions pas là pour faire du tourisme.

— J'adore l'Égypte, soupira Kyung-Soon, qui admirait elle aussi le décor. Dommage, on n'aura pas le temps de voir le Sphinx ni les pyramides. Je n'avais pas pu non plus la dernière fois que je suis venue ici avec mon mentor.

— Tu te crois en vacances ? me moquai-je.

Dans le rétroviseur intérieur, je remarquai le regard interloqué de notre chauffeur, qui devait être aussi à l'aise en anglais qu'en arabe. Quel genre de voyage d'affaires pouvaient bien faire ces quatre ados ? Mais sans doute que l'espoir d'un généreux pourboire le dissuadait de nous questionner.

Devroe, qui était assis à l'arrière avec moi, se pencha vers mon oreille.

— On pourra quand même s'offrir du bon temps…

Je me tournai vers la fenêtre pour lui cacher mon sourire. Sa faculté à m'amuser devenait très irritante.

Au détour d'un virage, notre destination apparut. Je posai une main sur la vitre. Le Pyramid Hotel (qui, contrairement à ce qu'espérait Mylo, n'était pas une imitation du Luxor en forme de pyramide de Vegas) brillait de mille feux. Ses façades dorées reflétaient les rayons du soleil. Je plissai les yeux pour tenter de distinguer l'endroit où le toit rencontrait le ciel. Ce n'était pas le plus grand immeuble que j'avais jamais vu, mais il était tout de même immense. Au niveau du sol, un escalier de pierres blondes menait à une haute porte à double battant sculptée.

— Nous sommes arrivés, annonça notre chauffeur.

Il devait se demander qui pouvait offrir un hôtel si luxueux à sa progéniture.

Tandis que nous gravissions les marches du bâtiment (que descendait une femme coiffée d'un chapeau de paille rose pâle si élégant que je me retournai pour l'admirer), un mouvement attira mon regard. Un petit groupe de manifestants en chemise blanche défilaient sur le trottoir en agitant des pancartes. Ils n'étaient que six, mais leur enthousiasme donnait l'impression qu'ils étaient bien plus nombreux.

J'observai l'une de leurs banderoles. Elle proclamait : *LAISSEZ LES TRÉSORS D'ÉGYPTE AUX ÉGYPTIENS !* en lettres arabes rouge vif. Ils avaient même fabriqué une réplique à l'échelle, bluffante de réalisme, du sarcophage que nous étions venus voler. Transporté sur un chariot, il étincelait sous le soleil. Sur la bouche du pharaon était scotché un morceau de polystyrène où était écrit : *HALTE AU PILLAGE !* Visiblement, cette vente aux enchères n'était pas du goût de tout le monde.

Je laissai Devroe et Kyung-Soon se présenter à la réception. Je ne quittais pas des yeux les militants et leur faux sarcophage. Une idée était en train de germer dans mon esprit.

Je me tournai vers Mylo pour lui parler de mon embryon de plan, mais il était parti à l'autre bout du hall. Même s'il cachait bien son jeu, je compris tout de suite qu'il observait une femme vêtue d'un sari de soie violette. Elle exhibait une paire de bracelets de diamants particulièrement tape-à-l'œil.

Elle exhibait aussi, quelques mètres derrière elle, deux gardes du corps impossibles à manquer.

Même le roi des pickpockets n'aurait aucune chance de dérober ces bracelets. Ceux qui s'affichent avec de tels bijoux les admirent toutes les deux minutes, et ces gorilles étaient entraînés à se mettre en alerte dès qu'un intrus s'approchait à moins de trois mètres de leur boss.

Essayer de faucher ces bracelets aurait été l'action la plus folle, la plus grotesque et la plus désespérée qu'on puisse imaginer.

Il tapait du pied, comme je l'avais vu le faire quand il avait presque supplié Kyung-Soon de lui envoyer le téléphone à bord du train, alors qu'elle avait à peine une chance sur cent de réussir…

Il allait tenter le coup.

Je m'élançai vers lui, avec un empressement qui devait me rendre très louche. Mais je m'en fichais. Si Mylo se faisait arrêter, nous étions tous foutus. Est-ce qu'il était devenu dingue ?

J'accélérai encore le pas. Mylo se mit en marche, et il se trouvait tout près de sa cible quand je l'attrapai par le bras.

— Mylo ! m'exclamai-je avec entrain.

La femme qu'il était sur le point de percuter ralentit, les sourcils froncés. Ses gardes du corps s'approchèrent.

Mylo lui adressa un sourire gêné.

— Pardon, j'avais la tête ailleurs, balbutia-t-il.

Elle l'excusa du bout des lèvres avant de poursuivre sa route, escortée par sa protection rapprochée. J'entraînai Mylo jusqu'à la porte d'entrée, le plus loin possible de ces gens. C'est seulement alors que je lui lâchai le bras en le fusillant du regard.

— Ouais, ouais, je sais, concéda-t-il en se massant le cou. Je voulais juste tenter ma chance.

— Juste *tenter ta chance* ? Ce n'est pas un jeu, Mylo.

— Théoriquement, si.

— Tu vois très bien ce que je veux dire !

Jusqu'à présent, je pensais avoir hérité de la meilleure équipe, mais j'ignorais que l'un d'entre nous était un grand malade dont les pulsions suicidaires pouvaient causer notre perte.

— Ne recommence jamais un truc pareil. En tout cas, pas pendant cette épreuve.

Il leva les bras en l'air.

— Je sais, désolé. C'est… Il fallait que je voie si…

Il sortit son téléphone de sa poche arrière. Comme les fois précédentes, il semblait contrarié par ce qu'il découvrait sur l'écran.

— Pourquoi tu fais tout le temps ça ? lui demandai-je.

— De quoi tu parles ?

— Pourquoi tu n'arrêtes pas de consulter ton téléphone ?

Mylo souffla et s'adossa à une colonne. Je pensais qu'il allait ignorer ma question ; en réalité, il réfléchissait à ce qu'il s'apprêtait à me confier.

— Est-ce que ça t'arrive, d'attendre un coup de fil qui ne vient jamais ? Et de te rendre compte que ça te donne juste encore plus envie d'entendre ton téléphone sonner ? De te mettre à le regarder toutes les trois minutes, sans être capable de penser à autre chose de la journée ? (Il serra les dents et se frappa le front.) Quand un truc t'obsède à ce point, le seul moyen de t'en débarrasser, c'est de te mettre dans une situation où tu es obligé de te concentrer sur autre chose. Et c'est quoi, la meilleure des distractions ?

L'adrénaline, le jeu, ou tout simplement ce bon vieux…

— … danger.

Je ne comprenais que trop bien. La pureté du danger imminent. Une sensation aussi envoûtante qu'une drogue. Être focalisé sur cette mission, ce cambriolage, ne pouvoir penser à rien d'autre qu'à cette situation.

Je connaissais ce sentiment, mais je n'avais jamais cherché à l'éprouver pour me forcer à oublier le reste. Si j'en étais arrivée là, ça n'aurait plus été de l'excitation, mais une addiction.

J'allais lui demander pourquoi (ou pour qui) il ressentait un tel besoin de se changer les idées, mais je renonçai à la dernière seconde. Je n'avais pas à fouiller dans sa vie. Il me trouverait envahissante, et il avait l'air déjà bien assez mal à l'aise.

Je me tournai vers la vitre : les manifestants s'étaient mis à chanter, ce qui suscitait la colère des vigiles de l'hôtel alignés devant eux.

— Leur sarcophage ressemble beaucoup au vrai, non ?

Mylo se pencha à son tour pour observer de plus près la réplique.

— Tu n'as pas tort… Auriez-vous une idée en tête, miss Quest ?

— Peut-être bien. Du moins un plan B.

— Est-ce qu'on en parle aux autres ? m'interrogea-t-il en désignant Devroe et Kyung-Soon.

Ils étaient en train de discuter pendant que le réceptionniste entrait leurs noms dans son ordinateur. Kyung-Soon éclata de rire avant de donner une tape sur l'épaule de son partenaire.

On aurait dit de vieux copains. Tout le monde semblait si doué pour se faire des amis…

— Ça reste entre nous pour le moment, répondis-je. J'ai besoin d'y réfléchir un peu plus.

Devroe et Kyung-Soon nous rejoignirent deux minutes plus tard. Ils étaient suivis par un groom qui tirait la valise rose de Kyung-Soon d'une main tout en portant le sac de voyage usé de Devroe et le sac à dos violet de Kyung-Soon.

Celle-ci agita un jeu de clés devant mon nez.

— Quinzième étage. Une suite pas tout à fait royale, mais…

— La caution coûtait aussi cher qu'une suite royale, râla Devroe. (D'après le regard qu'il lui lança, elle n'avait pas daigné contribuer au paiement de ladite caution.) Nos amis ont réservé la chambre sans prendre la peine de régler l'addition.

Je remarquai alors que Kyung-Soon tenait également quatre clés USB.

— Et ça, qu'est-ce que c'est ?

— Ah ! oui, c'est vrai, répondit-elle avant de nous tendre une clé à chacun. Elles nous attendaient à la réception.

Mylo fit tourner le périphérique entre ses doigts.

— Et il n'y avait aucune explication ?

— J'ai bien peur que non, répliqua Devroe, qui avait déjà rangé sa clé dans la poche de sa veste. On finira bien par en savoir plus.

Le groom qui se tenait bien droit derrière Devroe et Kyung-Soon se mit à tanguer.

— Bon, lançai-je, allons-y avant que ce pauvre gars se déboîte l'épaule.

Chapitre 23

Notre suite était luxueuse. Nous y avions trouvé des fauteuils moelleux et un frigo rempli de boissons plus chères qu'un plat de restaurant. Mais elle était petite, c'était indéniable. Un salon et une chambre flanquée d'une salle de bains. Devroe et Mylo eurent la gentillesse de nous laisser la chambre, à Kyung-Soon et à moi (du moins, ils ne protestèrent pas quand nous jetâmes nos sacs sur le lit).

Je me demandais si les Organisateurs nous avaient entassés dans cette petite suite pour rendre la situation un peu plus croustillante.

Je refermai la porte du coffre. Comme l'avait promis Devroe, nous avions rangé le téléphone de Gabriel derrière huit centimètres d'acier. Si quelqu'un essayait de s'en servir pour nous espionner, il ne risquait pas d'entendre quoi que ce soit.

Le soleil de l'après-midi se déversait par la fenêtre. Ces rayons qui me chauffaient les épaules me rappelaient mon île. J'avais toujours préféré travailler dans des pays chauds. Mon portable à la main, j'étais en train de repérer les issues possibles à partir du plan de l'hôtel, que Kyung-Soon avait déniché dans les profondeurs du Net.

Mylo s'affala sur un canapé, tandis que Kyung-Soon fouillait dans le minifrigo.

Devroe se tenait devant l'immense fenêtre. Il regardait la ville d'un air songeur. C'en était presque mignon.

De son côté, Kyung-Soon étudiait l'étiquette d'une bouteille. Elle secoua la tête et la remit dans le frigo.

— Je suis dégoûtée pour ces manifestants, lança-t-elle. Quoi qu'il arrive, ils vont perdre leur sarcophage. Même si on ne parvient pas à le piquer, il va finir chez un gros plein de fric.

— Incroyable ! s'écria Mylo, qui lisait un article sur son téléphone. Vous saviez que ce sarcophage avait été démonté et remonté au moins trois fois ? Les archéologues qui l'ont découvert ont dû le couper en morceaux pour pouvoir le sortir de la tombe. On peut même voir la trace des soudures. Vachement respectueux, le truc…, conclut-il avant de poser son portable en nous regardant d'un air scandalisé.

Moi-même, je n'avais pas la conscience tout à fait tranquille. Certes, nous devrions réussir à empêcher sa vente aux enchères, mais je doutais que les Organisateurs soient animés de bonnes intentions. J'avais passé une part importante de ma vie à livrer des objets à des gens qui n'avaient aucune raison de les obtenir. Mais que pouvais-je y faire ? Si je refusais de m'exécuter, quelqu'un se ferait un plaisir de prendre ma place.

225

Ce n'était pas le moment de penser à tout ça.

— On a un jour d'avance sur la Team Noelia. Il ne faut pas le gaspiller.

— La présentation des objets mis aux enchères débute à 20 heures, enchaîna Devroe. C'est là qu'on doit entrer en action. Le sarcophage du pharaon est sous la protection du service de sécurité de la salle des ventes. On n'a aucune chance de le voler pour l'instant. Il va falloir attendre qu'il ait trouvé un acquéreur.

La tête de Kyung-Soon surgit de derrière la porte du frigo.

— On n'a qu'à se cotiser et l'acheter nous-mêmes, plaisanta-t-elle.

— Super idée, fit mine de s'enthousiasmer Mylo. Si on arrive à se le faire adjuger dès la première offre, ça devrait nous coûter à peine plus de cinq millions chacun.

— Vous croyez vraiment que les Organisateurs apprécieraient ? pouffai-je. Ce n'est pas trop leur style…

Devroe n'avait même pas prêté attention au délire de Mylo et Kyung-Soon.

— On ne peut pas se permettre d'attendre que le sarcophage soit livré chez son acquéreur. Le mieux, ce serait d'agir pendant le transport. Je viens justement d'avoir une conversation téléphonique très instructive avec la directrice de la salle des ventes.

— Il veut dire qu'il a flirté avec elle, précisai-je.

— Elle m'a expliqué que chaque objet vendu passe sous la responsabilité de l'acheteur immédiatement après la fin des enchères, poursuivit-il, imperturbable.

— Hein ? La salle des ventes ne s'occupe pas du convoiement ? m'étonnai-je.

— Exactement.

Je me penchai en avant, le menton posé sur mes mains croisées.

— Alors, ça devrait être plus simple… mais aussi plus complexe.

Devroe hocha la tête.

Mylo nous observait à tour de rôle, l'air perplexe.

— Je n'y comprends rien.

— Si la salle des ventes ne gère pas le transfert, expliquai-je, ça signifie que les acheteurs doivent s'en charger eux-mêmes. Chacun va faire appel à une société différente. Idem pour les agences de sécurité. Et c'est là que notre mission se corse : on ne pourra savoir à qui nous aurons affaire *qu'après* la vente.

— Oh ! merde, lâcha Mylo en s'allongeant d'un coup sur le canapé. Impossible d'infiltrer l'équipe de transport, alors.

Kyung-Soon nous rejoignit avec ce qui m'avait tout l'air d'être une bouteille d'alcool. Elle en but une gorgée au goulot, ce qui la fit grimacer.

— Alors, comment on va faire ?

Personne ne lui répondit. On n'entendait que Mylo taper du pied et Kyung-Soon marteler sa bouteille du bout des ongles. Agir pendant la phase de transfert était notre seule option, à moins de la jouer comme dans *Point Break*, le vieux film préféré de ma mère : mettre des masques et braquer l'équipe de sécurité de la salle des ventes. Je n'étais pas prête à parier mon argent, ou ma vie, sur nos chances de succès.

Je me frottai le front avant de me concentrer de nouveau sur mon téléphone. J'avais tracé des dizaines de lignes colorées sur les plans du rez-de-chaussée de l'hôtel. Des bleues pour les chemins les plus directs, des rouges pour les plus risqués. Rien de sorcier, mais il est toujours bon de savoir comment fuir au plus vite.

Je fronçai les sourcils. Sur l'écran s'affichait un fouillis inextricable de lignes bleues et rouges. Ça ne ressemblait à rien. Mais le moment venu, il n'y aurait qu'un seul chemin à suivre. Le meilleur. Mon pouls s'accéléra.

— Non, c'est une bonne nouvelle, affirmai-je. Tant mieux, s'il y a plusieurs équipes de sécurité possibles. On pourrait croire que ça complique les choses, mais ce n'est pas le cas.

Mylo se gratta la tête.

— Tu es sûre de savoir ce que le mot « compliqué » veut dire ?

Je me levai d'un bond et leur montrai l'écran de mon portable. J'avais l'impression d'être sur le point de faire le discours de ma vie.

— Quand on repère les différents moyens de s'enfuir après un job, on peut vite se sentir submergé par la multitude d'options envisageables. Mais il ne faut jamais oublier qu'à la fin on n'en utilisera qu'une. La meilleure. Tous les chemins ne se valent pas. La question des agences de sécurité nous fait paniquer parce qu'il doit y en avoir une bonne dizaine, mais la vérité c'est qu'une seule d'entre elles finira par surveiller le sarcophage. Certaines doivent être très compétentes. D'autres beaucoup moins.

Devroe me sourit. Contrairement à Mylo et Kyung-Soon, il semblait avoir compris où je voulais en venir.

— On n'a sans doute pas le temps d'étudier chacune des agences en détail, mais on doit pouvoir faire quelques recherches. Au minimum, apprendre lesquelles sont impénétrables et lesquelles ont des failles. Si on parvient à identifier les maillons faibles et qu'on trouve comment les exploiter, alors il n'y aura plus qu'à espérer que...

— ... que le futur propriétaire du sarcophage fera appel à l'agence la moins compétente, conclut Kyung-Soon. (Elle réfléchit à cette suggestion quelques secondes avant de glousser nerveusement.) À t'entendre, c'est un détail sans importance.

— Je suis d'accord avec Kyung-Soon, enchaîna Mylo. Le sarcophage est la pièce maîtresse de la vente. Je ne sais même pas si la moitié des participants aux enchères ont les moyens de se le payer. Quelles sont les chances que le grand gagnant soit justement celui qui a la moins bonne équipe de sécurité ?

— La plupart auront les moyens, le contredit Devroe. Il faut débourser vingt-cinq mille euros rien que pour avoir le droit d'enchérir. Ces gens ont des millions à dépenser. (Il tira sur le bas de sa veste. Je commençais à comprendre qu'il s'agissait d'un de ses tics.) Mais tu n'as pas tort : tous ne tenteront pas d'acheter le sarcophage. Et si les enchères s'emballent vraiment, une petite partie d'entre eux pourraient ne pas être en mesure de suivre.

— D'accord, mais ça ne change rien : il faut toujours espérer que les plus gros enchérisseurs seront les moins bien protégés.

— On va établir deux classements : un pour les participants aux enchères et un autre pour les agences de sécurité, proposai-je en tapant du pied sur la moquette, comme si je traduisais mon idée en morse. On va tous les étudier un par un. Il va falloir trouver qui est assez riche pour se payer le sarcophage et deviner qui a l'intention de le faire. Et ensuite, découvrir lequel d'entre eux a l'habitude de travailler avec la moins bonne agence de sécurité. Notre cible, ce sera elle.

Devroe souriait toujours. Il en était arrivé aux mêmes conclusions que moi, j'en étais certaine. C'était grisant.

— Pas mal, reconnut Kyung-Soon entre deux gorgées d'alcool. Mais comment peut-on être sûrs que notre chouchou va vraiment acheter le sarcophage ?

— Je m'en occupe, affirma Devroe. Entre autres talents, je suis très persuasif.

— Pas tant que ça, protesta Mylo.

— Primo, tu ferais bien de me croire sur parole. Secundo, ne te fais pas de souci. J'ai quelques… gadgets qui devraient pouvoir m'aider.

— OK. Une dernière chose, intervint Kyung-Soon. On a un coup d'avance sur les autres, mais ils seront là le jour des enchères. Et ça pourrait changer la donne. Est-ce qu'on va juste… improviser ?

Je soupirai, le front appuyé contre la fenêtre. Quelques dizaines de mètres plus bas, les manifestants se faisaient refouler par la police. À moins qu'il ne s'agisse des vigiles de l'hôtel ? Comment les responsables du Pyramid étaient-ils parvenus à empêcher les contestataires d'entrer dans le hall en se faisant passer pour de simples clients ?

— Attendez ! m'exclamai-je avant même d'avoir mis mes pensées au clair. Pour faire tout ça, on aura besoin de la liste des invités, pas vrai ? lançai-je en regardant Mylo.

Il hocha la tête.

— Alors… il doit bien y avoir des gens interdits d'enchère, ou bannis de l'hôtel ? Le contraire serait étonnant.

Devroe éclata de rire.

— Tu es diabolique, Ross.

Je luttais pour ne pas sourire.

— C'est dans nos cordes ?

Mylo se frotta le menton.

— Kyung-Soon, tu es notre petite geek d'amour, non ?

— Ne m'appelle plus jamais comme ça. Mais, oui, je dois pouvoir pirater l'intranet de l'hôtel. Vous pouvez déjà considérer que la Team Pourrie est interdite de séjour.

Elle leva son verre pour porter un toast en mon honneur.

À partir de cet instant, tout se mit en place. Notre plan n'était pas encore tout à fait au point, mais ses fondations étaient solides. À condition que tout se passe comme prévu.

— La base de données de la salle des ventes devrait nous permettre d'accéder à la liste des sociétés de transport, affirma Mylo. Mais la présentation des objets débute dans… cinq heures. Devroe, j'imagine que tu comptes y faire un tour pour étudier ta proie, hein ?

— Tout juste, confirma Devroe avec un sourire carnassier.

— Alors on devrait se diviser en deux groupes, proposa Kyung-Soon, qui avait abandonné sa bouteille à moitié vide sur une table de nuit. Deux personnes pour espionner les sociétés de transport, et quelqu'un pour accompagner Devroe à la présentation. Qui veut faire quoi ?

Espionner une équipe de vigiles ou participer à un cocktail chic avec Devroe ? Vu comment Mylo et Kyung-Soon me dévisageaient, je devinais ce qui m'attendait.

— Je vais aller enfiler ma tenue d'enquêtrice, dit Kyung-Soon.

Je lui lançai un regard éberlué. Elle haussa les épaules.

— Je n'aime pas les mondanités.

— Idem, enchaîna Mylo, qui se dirigeait déjà vers la porte de la chambre. Les réceptions en costume-cravate, ce n'est pas trop mon truc.

Je regardai Mylo quitter la pièce en espérant qu'il n'allait rien tenter de trop risqué. J'allais devoir demander à Kyung-Soon de garder un œil sur lui pendant la durée de leur mission.

— Ce sera donc entre toi, moi et la salle des ventes, lâcha Devroe en me souriant. Finalement, le voilà, notre rencard.

Je me levai.

— Qu'est-ce que ça te fait, de toujours arriver à tes fins ?

Son regard se durcit.

— C'est rarement le cas, répondit-il. Alors je savoure le moment. Mais maintenant que j'y pense, un dîner aux chandelles serait un peu fade, pour des gens comme nous. Notre soirée en amoureux manquerait de sel, si on n'y faisait pas quelques bêtises.

Je ne voulais pas sourire, mais je ne pus m'en empêcher. Tout compte fait, j'allais peut-être m'amuser plus que prévu.

Chapitre 24

J e n'étais pas certaine d'avoir déjà porté une robe
de soirée ; en fait, j'étais même sûre du contraire.
Celle qui était suspendue sur la porte de la salle
de bains était rouge vif, épaisse et fluide à la fois.
Elle était chic mais discrète : le corsage ajusté laissait
place à d'élégantes volutes plissées à partir de la taille.
Appropriée aux circonstances et pas trop tape-à-l'œil.
La tenue idéale pour infiltrer cette jungle luxueuse.

Après avoir décroché la robe, je laissai tomber la
serviette dans laquelle j'étais enveloppée pour l'enfiler.
Je maintins le décolleté contre ma poitrine tout en
essayant de remonter les manches à épaules dénudées
qui pendaient sur mes avant-bras. Le bas de la robe
s'étalait sur le sol autour de mes pieds nus. Je n'avais
aucune envie de porter des chaussures à talons, mais la
tenue que Devroe et Kyung-Soon m'avaient achetée
ne me laissait pas le choix.

— Oh ! je t'en prie, mets tes baskets, avait ironisé
Devroe. Je suis convaincu que ça n'éveillera pas les
soupçons.

La robe était parfaitement ajustée. Qui avait deviné mes mensurations, Devroe ou Kyung-Soon ?

Une rangée interminable de boutons courait depuis mes hanches jusqu'à mes omoplates. J'étais assez souple pour les atteindre tous, mais ils persistaient à me glisser entre les doigts. Étais-je plus nerveuse que je voulais bien l'admettre ?

Pourquoi les femmes devaient-elles se débattre avec des vêtements pareils ? On aurait dit qu'enfiler cette robe nécessitait du renfort. Je n'avais pas de temps à perdre. Et bien évidemment, puisque Mylo et Kyung-Soon étaient partis en mission, il ne restait que Devroe. À moins que je ne demande de l'aide à un employé ?

Pourquoi me mettre dans tous ces états ? Ce n'étaient que quelques boutons.

J'entrouvris la porte de la salle de bains pour extraire les chaussures à talons rouges de leur boîte. Lorsque je les enfilai, la robe cessa de traîner par terre. Ce petit détail changea tout. Je n'avais plus la sensation d'être une petite fille en train de se déguiser, mais une femme sur le point de sortir dans le grand monde.

— Devroe ? lançai-je. (Comme il n'avait pas de chambre à lui, il s'était enfermé dans la mienne pour se préparer.) Tu veux bien me donner un coup de main avec ma robe, s'il te plaît ?

Je l'attendis face au miroir de la salle de bains. Quelques secondes plus tard, son reflet apparut. J'essayai de masquer mon émotion. Il avait fini de s'habiller et… waouh ! il était magnifique.

Il portait un superbe smoking en velours noir. Je mourais d'envie de caresser sa veste à l'aspect duveteux. Son nœud papillon était parfaitement en place. Le blanc immaculé de sa chemise contrastait avec sa délicate peau brune. Tout en lui paraissait plus net que d'habitude. Le dessin de sa mâchoire. Ses cils tels de petits coups de pinceau. Les vagues discrètes de ses cheveux. Il ne négligeait jamais son apparence, mais ce soir-là, il semblait à peine réel.

Il irradiait, et je craignais de fondre à son contact.

Lorsque je sortis de mon état de transe, je pris conscience que Devroe s'était figé, lui aussi. Son regard était braqué sur mon reflet. Je m'admirai alors à mon tour. La robe déboutonnée qui laissait une partie de ma peau à nu ; ce bras qui la maintenait contre ma poitrine ; mes tresses, pour lesquelles j'avais dû visionner des dizaines de tutos sur YouTube avant de réussir à les rassembler en un large chignon tourbillonnant parsemé de petites perles dorées. Qu'avait-il en tête ? Était-il en train de réfléchir, ou cherchait-il seulement à me donner cette impression ?

— Tu veux bien fermer ces boutons ? Avant que tout ce bazar ne tombe.

Devroe s'ébroua, puis il m'adressa un sourire diabolique.

— Oh ! ce serait terrible.

Je levai les yeux au ciel… mais je me mordis la lèvre quand ses doigts refermèrent les boutons un à un. Une caresse sur ma peau nue.

— Tu as déjà été invitée à une soirée comme celle-ci ?

— D'ordinaire, c'est ma mère qui s'occupe de ce type de mission. Mais en général, on ne s'embête même pas à manipuler nos victimes. On est plutôt du genre à se servir sans demander.

Je savais qu'il avait attaché le dernier bouton, mais ses mains s'attardaient sur mon dos.

— C'est pourtant l'aspect le plus amusant du métier, répliqua-t-il. Voler sa cible sans se faire voir, c'est très excitant, je te l'accorde. Mais pousser quelqu'un à te confier ses codes bancaires sans même qu'il s'en rende compte, ça n'a pas de prix. Ou parvenir à lui faire dire où il cache sa collection d'œufs de Fabergé alors qu'il ne te connaît que depuis quelques heures.

Ses pupilles brillaient de désir. Le désir du jeu. Était-ce le sens de ce regard que nous avions échangé un peu plus tôt, quand nous avions eu la même idée en même temps ?

Avais-je eu cette expression ?

— Tu aimes jouer avec ta proie. C'est dangereux.

— Tout ce qui vaut la peine d'être vécu est dangereux.

Il avait planté ses yeux dans les miens ; de nouveau, j'en eus le souffle coupé.

Je devais me ressaisir. J'étais sans doute son prochain repas.

— Alors, comment on s'y prend ? lui demandai-je tout en allant chercher mon sac à dos posé dans un coin de la chambre.

— C'est très facile, répondit Devroe, qui était sorti de la salle de bains à son tour. Il suffit d'engager quelques conversations pour cerner tes interlocuteurs et sonder l'étendue de leur fortune. Rien de bien compliqué.

Je fouillai dans mon sac jusqu'à reconnaître la forme familière de mon bracelet météore.

— Je dois prendre un carnet et un stylo ?

— Arrête de me chambrer. Détends-toi. Je te promets que ce sera bien plus simple que tu ne l'imagines.

J'entrepris d'attacher mon bracelet à mon poignet, mais Devroe contourna le lit et me saisit le bras.

Je me redressai d'un coup.

Il secoua la tête, l'air affreusement condescendant.

— Non, pas ce soir.

— Quoi, je n'ai pas le droit d'emporter d'arme à notre rencard ?

— Ce truc est tout sale et décoloré. On croirait que tu l'as trouvé dans un garage à motos. Notre objectif, c'est de passer inaperçus, tu te souviens ? Ton bracelet est trop voyant.

Ça me faisait mal de l'admettre, mais il avait raison. Ce soir, il s'agissait d'une simple mission de reconnaissance. Et puis, au fond, je n'avais pas besoin d'arme. *J'étais* l'arme. Sans compter qu'il me suffirait de retirer mes chaussures pour faire de ces talons des lames redoutables.

— D'accord, si tu veux.

Il me lâcha. Je replaçai mon bracelet dans mon sac à dos ouvert.

— Mais demain, je le prends. Quitte à le cacher sous un énorme manteau de fourrure.

— D'ici là, on pourrait le peindre en doré. Cette couleur… te va bien.

Il regardait les perles étincelantes plantées dans mon chignon. Il les avait donc remarquées.

— Trêve de compliments, lançai-je. On ferait bien d'y aller. La présentation va commencer. Sauf si tu considères que ça fait plus classe d'arriver en retard ?

— Avec toi à mon bras, j'aurai l'air élégant en toutes circonstances.

— Tu comptes me faire subir ça toute la nuit ? le coupai-je en marchant vers la porte d'entrée.

Je commençais à envier Kyung-Soon et Mylo, qui allaient espionner les agences de sécurité en toute tranquillité pendant que je passerais la soirée à repousser les avances de Devroe.

— Mes compliments ne te plaisent pas ? feignit-il de s'indigner. Alors je vais devoir redoubler d'efforts pour décrocher un autre rendez-vous galant.

— Tu as toutes tes chances. Il te suffit de nous qualifier pour la prochaine épreuve.

Chapitre 25

Les gens beaucoup trop riches ont un point commun : ce sont des têtes à claques de très haut niveau.

Je luttais contre une envie dévorante d'assommer cet homme vêtu d'un costume à cinquante mille dollars, qui m'expliquait avoir renvoyé ses trois précédents paysagistes sans les avoir payés, sous prétexte que leur travail était « moins que parfait ». Ses avocats étaient évidemment bien supérieurs aux leurs. Alors qu'allaient-ils faire, hein ? Le traîner en justice ?

Sa sortie ne manqua pas de faire rire aux éclats tous ceux qui avaient eu la chance d'en profiter.

À défaut de pouvoir lui décocher un uppercut, je lui volai l'un de ses boutons de manchettes en diamant avant de m'éloigner.

J'allai reprendre mon souffle au bar de la salle de réception. La quantité d'objets présentés était prodigieuse. Les dizaines de rangées de trésors posés sur des piédestaux étaient séparées les unes des autres par des cordons de velours. Des grappes de convives sur leur trente et un s'approchaient pour les admirer entre deux discussions semblables à celle que je venais de subir. Nous avions débuté notre collecte d'informations deux heures plus tôt. Moi qui pensais qu'il serait difficile de savoir qui était assez riche pour prétendre acquérir le sarcophage, j'eus la surprise de constater que la plupart de ces gens étaient tout disposés à donner, au minimum, de sérieux indices quant à l'étendue de leur fortune. Plus on en a, plus on l'étale. Surtout dans un endroit comme celui-ci.

Je me tournai vers la pièce maîtresse. Notre cible. Elle était protégée par un carré de cordons de velours et deux vigiles en tenue de soirée.

Le visage sculpté, jeune et pur, m'adressait un regard vide. Il était magnifique. Une sensation de tristesse m'envahit. Au fond, ce n'était qu'un cercueil. Où était celui qui aurait dû l'occuper ? La momie ne faisait pas partie de la liste des enchères. Étais-je la seule à penser à lui ? Quelles étaient ses chances de retrouver l'endroit où il aurait dû reposer pour l'éternité ?

J'évacuai ces idées qui risquaient de me faire hésiter à voler cet objet. Il était temps de repartir à la chasse.

Mais alors que je cherchais ma prochaine proie, une scène attira mon attention. Un homme s'approchait du sarcophage. Il était blanc, d'âge moyen. À première vue, rien ne le distinguait des autres invités. Mais même d'aussi loin, je devinais que son costume était bas de gamme. Il arborait un air maussade. Il n'était pas ravi d'être là.

Voilà qui était original. Un costume minable et une mine boudeuse. Que venait-il faire si près de ma cible ?

Je m'avançai vers lui.

Pendant que je me frayais un chemin à travers les convives, je vis l'homme s'adresser à l'un des vigiles. Ces derniers avaient passé leur soirée à empêcher les invités de tripoter le sarcophage. J'étais éberluée par l'assurance avec laquelle ces gens se sentaient autorisés à faire une chose pareille.

À ma grande surprise, après un bref échange et la présentation d'une carte de visite, le vigile décrocha un cordon, invitant l'homme à passer.

Voilà qui était étrange.

Je ralentis le pas. L'homme brandissait un objet noir, de la taille de sa paume. Il le braquait au niveau du menton sculpté.

— Serait-ce un compteur Geiger ? lui demandai-je.

— Non, répondit-il sans se retourner.

— Ah ? De quoi s'agit-il, alors ?

J'aurais sans doute pu trouver une manière plus subtile d'obtenir cette information, mais je ne m'étais pas préparée à ça.

— Non, répéta-t-il, toujours sans m'accorder un regard.

Il se pencha tout en déplaçant lentement son appareil. Des chiffres défilaient sur un écran digital.

— Je n'ai pas la moindre envie de vous parler. Allez-vous-en.

J'étais hors de moi. Ma compagnie lui était-elle insupportable, ou était-il infect avec tout le monde ?

— Excusez-moi, peut-on savoir ce qu'il se passe ? lança une femme en robe noire pailletée. Je croyais qu'il était interdit de toucher les objets, et même de les prendre en photo. En quoi ce monsieur fait-il exception ? Combien leur avez-vous offert ? demanda-t-elle à l'homme en lui tapotant l'épaule.

Son appareil émit un bip. Il le glissa dans la poche intérieure de sa veste, puis il repoussa la main de la femme avant de repartir à grandes enjambées vers le fond de la salle, sans se donner la peine de formuler la moindre excuse.

— Quel toupet ! s'étrangla l'invitée.

Pour ne rien arranger, le vigile referma le cordon de sécurité. Je ne quittais pas des yeux l'homme étrange.

Il se passait quelque chose de louche, et puisque cela concernait le sarcophage, je me devais d'en savoir plus.

Je me lançai à sa poursuite en veillant à ne pas me faire repérer. Vu son allure, il pouvait être sur le point de fuir cette réception à laquelle il était clair qu'il n'avait aucune envie de participer. À mon grand étonnement, cependant, et peut-être à son grand regret, il s'engouffra dans la petite salle annexe. Là, le plafond était moins haut, le bar deux fois plus court, et l'ambiance presque lounge. Un orchestre était en train de jouer devant une piste de danse improvisée. Mais je me doutais qu'on y danserait rien de plus fun que des valses ou des fox-trot.

Devroe était là, en pleine discussion avec deux vieilles dames. À les voir rire, on aurait dit qu'ils se connaissaient depuis toujours.

Je ne prêtai pas davantage attention à lui pour ne pas perdre de vue ma cible.

L'homme consulta sa montre connectée, puis il soupira et s'assit sur un tabouret tout au bout du bar. La serveuse s'approcha de lui, mais avant qu'elle ait le temps d'ouvrir la bouche, il lui opposa son mot favori.

— Non.

Elle rebroussa chemin en se retenant de grimacer. L'homme regarda autour de lui, me forçant à tourner la tête. Lorsque je risquai un nouveau coup d'œil, une jeune femme était en train de s'installer à ses côtés. Elle portait une robe limite hors dress code.

Une autre invitée récalcitrante. Que faisaient-ils là, tous les deux ?

Elle lui sourit avec le genre de regard qu'on adresserait à un oncle grincheux pour tenter de le dérider.

Ce qui ne fonctionna pas du tout.

Après une valse, l'orchestre enchaîna sur une reprise de « As the World Caves In », ce qui attira de nombreux couples sur la piste de danse.

Je profitai de ce mouvement de foule pour avancer jusqu'au fond de la pièce, avec l'espoir de m'approcher suffisamment pour pouvoir entendre la conversation de mes suspects.

Je n'avais encore jamais tenté d'espionner un tel paranoïaque. À l'instant où je me retrouvai à trois mètres d'eux, l'homme s'interrompit et me lança un regard soupçonneux.

Je me détournai et je filai droit vers Devroe.

— Mon amour, susurrai-je en posant une main sur son bras.

Il frémit à peine.

— Talia ! Je te présente mes nouvelles amies. Très chères, voici mon éblouissante fiancée.

Les deux femmes m'accordèrent un demi-sourire forcé.

— Comment allez-vous ? me demanda celle de gauche, sur un ton nettement moins aimable que celui qu'elle avait employé avec Devroe une seconde plus tôt.

— Très bien. Puis-je vous l'emprunter un instant ? Merci.

Sans laisser à mon complice le temps de protester, je l'entraînai au bord de la piste.

— Qu'est-ce qui te prend ? chuchota-t-il. Je n'en avais pas fini avec elles.

— Tais-toi. Danse avec moi.

Il s'exécuta. Si nous n'avions pas été au beau milieu d'une mission, j'aurais pu me liquéfier lorsque je sentis la chaleur de ses paumes sur mes hanches.

— Tu vois le type assis au bout du bar ?

— À côté de la femme habillée comme un sac ? Oui, je ne suis pas aveugle.

— Qu'est-ce qu'ils se racontent ?

Au moment du refrain, les violonistes et le pianiste s'enflammèrent tant qu'il était impossible d'entendre quoi que ce soit.

— Plus facile à dire qu'à faire…

— Tu ne sais pas lire sur les lèvres ?

Il me lança un regard surpris, auquel je répondis par un lever de sourcil. Je posai une main sur son torse, et l'autre sur sa nuque. Il m'attira à lui. J'appuyai la tête sur son épaule pour qu'il puisse regarder par-dessus.

Il sentait vraiment très bon. Mais ce n'était pas le sujet.

— « Authentique », décrypta Devroe. « Sar… Sarcophage ». Il confirme que le sarcophage est authentique. Il lui dit…

Il s'interrompit. Ses doigts se crispèrent sur mes hanches. Je faillis me tortiller.

— Une histoire de dates crédibles. Elle lui répond.

Il continua à les observer en silence. Je n'avais rien d'autre à faire qu'écouter la musique, bercée par les mouvements de sa poitrine. J'étais étonnée de ne pas sentir battre son cœur, qui était pourtant juste sous ma main.

Sentait-il le mien, qui tambourinait de bonheur ?

— Le musée. Elle lui explique qu'ils ont le feu vert du musée. S'il est authentique, ils veulent l'avoir.

Les violons jouaient de nouveau crescendo.

— Quel musée ? Le British Museum ?

Il ne m'avait pas échappé que Monsieur Non avait un accent anglais.

— Je crois…, marmonna Devroe, sans cesser de les scruter.

Mes pensées s'emballaient. Le British Museum ? Ils avaient l'habitude d'acheter de telles reliques pour leurs collections, mais à l'image des contestataires amassés devant l'hôtel, les Égyptiens n'étaient plus aussi disposés à laisser les Européens faire main basse sur leurs trésors. Impossible pour eux de participer aux enchères dans ces conditions.

À moins qu'ils n'agissent incognito. Peut-être qu'ils comptaient passer par une tierce partie, qui ferait ensuite don du sarcophage au musée sans révéler son identité ?

Je sentis Devroe se tendre, comme si nos deux corps ne faisaient plus qu'un. Je relevai la tête.

— Qu'est-ce qu'il y a ?

— Deux cents millions. C'est leur budget, expliqua-t-il en se tournant vers moi. Ce qui veut dire…

— Qu'ils vont gagner.

Chapitre 26

On est foutus, grommelai-je en me mettant à tourner en rond dès notre retour
dans la suite. Ils parlaient de deux cents
millions… mais qu'est-ce qui nous dit qu'ils ne sont
pas capables de monter encore plus haut si nécessaire ?
Deux cent cinquante ? Trois cents ?

J'envoyai valser mes chaussures, qui s'écrasèrent sur
la moquette.

— Peu importe le montant, commenta Devroe.
Ce qui est certain, c'est que les autres ne pourront pas
suivre. Ou qu'ils ne voudront pas le faire. En plus, il y
a peu de chances que l'agence de sécurité du Museum
soit la moins performante, ajouta-t-il en se frottant
le menton. Oui, ça se complique. Mais ce n'est pas
tellement pire qu'avant.

Pas tellement pire ? Nous nous retrouvions au
centre d'un conflit géopolitique potentiel. Et il ne
trouvait pas cela alarmant ?

— Comment tu peux dire ça ? Notre plan,
c'était de s'assurer que le candidat idéal remporte-
rait les enchères. Mais personne ne pourra battre les

Anglais… Et combien tu paries que leur agence de sécurité est l'une des meilleures ?

— Je sais, je sais, concéda Devroe, les yeux dans le vague. La seule solution, c'est de forcer les émissaires du Museum à renoncer avant qu'ils aient fait monter les enchères trop haut pour notre cible.

On frappa à la porte. Impossible que Mylo et Kyung-Soon soient déjà de retour. Étudier toutes les équipes repérées sur l'intranet de l'hôtel par notre geek devait les occuper au moins jusqu'à minuit, et il était à peine 22 heures. Mais Devroe ne semblait pas surpris. Lorsqu'il ouvrit, un garçon d'étage au costume bordeaux et aux gants blancs entra avec un chariot sur lequel étaient posées une bouteille plongée dans un seau de glace et des flûtes à champagne. Ainsi qu'une rose dans un petit vase. J'en restai bouche bée. *C'est une blague, Devroe ? Maintenant ?*

Devroe fit signe au garçon de laisser le chariot au centre du salon. Avant de refermer la porte, il lui donna un pourboire qui lui fit sortir les yeux de leurs orbites.

— Oublie cette histoire de rencard, Devroe, grognai-je tandis qu'il extrayait la bouteille du seau. Et si on se concentrait sur le job qui nous attend ? En plus, je ne bois pas d'alcool.

Il fit sauter le bouchon ; autant parler à un mur.

— Tu vas trop vite en besogne, comme d'habitude. Sache que, pour moi, notre rencard, c'est l'ensemble de cette épreuve. Et cette bouteille n'est pas destinée à te soûler.

Il remplit la moitié d'une flûte, et les bulles grimpèrent jusqu'au bord du verre.

— C'est pour notre mission, expliqua-t-il en versant du champagne dans un deuxième verre. Tu te demandais comment empêcher les Anglais de trop surenchérir ? Rien de plus simple. Il suffit de leur faire perdre tous leurs moyens.

Devroe abandonna les flûtes sur le chariot pour aller fouiller dans son sac de voyage. Quelques secondes plus tard, il en sortit une boîte recouverte de velours. Elle abritait une montre en or. Il la mit après avoir retiré celle qu'il portait à son poignet (une Omega bien plus luxueuse).

— Je préférais l'autre.

— Tu n'es pas la seule. Mais elle ne dispose pas des mêmes fonctionnalités.

Il attrapa l'une des flûtes et me la tendit.

— Tiens-moi ça.

J'obéis à contrecœur.

— Pour la énième fois : je ne bois pas.

J'allais reposer le verre, mais je m'arrêtai net. Les bulles étaient devenues bleues.

Je levai la flûte pour observer de plus près ces perles translucides.

— C'est de la magie ? Comment tu as fait ça ?

Il passa sa main, celle à laquelle il avait attaché la montre, au-dessus du verre que je tenais toujours en l'air. Au passage, il pivota légèrement le poignet. Jamais je ne m'en serais rendu compte s'il n'avait pas agi juste sous mes yeux. Une trappe minuscule s'ouvrit sous le cadran. Des paillettes presque invisibles tombèrent dans le liquide, où elles se dissolvèrent instantanément.

— Joli. Mais tu as conscience que ce bleu est un peu suspect ?

— Cette poudre-là est un reliquat d'une autre mission. Je devais décourager quelqu'un de boire son verre. Personne n'aime que sa boisson change de couleur sans prévenir.

— Où tu as trouvé ça ? La montre, je veux dire.

— Je ne révèle pas mes astuces gratuitement. Mais il m'arrive de faire du troc. Je veux un secret en échange, chérie.

Il posa le verre pour reprendre sa boîte. Cette fois, il en sortit un collier de diamants et un bracelet en argent. Celui-ci s'accordait très bien avec la montre. Il était simple, mais élégant. Suffisamment chic pour un événement comme la vente aux enchères, mais assez discret pour être porté dans un café ou une librairie. Une polyvalence rare.

Il saisit mon poignet avec délicatesse, et y attacha le bracelet.

— Demain soir, la poudre ne contiendra pas que du sucre. Le produit que je vais utiliser va désorienter nos victimes. Elles ne seront plus capables de penser à cligner des yeux, encore moins de surenchérir. Et elles seront si influençables que le premier étranger venu devrait pouvoir les convaincre d'acheter un objet sans intérêt. J'avais d'abord pensé que ça suffirait, mais puisqu'il y aura quelqu'un d'autre à manipuler…

— ... tu veux que moi aussi je fasse un petit tour de passe-passe.

Je fis pivoter mon poignet ; le bijou étincelait sous la lumière artificielle.

— Et peut-on savoir par quel miracle tu as sur toi un bracelet pour femme prêt à l'emploi ? ajoutai-je.

Il me fit un petit sourire.

— Tu n'es pas ma première collaboratrice.

— C'est censé me rendre jalouse ?

— Serait-ce le cas ?

Je me mordis la langue.

— Bon, tu m'expliques comment ça marche ?

Je penchai le bracelet au-dessus du verre. J'eus beau le tourner dans tous les sens, il ne se passa rien.

— Non, non, non.

Devroe s'approcha de moi et plaça sa main sur la mienne avec autant de précision que de délicatesse.

— Doucement, murmura-t-il.

Ses doigts effleuraient mon poignet. Une sensation diffuse me traversa le bras. Sa peau était aussi douce qu'une plume. Et si chaude...

— Tu dois à peine lever ton poignet, puis le faire pivoter de quelques degrés. Il faut imaginer un geste intime.

J'étais subjuguée par sa voix. J'aurais voulu qu'il ne s'arrête jamais de parler. Qu'il ne bouge pas d'ici. Que ce moment se prolonge jusqu'au bout de la nuit. Une fois de plus, il était une flamme dont la chaleur se répandait sur tout mon corps.

Stop, ressaisis-toi, Ross. Je risquais de me brûler. Je devais me concentrer sur ses explications sans penser au plaisir que je prenais à l'écouter.

Il entraîna ma main au-dessus de l'autre verre, avant de l'incliner très légèrement. C'était subtil, mais je sentis un petit déclic. Devroe passa un bras autour de moi pour s'emparer de la flûte et boire une gorgée de champagne.

— Plus sucré qu'un bonbon, susurra-t-il.

J'avais du mal à respirer. Je me tournait vers lui. Il se tenait toujours aussi près et, lorsqu'il baissa son verre, j'eus l'impression qu'il avait fait dix pas de plus vers moi.

Malgré la lumière tamisée, il émanait de lui une lueur que je ne pouvais feindre d'ignorer. Ma poitrine se soulevait. Il me regardait droit dans les yeux. Enfin, jusqu'à ce que son regard glisse jusqu'à mes lèvres.

— Est-ce que tu veux goûter ? murmura-t-il.

Goûter ?

Le voulais-je ?

Mon cœur se contracta, comme pour me supplier de prendre une décision.

Il se pencha vers moi. Ou je m'avançai vers lui. Oui, je voulais l'embrasser. Raison de plus pour ne pas le faire. Si je m'abandonnais, il aurait gagné. Il me l'avait avoué dans le train : cela lui plaisait, que je voie clair dans son jeu. Était-ce parce que sa victoire n'en serait que plus belle ? S'intéressait-il à moi ou… à la réussite de son entreprise de séduction ?

Quelque part à l'autre bout de l'océan, Maman comptait sur moi. Étais-je vraiment sur le point de la mettre en danger pour un garçon qui ne cachait même pas ses intentions ?

Certainement pas. Je ne pouvais pas faire ça. Je ne pouvais pas jouer avec mes sentiments ni avec la vie de Maman.

Je me jetai en arrière.

— Il faut que je m'entraîne. Laisse-moi deux petites heures. Je vais y arriver.

Devroe me dévisageait. Il avait l'air si déçu que j'en eus le cœur brisé. Il semblait… vaincu.

— Bien sûr.

Il retira son nœud papillon et s'avança vers la porte.

— Où est-ce que tu vas ?

— Nulle part.

Il tira sur ses manchettes. Il allait de nouveau s'échapper, tout comme il avait fui dans le train lorsque la discussion avait pris une tournure qui lui déplaisait. Lorsqu'il n'avait pas obtenu ce qu'il désirait.

— Waouh, super mature, Devroe.

Il avait déjà entrouvert la porte, et je vis sa main serrer la poignée, à la briser. Il me lança un regard noir.

— Pourquoi tu prétends ne pas aimer ça ? On a si bien réussi à te convaincre que les gens sont tous tes ennemis que tu as réduit tes sentiments au silence. Tu ne parviens même plus à t'écouter.

Je blêmis. Il aurait aussi bien pu me donner un coup de poing dans le ventre. Mais il était hors de question de le laisser s'en rendre compte.

— Oh ! ouin, ouin. Vas-y, chante-moi la complainte du pauvre garçon incapable de séduire la seule fille qui lui plaît vraiment, ou un autre cliché dans le genre. Je t'accorde quelques minutes pour mettre les paroles au point.

— Encore une fois, s'étrangla-t-il, j'ai l'habitude de ne pas obtenir ce que je veux. Mais je ne m'étais encore jamais fait rejeter par une personne qui se rejette elle-même. Fais-moi signe le jour où tu arrêteras de te raconter des histoires.

Et il partit en claquant la porte.

Après son départ, il me fallut quelques minutes pour reprendre mes esprits. Je me mordis le bout du doigt. Qu'est-ce qui m'avait pris ? Pourquoi avais-je l'impression d'avoir piétiné mon feu de camp alors que je gelais dans la toundra ?

Parce qu'il avait raison. Que je le veuille ou non… il me plaisait.

Oh ! bon sang.

Chapitre 27

NON ! NON ! NON ! NON ! NON !
Je relus le texto de Tatie avant d'enfouir
ma tête dans mon oreiller. J'avais passé
une heure à me débattre avec mes sentiments contra-
dictoires pour Devroe, et mes tentatives d'apprivoiser
le bracelet piégé n'avaient pas suffi à me changer les
idées. Alors j'avais décidé d'écrire à Tatie. Elle allait,
au choix, s'enthousiasmer pour mon premier crush
(*Oh ! non, j'en étais vraiment là ? À parler de lui comme
d'un crush ?*) ou m'infliger un rappel à l'ordre : je
n'aurais pas pu trouver pire moment pour me laisser
distraire par le premier voyou venu. Ce que je savais
très bien. C'était précisément ce qui avait généré cette
tornade d'émotions.

J'avais commencé ainsi :

Et si je te disais que je me suis dégoté un allié ?

Tatie : Quel genre d'allié ?

J'avais effacé une dizaine de réponses différentes.

J'ai failli l'embrasser, avais-je fini par avouer.

Tatie : NON ! NON ! NON ! NON ! NON !

Moi : Il ne m'a pas encore trahie… alors qu'il en a eu l'occasion.

Tatie m'appela, et comme je suis une idiote qui se serait sans doute laissé démolir, je ne répondis pas.

Tatie : C'est un voleur. Il te manipule. ON N'EMBRASSE PAS SES ADVERSAIRES.

Tatie : Reste sur tes gardes. On n'est jamais trop prudent.

J'abattis le front sur le bureau de la chambre. Elle avait raison ; je le savais depuis le départ. Mais le lire fut comme un électrochoc. Devroe n'était pas digne de confiance. Personne ne l'était.

Pourtant… j'étais forcée d'admettre qu'une petite part de moi espérait qu'elle allait me dire le contraire. Une toute petite part.

Je ne pus bouder dans mon coin que quelques minutes, car la porte de la suite s'ouvrit. Mon cœur s'arrêta de battre. Devroe ? Non, les intrus parlaient en coréen et leurs voix n'avaient pas le charisme de celle de Devroe.

Mes épaules s'affaissèrent, de soulagement ou de dépit.

— Ça roule ? me lança Mylo.

Il était repassé à l'anglais, puisque j'avais déjà avoué ne pas maîtriser le coréen.

Il avait acheté un Happy Meal (rien de tel qu'un bon McDo au cœur de la nuit) qu'il posa sur le lit.

— Non ! s'indigna Kyung-Soon, un cornet de frites à la main. Pas sur mon lit.

— C'est aussi le tien, non ? tenta Mylo en se tournant vers moi.

— Moi, je m'en fiche, répondis-je.

L'une des frites de Kyung-Soon s'écrasa sur ma joue.

— Hé !

— Tu dis ça maintenant… mais on verra si tu aimes dormir au milieu des miettes, sous des draps pleins de graisse.

Elle s'allongea à plat ventre sur le matelas, en posant les frites en équilibre sur le rebord du lit.

Mylo reprit son Happy Meal sans protester davantage. Il s'adossa à la porte. Entre deux mâchouillements, il me jeta un coup d'œil. Je m'étais débarrassée des chaussures à talons, mais je portais toujours ma robe de soirée.

— Pas mal, ton look. Où est Devroe ?

— Pas mal ? s'offusqua Kyung-Soon. Elle sort tout droit d'un *Vogue* ! ajouta-t-elle en lançant une frite à la tête de Mylo, qui réussit à la gober au vol.

— Toutes mes excuses. Super look.

— Je ne sais pas où est passé Devroe, répondis-je. Il est parti après…

Après quoi ? Après qu'on avait failli s'embrasser ? Après qu'il m'avait traitée de paranoïaque ?

— Après notre retour. La situation est plus compliquée que prévu.

Mylo écarquilla les yeux.

— Mais on a une solution. Pour vous, ça ne devrait rien changer. D'ailleurs, comment ça s'est passé ?

— Très bien. Certaines agences de sécurité ne valent rien, c'est dingue.

Kyung-Soon se redressa.

— Mais attends un peu, qu'est-ce que tu veux dire par : « plus compliquée que prévu » ?

Je leur parlai des envoyés du British Museum et du plan imaginé par Devroe. Mylo s'assit par terre au pied du lit.

— Est-ce que vous savez sous quel faux nom ils comptent participer aux enchères ?

— Devroe a réussi à le lire sur leurs lèvres. Ce serait un truc comme Santry… Sam…

— Sanbury ? proposa Mylo, qui se mit à faire défiler un tableur sur son téléphone.

Kyung-Soon se pencha pour regarder par-dessus son épaule.

— Ah ! oui, d'accord, ricana-t-il. On n'a aucune chance d'infiltrer leur équipe de sécurité.

Kyung-Soon se figea, puis elle se tourna vers moi.

— On a classé les agences de la meilleure à la pire.

— Et où se situe celle de Sanbury ?

— Au-dessus de toutes les autres.

Je pris une grande inspiration.

— Alors on va devoir faire le maximum pour s'assurer que ces gens ne remportent pas la mise malgré leurs millions, car ça voudrait dire qu'on a gâché notre journée d'avance avec un plan voué à l'échec.

Je me massai le front. Tout ce stress commençait à me donner la migraine.

— Ohé !

Le cri de Mylo me tira d'un abîme d'angoisse et de frustration. J'étais sur le point de m'y noyer. Son regard était serein.

— Du calme. On va s'en sortir. Tu l'as dit toi-même : vous avez un plan. Alors c'est du tout cuit, surtout qu'on est quatre sur le coup, ajouta-t-il en retirant sa veste. Donc, dès que M. Kenzie voudra bien revenir, on pourra croiser nos infos et choisir le petit veinard qui remportera le sarcophage demain soir. En attendant, je me commanderais bien un milk-shake.

Et il quitta la suite. Le calme avec lequel il avait dépeint la situation m'avait permis de me détendre. Il avait raison : nous avions un plan. Et si nous parvenions à le mettre en œuvre, tout s'arrangerait.

Kyung-Soon se laissa tomber du lit et s'assit contre la porte. Elle mangeait ses dernières frites.

— Alors… comment ça a été, avec Devroe ?

Je plissai les yeux. Elle leva un sourcil.

— Plutôt bien.

— Bien, c'est tout ? s'étonna Kyung-Soon en entortillant le bout de sa queue-de-cheval. Tu as passé la soirée dans une robe de princesse, à déambuler à travers une salle de bal féerique garnie de tout ce qui fait rêver les filles normales, et c'était juste bien ?

Avait-elle deviné quelque chose ? Étais-je à ce point transparente ?

— On est tout sauf des filles normales, je te signale.

— Pas faux. Tu as besoin d'aide, avec ces boutons ? demanda-t-elle en agitant les doigts en l'air.

Reconnaissante, je lui présentai mon dos.

— Les robes de soirée, c'est une vraie galère, si tu n'as pas de domestique pour t'aider, commenta-t-elle.

— Parce que tu as des domestiques, toi ?

Je rattrapai le haut de ma robe juste à temps. Kyung-Soon était efficace.

— C'est mon mentor qui m'aidait à m'habiller. Elle adore les missions d'infiltration chez les riches, précisa-t-elle avant de renifler mon épaule. J'ai vu la bouteille de champagne, tu sais.

— C'était pour préparer la suite.

Le bracelet de diamants était toujours à mon poignet. Soudain honteuse de ne pas l'avoir retiré, je décidai de m'en débarrasser.

— Ne va pas t'imaginer qu'on était en train de picoler.

— OK.

Je ramassai mon sac, puis me rendis dans la salle de bains pour finir de me changer. Je laissai la porte entrouverte, histoire qu'on continue à papoter comme deux bonnes copines.

— Donc, reprit Kyung-Soon tandis que j'enfilais mon pyjama, il a commandé du champagne, vous étiez tous les deux sur votre trente et un… et il ne s'est rien passé de croustillant.

Je me figeai face à mon reflet dans le miroir. Perspicace, la petite.

— Je ne vois pas où tu veux en venir.

— Oh ! arrête. Tu l'intéresses, ça crève les yeux.

— Tout comme ça m'intéresse d'apprendre de nouvelles techniques de crochetage ou des astuces pour forcer un coffre. Ça ne va pas plus loin.

J'ouvris la porte pour lui faire face tout en retirant une à une les perles dorées plantées dans mes cheveux.

— Il me l'a dit lui-même, dans le train. Il aime tester ses talents sur moi.

— Justement, ça prouve que tu lui plais, non ? À mon avis, il a vite senti que tu serais une adversaire coriace, et ça l'a fait craquer, affirma Kyung-Soon en croisant les mains sur son cœur. C'est trop romantique. Je le soupçonne d'être dingue de toi depuis qu'il a insisté pour qu'on vous attende, Yeriel et toi, alors que vous alliez être disqualifiées. Et j'ai bien vu comment vous vous parliez, dans le musée...

— Tu peux répéter ? Vous nous avez attendues ? Je croyais que vous étiez tombés sur nous par hasard...

— Il ne t'avait rien dit ?

Je secouai la tête.

— Ah ! Tu vois, c'est bien ce que je disais : il est dingue de toi.

J'aurais aimé trouver quoi répondre, mais mon esprit était en miettes. Si Devroe avait vraiment choisi de m'attendre ce soir-là, il était fou à lier. Il aurait très bien pu se faire arrêter, ou finir à l'hôpital comme Yeriel. Il était trop malin pour ça. S'il avait pris ce risque, c'était qu'il avait une très bonne raison de le faire.

Reste sur tes gardes.

Le conseil de Tatie m'apparaissait plus pertinent que jamais. Je pouvais être en train de me faire manipuler, même si je ne savais pas encore comment.

La porte de la suite s'ouvrit, et j'entendis Mylo critiquer son milk-shake. Devroe était de retour. Priorité au plan.

Chapitre 28

Si deux heures plus tôt, j'étais prête à présenter mes excuses à Devroe, désormais je mourais d'envie de lui demander pourquoi il avait choisi de m'attendre, le soir du musée…

Nous nous étions installés au salon pour croiser nos informations et déterminer qui, parmi les plus riches participants, était le moins bien protégé. Le grand gagnant n'était pas l'un des convives avec qui j'avais discuté, mais une certaine Sadia Fazura. Devroe avait justement eu l'occasion de la charmer.

— C'est une Malaisienne, expliqua-t-il en s'adossant dans son fauteuil.

Il avait retiré sa veste. Dans sa chemise d'un blanc éblouissant, il avait l'air sorti d'une pub pour un parfum. Abstraction faite de ses traits tirés. On aurait dit qu'il venait de subir un stress intense.

— Elle va sur ses quarante ans, enchaîna-t-il. Son mari a hérité d'un gros business familial. Il est riche mais infidèle. Pour se faire pardonner, il laisse Sadia s'acheter tout ce qu'elle veut.

Kyung-Soon ouvrait de grands yeux.

— Tu as appris tout ça en une seule conversation ?

Devroe luttait pour ne pas trop fanfaronner.

— Si tu les mets à l'aise, les gens sont prêts à te raconter toute leur vie.

— Donc elle a de l'argent, j'intervins. Combien exactement ?

— D'après l'une de ses amies, elle a deux millions à disposition sur leur compte commun. Ceci dit, je ne pense pas qu'elle ait l'intention de tout dépenser.

— Mais tu peux faire en sorte qu'elle remporte le sarcophage, pas vrai ? demanda Mylo.

— Vous pouvez me faire confiance, affirma Devroe avant de se tourner vers moi. À condition que Ross gère les envoyés du British Museum.

Trois paires d'yeux se braquèrent sur moi. Des jets d'adrénaline pulsaient dans mes veines. Puisque Devroe avait déjà établi le contact avec la riche Malaisienne, c'était à moi d'éliminer les Anglais. Je me retrouvais en charge de la partie la plus complexe du plan.

— C'est dans mes cordes.

Je devais réussir. Si j'échouais, nous n'aurions que très peu de chances de remporter l'épreuve. C'était hors de question.

— Avec Mylo, on s'occupera de l'agence de sécurité demain, décréta Kyung-Soon, qui semblait avoir une confiance totale en Devroe et moi.

— On planifiera aussi le vol du sarcophage, compléta Mylo. On avait commencé à élaborer une méthode pour les équipes les moins fiables. On pense pouvoir détourner le camion de Fazura dans les temps. Ses achats seront stockés à l'autre bout de la ville, dans un entrepôt situé juste à côté d'un aéroport privé, expliqua-t-il en consultant son téléphone. Reste à trouver comment s'y prendre.

Il échangea un regard avec Kyung-Soon. On aurait dit qu'ils discutaient en silence d'un moyen de se cacher à bord du camion.

Je pris la parole à mon tour :

— Maintenant qu'on a fait interdire la Team Noelia, ils ne peuvent plus tenter de voler le sarcophage dans l'hôtel.

— Mais ils s'arrangeront pour apprendre qui a remporté les enchères et comment le sarcophage sera convoyé, fit remarquer Devroe. Ils vont sûrement passer à l'action pendant cette phase. Et grâce à nous, ils seront confrontés à l'agence de sécurité la moins fiable… On ne peut pas laisser Mylo et Kyung-Soon les affronter tout seuls, soupira-t-il en se tournant de nouveau vers moi. Il faudra qu'on soit tous prêts à intervenir.

J'acquiesçai d'un hochement de tête.

— Donc… dès que la vente sera conclue, on file retrouver Mylo et Kyung-Soon ? Et si on louait un camion pour rejoindre l'entrepôt ? Mylo et Kyung-Soon seront à l'intérieur, ils devraient pouvoir nous faire entrer…

Mylo claqua des doigts avant de pointer l'index sur moi.

— Bingo !

— Attends, on ne pourra pas y aller directement, releva Devroe. On devra se changer d'abord. J'adore les cravates noires, mais c'est un peu trop voyant.

Je laissai échapper un gloussement ; il avait éveillé ma curiosité. J'avais hâte de le voir en jogging-baskets.

Notre plan prenait forme. Mylo demanda à Devroe de lui passer la bouteille de champagne, qui reposait dans son seau rempli de glace fondue. Avec une mimique amusée, Devroe la lui tendit, ainsi qu'une flûte vide.

— Ne t'avise pas de verser ton truc dans mon verre, lâcha Mylo.

Devroe pouffa.

— Pourquoi je ferais ça ? Tu n'as rien d'intéressant à voler.

— Je vais faire comme si je n'avais rien entendu, répondit Mylo, qui se servait un verre. Qu'est-ce que vous attendez pour prendre une flûte ? C'est le moment de trinquer, on a fait du bon boulot.

— Tu n'as pas l'impression de mettre la charrue avant les bœufs ? protesta Kyung-Soon.

— Pas du tout, affirma-t-il en lui donnant un verre. Une fois qu'on a trinqué, on ne peut plus échouer. C'est une loi universelle.

— Mouais, concéda Devroe du bout des lèvres.

Il choisit une flûte vide et la tendit à Mylo.

— Dans ce cas, trinquons à ma longue vie et à mon compte en banque bien dodu, je vous prie.

— Pas bête, apprécia Mylo avant de lui remplir son verre.

— Et trinquons au vœu incroyable que je vais bien finir par trouver, ajouta Kyung-Soon.

— Et toi, Ross ? demanda Mylo. Il nous reste une flûte ?

— Non merci.

Je levai un verre imaginaire. À quoi aurais-je pu boire ? Qu'est-ce que je désirais vraiment ?

Deux semaines plus tôt, je n'aurais pas hésité une seule seconde. J'aurais porté un toast à la liberté. Aux nouvelles expériences. Ce genre de frivolités. Désormais, tout ce que je voulais, c'était retrouver ma maman.

Pourtant, je souhaitais aussi vivre d'autres moments comme celui-ci.

— Trinquons… pour toujours savoir quoi désirer.

Devroe baissa la tête. Était-il déçu ? À quoi s'attendait-il ?

— Pas mal, approuva Mylo en riant.

Ils descendirent tous les trois leur verre d'un trait tandis que je faisais mine de vider le mien. Après quoi, Mylo décida d'enchaîner à même la bouteille. Sérieusement ! Ils avaient donc tous l'habitude de siroter de l'alcool ? Je fis semblant de boire une nouvelle gorgée pour masquer le rouge qui me montait aux joues. J'avais beau avoir passé les dix-sept années précédentes à sauter de toit en toit et à faire des clés de bras, on aurait soudain dit que j'étais restée à la table des enfants devant des dessins animés pendant que tous les autres étaient occupés à grandir.

Kyung-Soon s'affala par terre à côté de Mylo et lui tendit son verre. Il n'hésita pas à la resservir. OK, ces deux-là n'en étaient clairement pas à leur première beuverie.

— Gare à la gueule de bois, les avertit Devroe.

— Relax, papa, c'est de la limonade, ce truc, répliqua Mylo.

— Ne m'appelle pas comme ça.

— Donc je ne dois pas trop boire, et bientôt tu vas m'ordonner de te vouvoyer. Tu es un sacré rabat-joie, mon pote, ricana Mylo avant d'avaler une autre gorgée. Le coup de la gueule de bois, je veux bien, mais pourquoi je ne pourrais pas t'appeler comme ça ? Tu t'es disputé avec ton papounet ? Allez, on est entre amis, tu peux tout nous raconter.

Je me demandai s'il serait allé aussi loin s'il n'avait pas bu.

— Mylo…, murmurai-je.

Je savais qu'il ne pensait pas à mal, seulement il évoluait sur un terrain miné.

— Tu ne sais pas t'arrêter, hein ? vociféra Devroe. Si tu veux durer dans ce métier, tu ferais bien d'apprendre à fermer ta gueule.

Le sourire de Mylo s'effaça. Il aurait peut-être dû tenir sa langue, mais Devroe l'avait agressé et il ne comptait pas en rester là.

— C'est moi qui manque de self-control ? s'insurgea-t-il en se désignant du doigt. Ou le gars qui nous a déjà fait un gros caca nerveux dans le train ?

Allez, dis-nous, tu es allé pleurer dans les jupes de qui ? Pas celles de ton père, on dirait.

Devroe serrait les dents. L'ambiance s'était horriblement dégradée. La situation devenait critique. Je décidai d'intervenir :

— On ferait mieux d'aller dormir.

J'échangeai un regard avec Kyung-Soon. *Aide-moi.* Elle semblait sur le point de prendre la parole, mais Devroe la devança.

— Au moins, mes parents s'en rendraient compte, si je disparaissais, cracha-t-il à l'intention de Mylo.

Alors tout bascula. Mylo était devenu blanc comme un linge. Il se décomposait sous nos yeux. J'avais l'impression de regarder une petite flamme vaciller dans le creux de ma main.

Chapitre 29

Devroe n'assista pas à l'effondrement de Mylo. Pour la seconde fois de la nuit, il avait pris la fuite.

— Devroe !

Je réussis à agripper sa chemise, mais il se dégagea. Kyung-Soon lui courut après, me laissant seule avec Mylo.

— Mylo…

Je me risquai à faire un pas vers lui. Immobile, il fixait le tapis du regard. Quel moment étrange. Quelques minutes plus tôt, nous étions en train de trinquer tous ensemble. Et maintenant…

J'avais enfin compris ; j'aurais peut-être pu y parvenir avant. Cet appel que Mylo attendait si désespérément… c'était celui d'une personne qui était censée veiller sur lui.

— Il est doué, hein ? se contenta de lâcher Mylo. Je vais faire un tour.

Je décidai de le suivre, même s'il ne m'y avait pas invitée. Pourquoi ? Je n'en avais aucune idée. Mais il ne m'avait pas chassée, et mon instinct me conseillait de l'accompagner, d'autant que, s'il devait faire quelque chose de dingue, cela aurait bien pu être le moment idéal.

— Je n'ai pas besoin d'un chaperon, me lança Mylo après que nous avions descendu une quantité colossale de marches, emprunté un ascenseur et traversé le hall de l'hôtel.

J'avais une impression de déjà-vu. Les manifestants étaient toujours sur le trottoir, assis devant des tentes sur lesquelles ils avaient fixé leurs banderoles.

— Je t'assure que je n'ai pas l'intention de cambrioler le guichet d'accueil, ajouta-t-il.

Je haussai les épaules.

— Je le sais très bien. Bon, j'avoue que ça m'a effleurée. Mais on peut se contenter de marcher, si tu veux. Si tu avais vraiment envie d'être seul, je pense que tu m'aurais déjà dit de dégager.

Il finit par m'accorder un petit rire.

— Toi aussi, tu lis dans les pensées ?

Nous nous arrêtâmes dans un recoin du hall et, pendant une poignée de secondes, personne ne dit un mot.

— Est-ce que tu veux… en parler ? balbutiai-je.

Je n'avais encore jamais eu l'occasion de jouer les confidentes.

— Pas tout de suite.

— OK.

Je retroussai les lèvres et recroquevillai les orteils contre le carrelage.

— Tu préférerais fouiner dans le portable de Devroe ?

Mylo releva la tête sur-le-champ. Je sortis le téléphone en question de ma poche arrière avant de l'agiter sous son nez. Je n'avais eu aucun mal à le voler à Devroe lors de sa sortie théâtrale.

Mylo éclata de rire.

— Tu as fait ça pour moi ?

— Pas seulement. J'avais une petite enquête à mener. Mais tu as peut-être envie d'envoyer quelques doigts d'honneur à tous ses contacts ?

— Oh ! oui. Quelle douce vengeance.

Nous nous installâmes sur un canapé en cuir accolé à la façade vitrée, et je farfouillai dans mon autre poche.

— J'ai également trouvé ça dans les affaires de Kyung-Soon.

C'était l'un des câbles qu'elle avait connectés au téléphone du politicien français. Avec un peu de chance, cela fonctionnerait également sur celui de Devroe.

— Le portable de Devroe. Le gadget de Kyung-Soon. Tu m'as piqué un truc, à moi aussi ?

— En effet : je t'ai volé ton eye-liner pour la soirée.

— Je le savais !

Le sourire aux lèvres, je connectai mon téléphone à celui de Devroe.

Un dossier (« iPhone (162) ») s'afficha sur mon écran. Le téléchargement démarra instantanément.

— Ça marche !

— Tu cherches quelque chose de précis ? me demanda Mylo, alors que le téléchargement en était déjà à vingt-cinq pour cent. Ou tu fais ça juste pour l'énerver ?

— Je veux voir s'il cache des trucs louches, évacuai-je.

Soixante-quinze pour cent. Mylo allongea le bras sur le dossier du canapé.

— Ça y est, j'ai compris : tu es folle de lui.

Je devais être rouge comme une tomate. Mylo leva une main.

— Je ne te juge pas. Il est sexy. Mais si tu te méfies autant de lui, c'est mal barré…

— Le téléchargement est terminé.

J'ouvris le dossier extrait du téléphone de Devroe. Sa page d'accueil remplaça la mienne : c'était un écran noir sur lequel se découpait un texte blanc : *Le pire des brigands régnera sur une nation.*

— Je connais ! s'extasia Mylo. C'est une citation de Zhuangzi : « Le petit voleur finira sa vie en prison. Le pire des brigands régnera sur une nation. »

J'écarquillai les yeux.

— Oui, j'ai lu quelques livres depuis notre virée au musée. Apparemment, Devroe aussi. Il a la classe, ce mec. Allez, montre-nous ce qu'il y a.

« Messages ». Je touchai l'icône en forme de bulle de BD. Il y avait là tous les textos reçus et envoyés par Devroe. Des dizaines de noms, des dizaines d'interlocuteurs. Des messages non lus de clients et quelques prénoms féminins suivis d'un smiley faisant un clin d'œil.

Notre groupe de discussion était tout en haut de la liste. Mais lui succédaient une poignée d'échanges, composés pour certains de caractères que je n'avais jamais vus.

— Tu saurais lire ces trucs, toi ? demandai-je à Mylo.

J'étais capable de déchiffrer les messages écrits en chinois, mais les autres…

— Je parle plein de langues, cependant je ne maîtrise que notre alphabet.

— La poisse…, grommelai-je.

Je poursuivis mon exploration. À force de ne rien trouver d'intéressant, je commençais à me sentir coupable.

Qu'est-ce que j'étais en train de fabriquer ? Je fouillais le téléphone d'un garçon qui me plaisait parce que… Pourquoi, au juste ? Parce qu'il m'avait attendue devant un musée ? Parce que ma tante m'avait suppliée de m'en méfier ?

J'avais soudain très envie de me débarrasser de ce portable.

— Rien à signaler, décrétai-je en tendant le téléphone à Mylo. Tiens, envoie tes doigts d'honneur à qui tu veux.

— Mmmh.

Mylo ne prit pas l'appareil. Il toucha juste l'écran avant de repousser mes mains.

— On peut juger quelqu'un d'après sa relation avec sa mère, tu ne crois pas ?

Mylo avait ouvert une discussion ; au point où j'en étais, autant la lire. Il me fallut un moment pour comprendre ce que j'avais sous les yeux. Je m'attendais à tout, sauf à ça. Mes échanges avec Maman et Tatie étaient constitués de petits messages idiots et de requêtes en tout genre (elles avaient souvent la flemme de se lever du canapé). Et au milieu de tout ça, quantité de « Bonne nuit » et de « Je t'aime ». Ce que je découvrais était… étrange.

La plupart des textos avaient été écrits par Devroe. Chaque soir, il envoyait un seul mot : « Vivant. » Des coches bleues confirmaient que sa mère avait lu ces messages. Elle ne lui répondait pas toujours, et quand elle le faisait, c'était parfois une semaine plus tard. Mais il ne s'agissait pas de véritables textos ; c'était de courtes suites de chiffres.

— Ah ! oui, c'est minimaliste, souffla Mylo. Et moi qui trouvais mes parents taciturnes…

« Taciturnes ». Il s'était vraiment cultivé, depuis le musée.

— Ça doit être une sorte de code.

— Pourquoi sa mère lui enverrait des messages cryptés ?

Cette fois, j'étais fascinée.

Un peu plus calme mais déterminée à en savoir plus, j'ouvris la galerie photo. Il y avait peut-être un indice caché quelque part, une clé qui me permettrait de décoder les discussions entre Devroe et sa mère.

Malheureusement, la galerie était presque vide : il n'y avait que deux clichés. Le premier avait été téléchargé. On y voyait un jeune garçon à la peau brune et aux cheveux touffus, en short et chemise. Il souriait de toutes ses dents. Il ne devait pas avoir plus de neuf ou dix ans, mais ses longs cils et ses lèvres bien ourlées laissaient deviner le bel homme qu'il deviendrait un jour.

Devroe. Le petit Devroe.

Derrière lui, il y avait une femme assise sur un banc de pierre, dans une posture d'une élégance presque angélique. Elle avait la peau plus sombre que celle de Devroe et de longs cheveux lisses. Son sourire n'était pas aussi… électrique. Un petit côté Mona Lisa. De toute évidence, je faisais face à la mère insaisissable de Devroe.

— Hé ! C'est moi, ou ils sont dans un cimetière ? s'étonna Mylo.

Il tapota deux fois l'écran pour zoomer sur l'arrière-plan. Comme l'image avait dû être importée depuis un vieil appareil photo, elle était pixelisée. Mais on pouvait distinguer de la pelouse et quelques stèles dressées.

Je faillis frissonner. Une photo de famille dans un cimetière… Voilà qui était intrigant.

Je fis glisser mon doigt sur l'écran pour passer au cliché suivant.

Celui-ci n'était pas moins déroutant.

C'était une feuille de papier à lettres jauni, qui semblait très ancienne. Fragile. Par endroits, le papier avait fini par boire l'encre du texte. Malgré tout, je devinais qu'on en avait pris le plus grand soin.

Je retenais mon souffle. Mon cœur se mit à tambouriner ; je savais qu'il s'agissait de la lettre dont

Devroe m'avait parlé dans le train. Celle que son père lui avait laissée.

Je me tournai vers Mylo. J'espérais qu'il allait m'ordonner d'éteindre le téléphone. Mais il était déjà en train de lire la lettre. Ma dernière chance s'était évanouie.

Mon fils,

Fils. Comme ce mot me semble étrange. Je n'aurais jamais cru en avoir un un jour. Mais maintenant que tu es sur le point de naître, je ne pourrais plus m'en passer. Je te donne peut-être l'impression de ne pas être heureux. Pourtant, je ne pense pas l'avoir jamais été autant. Ce qui est ironique, après tout ce qui est arrivé. Bien souvent, le meilleur survient quand on s'y attend le moins. Souviens-t'en.

J'aimerais t'appeler par ton prénom, sauf que je ne le connais pas encore. Diane, ta mère, m'a demandé de le choisir. Ne lui dis rien, mais ça m'angoisse beaucoup. C'est très important, un nom ; parfois, c'est la première chose qu'on révèle de soi. J'en ai conscience. Je vais m'efforcer de trouver quelque chose de bien.

Les habits aussi, c'est important. Ils reflètent l'estime que tu as de toi-même, alors tu devrais toujours chercher à faire bonne impression. Montre aux gens que tu as de la valeur. (Si ta mère te surprend avec une cravate à clip, elle te méprisera pendant une semaine. Crois-en mon expérience.)

Quoi d'autre ? Ne sois pas têtu, sauf quand il le faut vraiment. Dans ce cas, montre-toi intraitable.

Comporte-toi en gentleman en toutes circonstances. Le charme t'ouvrira plus de portes que la brutalité. Si un jour tu tombes amoureux (mais rien ne t'y oblige) de qui que ce soit, assure-toi qu'il s'agit de quelqu'un avec qui tu peux être toi-même. Rien n'est plus dangereux que d'aimer la moitié d'une personne. Et je te conseille de viser quelqu'un comme ta mère. Ce n'est pas pour me vanter, mais j'ai plutôt brillé sur ce coup-là.

À ce propos ; ta mère a besoin de toi. Fais tout ce qu'elle te demande.

J'essaierai de t'écrire une autre lettre. J'espère te rencontrer, que ce soit dans cette vie ou la suivante.

Papa

Je déglutis avant de retourner le téléphone. Les yeux me picotaient.

— Ça va ? me lança Mylo en me touchant la main.

— Ouais, c'est juste que…

Que cette histoire me rappelait un peu la mienne.

J'avais été très en colère contre Devroe. Mais depuis que j'avais lu cette lettre, ce n'était plus du tout le cas. Il n'était qu'un gosse qui luttait contre ses démons.

Exactement comme moi.

Chapitre 30

Le lendemain, les heures défilaient à toute allure. Et je ne parvenais pas à mettre la main sur mon bracelet météore.

Avec Mylo, nous avions longuement discuté avec les manifestants. Leur porte-parole s'était fait un plaisir de nous exposer sa théorie innovante : encourager les principaux musées à créer des franchises à l'international pour y montrer des répliques de leurs pièces de collection ; le faux sarcophage en était un exemple. Il leur restait à convaincre des financeurs. Nous avions pris quelques tracts et fait un don conséquent à leur association.

Ensuite, j'avais révisé l'emplacement de toutes les sorties de l'hôtel pour m'éviter de penser à la lettre du père de Devroe et à ma honte d'avoir fouiné à ce point dans sa vie. Plus j'y réfléchissais, plus je mesurais combien j'avais dépassé les bornes. S'il apprenait ce que j'avais fait, il ne me le pardonnerait jamais.

J'étais en train de mettre la suite sens dessus dessous pour trouver mon arme. Mon filet de sécurité.

Rien.

De rage, je jetai mon sac à dos par terre après en avoir fouillé chaque compartiment pour la troisième fois. Aussi ironique que cela puisse paraître, je suis comme tout le monde : je déteste me faire voler une chose à laquelle je tiens. Surtout quand je sais qui me l'a prise et que je ne peux rien y faire.

J'écrivis un texto à Devroe. La veille au soir, Mylo était allé le voir pour s'excuser, et il en avait profité pour remettre son téléphone dans sa poche. Il ne semblait pas s'être rendu compte de sa disparition.

Où es-tu ? Où est mon bracelet ?

Pas de réponse. Mais mon message était indiqué comme lu.

J'eus envie de hurler dans un oreiller. Comme j'étais seule, je ne me privai pas.

Je m'assis dans le salon, les bras croisés. Devroe finit par rentrer. Il portait une housse à vêtements sur une épaule et au moins trois sacs en papier de couleurs différentes à la main. Je fis mon possible pour ne pas penser à la photo du petit Devroe.

Il referma la porte de la chambre.

— Tu m'attendais ? Tout va bien, je suis là.

— Ce n'est pas toi que j'attendais, répliquai-je en agitant mon poignet. Je sais que tu me l'as pris. Je t'avais pourtant bien dit que je voulais l'avoir avec moi ce soir.

— Et moi, je t'avais dit qu'il n'était pas adapté à la situation.

Il me passa devant pour rejoindre la salle de bains.

Je le suivis jusqu'à la porte, où il suspendait ses sacs sur l'un des crochets libres. Je pris une profonde inspiration.

— Tu fais ça pour…

Était-il au courant ? Je devais tout lui avouer. C'était le moment d'être honnête.

Il me regarda dans le miroir tout en déboutonnant sa chemise.

— Pour ?

Je me défilai. Ce n'était qu'un petit mensonge sans importance.

— Rien.

Je refermai la porte.

#

Des deux robes qu'avait choisies Devroe, celle que j'allais porter ce soir-là était ma préférée. Elle était d'un rose doré éblouissant. Bien que moulante, elle n'entravait pas mes mouvements. Malgré mes hauts talons, je me sentais aussi vive et lumineuse qu'un feu follet. Et grâce à la fermeture Éclair dissimulée sur le côté de la robe, je pouvais l'enfiler sans devoir appeler Devroe à l'aide. Ce n'était peut-être pas nécessaire (en fait, je savais très bien que ça ne l'était pas), mais je décidai d'envoyer une photo de moi à Tatie. Elle répondit avec une nuée de smileys aux yeux en forme de cœur, très vite suivie d'un second message m'intimant de rester concentrée, d'être prudente, et patati et patata. Sa réaction me fit sourire. Même elle s'était d'abord laissé distraire par tout ce strass.

Quand Devroe ressortit de la salle de bains en costume, je fis mon possible pour évacuer l'électricité ambiante. Dans son regard, je crus lire un désir qui faisait écho au mien. Je me persuadai qu'il s'agissait simplement de l'excitation générée par notre mission imminente.

— Voilà, c'est l'heure. Où est mon bracelet météore ?

Devroe vacilla presque, comme s'il avait espéré m'entendre dire autre chose. De la poche de sa veste il sortit une fine boîte en argent entourée d'un nœud brillant. Quoi, il avait emballé mon bracelet ? Sacré sens de la mise en scène.

— Je t'avais bien dit que je te le rendrais.

Je lui arrachai la boîte des mains et je tirai sur le nœud.

— Tu ne peux pas m'offrir ce qui m'appartient déjà.

J'ôtai le couvercle. Quand je découvris ce qui se cachait dans la boîte, j'en restai pétrifiée. C'était un objet très familier, et pourtant différent. Bien plus beau.

Il avait remplacé mon vieux bracelet en argent par un nouveau en or rose. Il semblait sortir tout droit de la dernière collection de Tiffany. Un de ces bijoux dont le stock s'écoule en quelques minutes malgré son prix exorbitant.

Je soulevai une à une les chaînettes hors de la boîte. Elles brillaient de mille feux. Devroe prit mon poignet entre ses doigts pour m'aider à le passer.

— Pour que tu puisses porter ton arme ce soir, il fallait l'adapter aux circonstances. (Je savourai la chaleur de sa peau quand il mit en place la bille de métal.) Maintenant, tu ne donneras plus l'impression de sortir d'une réunion de ton club de motards.

J'en avais des palpitations. Désormais, c'était bien plus qu'une arme. Grâce à lui, mon vieux compagnon était devenu magnifique.

Je ne savais pas quoi dire. Comment avait-il su que son cadeau me plairait tant ? On ne m'avait jamais rien offert de pareil.

Je ne pus m'en empêcher : je me jetai sur lui pour l'enlacer. Il se tendit ; je devais me ressaisir. Mais c'est alors qu'il éclata de rire et me serra contre lui à son tour. Je pouvais sentir la chaleur, la puissance et la douceur de ses bras sous le tissu velouté de sa veste. Il dégageait un parfum d'épice et de cannelle que je savourai sans retenue. C'était un moment d'une grande intimité, et pourtant j'avais la sensation de l'avoir déjà vécu un millier de fois.

— Aujourd'hui, je n'exige rien en échange, décréta-t-il.

Je m'écartai de lui en levant les yeux au ciel. Il rajusta son col avec un demi-sourire.

— À propos d'hier soir… Je n'aurais pas dû m'énerver comme ça. Un ami m'a appris que les cadeaux étaient les meilleures des excuses, alors je te demande de bien vouloir accepter les miennes.

On aurait dit qu'il retenait son souffle. Était-ce moi qui le troublais ainsi ?

— Pourtant, tu ne m'as rien fait, à moi.

Après tout, c'était auprès de Mylo qu'il aurait dû s'excuser. Même si, depuis que j'avais lu la lettre dans son téléphone, je comprenais beaucoup mieux ce qui l'avait mis en colère.

— Je ne parle pas de ça, clarifia-t-il. Je n'aurais pas dû te crier dessus quand nous sommes rentrés. La confiance, ça se mérite, je le sais. Tu avais raison ; je ne suis pas habitué à devoir me donner tant de mal pour arriver à mes fins, mais j'ai l'intention de persévérer. Sauf si tu ne veux vraiment, vraiment pas me laisser faire.

Je fis courir mes doigts sur les chaînettes du bracelet. C'était l'occasion rêvée, et je savais qu'il était sérieux. Il était prêt à cesser de flirter avec moi. À renoncer à ce petit jeu. Il me suffisait de le lui demander. Si j'avais été plus futée, j'aurais accepté son offre. Au lieu de quoi…

— Je t'ai volé ton téléphone, hier soir, balbutiai-je. Je t'ai volé ton téléphone, et je me suis servie de l'appareil de Kyung-Soon pour le pirater. J'en ai profité pour fouiller à l'intérieur parce que je me méfiais de toi et… voilà. Je suis désolée.

J'étais en apnée. Devroe me dévisageait sans ciller.

— Tu as fouillé mon téléphone… et qu'est-ce que tu y as trouvé ?

Je détournai le regard en me frottant le bras.

— Plein de discussions dans des langues bizarres et quelques autres trucs. Mais ça n'a pas d'importance. Ce qui compte, c'est que je suis désolée. Je commence à comprendre que j'ai tout un travail à faire sur moi-même, et, pour être honnête, je ne te fais toujours pas confiance même s'il est bien possible que j'en aie envie. Il faut que tu aies ça en tête, si tu tiens vraiment à garder espoir.

Devroe se détourna un instant.

Un instant qui dura une bonne minute.

— Tu me détestes, maintenant.

Je savais que j'aurais mieux fait de me taire. Depuis quand les gens comme moi gagnaient-ils à être sincères ?

— Eh bien… je ne suis pas aussi fâché que je le voudrais, finit-il par avouer.

— Donc… tu es fâché ?

Il laissa échapper un rire avant de se tourner de nouveau vers moi.

— Tu ne peux pas t'empêcher de voir le pire côté des gens, hein ?

— Je travaille là-dessus.

Devroe soupira.

— Écoute, notre petit jeu me plaît, je te l'ai déjà dit. Je ne peux pas faire comme si je ne savais pas où je mettais les pieds. Et puis, moi aussi, je t'ai volé un objet, après tout.

J'effleurai mon bracelet amélioré. Présenté ainsi, on aurait dit que je n'avais pas dépassé les bornes.

Il m'offrit son bras replié.

— Est-ce qu'on est quittes ?

Il avait accepté mes excuses. Je n'étais pas sûre de le mériter.

Je glissai mon bras dans le creux du sien.

— On est quittes.

Chapitre 31

Dans la salle de bal, il y avait beaucoup de gens puissants, et l'argent semblait omniprésent.

Je fus de nouveau frappée par les dimensions invraisemblables de la pièce. Malgré l'estrade et les rangées de chaises et de tables bien espacées, elle me semblait deux fois plus vaste que la veille. Mais peut-être était-ce dû au fait que j'étais censée y surveiller quelqu'un.

J'avais dû me résigner à quitter Devroe. J'aurais adoré passer la nuit à son bras (qui aurait cru que j'allais finir par avouer une chose pareille ?), mais il avait une héritière à séduire. Quant à moi, je devais droguer quelques innocents.

Sans doute pour jouer le jeu jusqu'au bout, il avait déposé un baiser sur ma joue avant de s'éloigner.

— Amuse-toi bien, ma reine.

Ma reine. Pourquoi ces mots m'avaient-ils semblé si tendres et émouvants ?

En priant pour que personne ne remarque mes joues en feu, je le regardai disparaître au loin. J'étais seule face à ma lourde tâche.

Je restai un moment près de l'entrée, puis je consultai notre groupe de discussion. Mylo et Kyung-Soon étaient en route vers l'endroit où ils prévoyaient d'intercepter l'équipe de sécurité minable de Mme Fazura, une fois qu'elle aurait acheté le sarcophage.

Après avoir glissé mon téléphone dans ma pochette, je fis semblant d'ajuster mes tresses à l'aide d'un miroir de poche. En vérité, j'en profitais pour tenter de repérer des gens déjà entrevus la veille. Dans le même temps, j'attendais que les employés chargés de filtrer les entrées annoncent un nom en particulier.

— Sanbury, déclara une femme.

C'est elle.

Je me servis de mon miroir pour étudier ma cible. Elle ne passait pas inaperçue. C'était une femme éblouissante habillée en noir de la tête aux pieds. Contrairement à quatre-vingt-dix-neuf pour cent des invitées, elle ne portait pas de robe, mais un tailleur noir uni assorti à des chaussures aux talons aiguilles minimalistes. Sa chevelure striée de mèches grises était maintenue en arrière par une pince toute simple. Elle semblait sur le point d'aller au bureau plutôt qu'à une soirée sélecte. Mais peut-être que, pour elle, il s'agissait réellement d'un travail ; j'étais d'ailleurs dans la même situation. Elle avait une mallette à la main. Je ressentis une drôle de sensation quand elle s'engagea dans la salle de bal avec autant d'aisance que s'il s'agissait d'un simple déjeuner d'affaires. Elle n'avait donc aucun scrupule ?

D'accord, j'étais mal placée pour donner des leçons de morale. Mais nos situations n'étaient pas tout à fait comparables. Je cherchais à sauver ma mère, pas à augmenter les profits de quelque musée déjà richissime.

Lorsqu'elle passa près de moi, son air déterminé me sauta aux yeux. Je la suivis de loin. À quelle table allait-elle s'asseoir ? Elle était en avance ; une grande partie des sièges étaient encore disponibles.

Sans s'arrêter pour discuter avec qui que ce soit, elle continua tout droit, jusqu'à l'une des tables disposées devant l'estrade. Elle voulait être au cœur de l'action. Sans hésiter, elle suspendit sa mallette au dossier de sa chaise avant d'écrire un court message sur son téléphone. Pour dire à ses employeurs qu'elle était bien arrivée ?

Elle se plongea ensuite dans la lecture du programme des enchères. Je m'approchai d'elle.

— Bonsoir, lui lançai-je avec un grand sourire. Est-ce que cette place est libre ?

Elle semblait sur le point de me faire signe que oui quand quelque chose dans mon dos détourna son attention.

— Non, je regrette, répondit une voix. Mais je suis prête à me décaler, si vous voulez.

Je me figeai.

Impossible.

Je me retournai. Noelia portait une robe de soirée blanche et argentée splendide, qui donnait à cette diablesse une allure angélique. Son visage encadré de boucles folles inspirait la confiance. Enfin, si on faisait abstraction de son regard de glace. Elle avait voulu me déstabiliser, et elle y était parvenue.

— Qu'est-ce que tu fais là ? je ne pus me retenir de glapir.

Elle s'assit à côté de la femme qui représentait le British Museum, et je pris place de l'autre côté, à regret. Mon cœur battait à tout rompre. Où était passé Devroe ? L'avait-il croisée ? Ses complices étaient-ils là, eux aussi ? J'inspectai rapidement les environs, sans reconnaître personne.

— Je suis venue participer aux enchères, me répondit enfin Noelia.

Son ton mielleux donnait l'impression que nous étions amies. Elle allait me rendre folle.

— Mais je vais peut-être me contenter de regarder, poursuivit-elle. Je ne pense pas me lancer dans des sommes à neuf chiffres…

À ces mots, elle pencha la tête vers ma cible.

Pourquoi avait-elle fait ça ? Était-elle au courant, pour le British Museum ? Comment serait-ce possible ? Ils devaient avoir un plan, mais… lequel ?

Cesse de paniquer, Ross. Réfléchis.

Ce n'était pas le moment de lui crier dessus. Je hochai la tête poliment avant d'appuyer mon menton sur le dos de ma main.

— Et tes amis ? Ont-ils prévu de venir, eux aussi ? Noelia fronça les sourcils.

— Je ne vois pas de qui tu veux parler.

Hum.

— Mais c'est la petite Boschert ! s'écria une voix à l'accent français prononcé.

Un homme imposant fonçait droit sur nous, sourire aux lèvres. La femme qui l'accompagnait avait bien quinze ans de moins que lui.

Je sentais que Noelia était contrariée, mais elle n'en laissa rien paraître.

— Monsieur Lusk ! s'exclama-t-elle.

Elle se leva d'un bond pour déposer un baiser sur la joue du nouveau venu.

— Nous ne vous avions pas vue entrer, ma chère, dit la femme.

— Qu'est-ce que tu fais là, d'ailleurs ? s'étonna Lusk. Je croyais que cette vente était réservée aux plus de vingt et un ans…

— S'il vous plaît, ne me dénoncez pas, chuchota Noelia en posant un doigt sur ses lèvres.

La femme laissa éclater un rire cristallin.

Mais de son côté, l'homme semblait soucieux. Il regardait Noelia d'un air presque paternel. Même s'il parlait à voix basse, j'entendis très bien la suite.

— Pas étonnant que tu te sois fait bannir de cet hôtel. Tu dois apprendre à respecter les règles, Noelia.

Sa compagne lui donna une tape sur le bras.

— Allons, chéri, laisse-la donc tranquille. À son âge, tu faisais bien pire, je te rappelle.

— Merci d'avoir arrangé la situation, susurra Noelia. Je vous jure qu'il ne s'agissait que d'un malentendu.

Elle semblait mal à l'aise. Était-ce dû au fait de parler à ces gens devant la femme du musée et moi ? Elle devait se douter que je ne perdais pas une miette de cette discussion. Elle devait être sacrément désespérée, si elle avait fini par s'abaisser à faire appel aux amis de ses parents pour déjouer notre piège.

L'homme hocha la tête, peu convaincu.

— Tu viens t'asseoir avec nous ? Nous avons une table privée vers le fond.

— Non, je tiens à voir ça de près. Mais je vous remercie. Pour tout.

— Que dirais-tu de rendre visite aux garçons, le mois prochain, pour les journées portes ouvertes de Hauser ? D'après eux, tu manques beaucoup à Nicholi, et…

— J'en serais ravie, le coupa-t-elle. J'espère que ce sera possible.

Noelia cherchait à mettre un terme à la conversation à grand renfort de sourires. Elle finit par atteindre son but. Ils s'embrassèrent, puis les amis de Noelia se frayèrent un chemin à travers la salle de bal désormais bien remplie.

Avec un petit soupir, Noelia se rassit. J'allais peut-être pouvoir utiliser la situation à mon avantage.

— Décidément, tu connais tout le monde, lançai-je en me tournant vers le couple qui s'éloignait. Tu devrais aller les rejoindre. Qui sont ces gens ? D'anciens collaborateurs ?

Elle perçut parfaitement la menace cachée derrière ma question. *Si tu n'abandonnes pas la partie, je pourrais leur apprendre que ta famille cherche à les arnaquer d'une manière ou d'une autre.* Était-ce un coup dans l'eau ? Ce n'était pas impossible. Après tout, il pouvait aussi bien s'agir d'anciens clients des Boschert, mais vu le comportement très « ado lambda » qu'avait adopté Noelia en leur présence, j'étais prête à parier le contraire.

Si ses lèvres n'avaient pas frémi, j'aurais pu croire que mon allusion l'avait laissée indifférente. Noelia était très douée pour masquer ses émotions.

— Avec qui es-tu venue ? me questionna-t-elle en regardant par-dessus son épaule.

J'attrapai ma pochette et me levai sans lui répondre.

— Pourriez-vous me garder ma place, s'il vous plaît ? demandai-je à ma cible.

La femme hésita. Elle était là pour travailler, pas pour surveiller le siège de sa voisine.

— Bien sûr, concéda-t-elle néanmoins.

Noelia me fit coucou de la main tandis que je filais me réfugier dans un coin de la salle. Je voulais pouvoir utiliser mon portable discrètement tout en la gardant à l'œil. J'écrivis un message à mes partenaires.

Noelia est là !!

Où était passé Devroe ?

Je le trouvai enfin. Il était à l'autre bout de la pièce, en train de consulter son téléphone.

Kyung-Soon : Hein ? Toute seule ? Et les autres ?

Mylo : On les avait bannis… Ils ont pris une fausse identité ?

Je répondis à toute vitesse :

Vu qu'elle. Ms les autres st sûrement là aussi.

Une fois de plus, j'inspectai la foule dans l'espoir de repérer Taiyō, Adra ou Lucus. Cela dit, si Lucus avait été dans les parages, j'aurais dû ressentir un frisson dans le dos. Je ne vis personne.

Devroe : Elle est où ?

Premier rang, troisième table à partir du mur est.

J'appuyai sur « Envoyer », puis je tapai frénétiquement un nouveau message.

Tu fais quoi ?

Trois petits points dansaient sur mon écran. Devroe était en train de me répondre.

Vais voir de plus près. Faut pas la lâcher.

Devroe s'approchait de la table où je m'étais assise quelques minutes plus tôt. Noelia était en pleine discussion avec un autre invité.

Où était le reste de sa Team ? De nouveaux convives arrivaient sans cesse. C'était un concert de rires étouffés et de verres qui s'entrechoquaient. Cette mer de robes de satin et de costumes ne me facilitait pas la tâche, d'autant que j'avais affaire à des experts en dissimulation.

Je détestais cette situation. Ne pas avoir toutes les cartes en main. Me savoir à la merci de mes ennemis. C'était certainement l'objectif des Organisateurs. Un suspense insoutenable. Peut-être qu'ils voulaient surtout voir comment nous supportions la pression.

Alors ils n'hésitaient pas à mettre de l'huile sur le feu.

Mon téléphone vibra de nouveau.

Ce n'était pas Devroe. Ce n'était même pas un message de mes partenaires. Il avait été envoyé par un numéro que je ne connaissais désormais que trop bien.

Épreuve bonus ! Vous n'avez sans doute pas oublié la mission du train ? Cette fois, nous avons décidé de ne pas vous dire tout de suite quelle pénalité sera infligée aux perdants. Chambres 2410 et 2310. Nous aimerions avoir accès à certains documents informatiques. Vous avez 30 minutes.

Surtout, ne vous faites pas prendre 😊

Comme si ce n'était pas déjà assez compliqué comme ça... Nous nous retrouvions embarqués dans une quête secondaire, juste pour éviter d'être pénalisés.

Je regardai où en était Devroe. Il n'allait pas falloir trop compter sur lui : il s'était lancé dans une grande conversation avec Mme Fazura.

Cette histoire de pénalité ne changeait rien à l'affaire : nous devions toujours mettre la main sur le sarcophage. Il fallait que l'un d'entre nous veille au bon déroulement des enchères, surtout maintenant que la Team Noelia traînait par là.

C'était donc à moi de jouer.

Noelia s'activait, elle aussi. Elle était en train d'envoyer un message. Elle m'avait battue au musée. Je l'avais battue dans le train. Il y avait un partout, et j'étais bien décidée à prendre l'avantage.

Plus que trente minutes avant le début des enchères. Si je gagnais la mission surprise, la pénalité nous procurerait certainement un sérieux bonus pour la troisième épreuve.

Je fis mon possible pour quitter la salle au plus vite sans attirer l'attention.

Je pouvais y arriver. Même si j'allais devoir me débrouiller toute seule.

Chapitre 32

Qu'est-ce qui se passe ?
On doit revenir ?
Mylo et Kyung-Soon envoyaient des salves de messages sur notre tchat.

Non, on respecte le plan. Je m'en occupe.

Je me servis de ma pochette pour appuyer sur le bouton du trente-deuxième étage, puis je pressai une demi-douzaine de fois le bouton de fermeture. Noelia me suivait, j'en étais certaine. Mais je l'avais perdue de vue.

Génial. Je n'avais donc plus la moindre idée de l'endroit où elle et ses complices se trouvaient. C'était encore ce qui m'inquiétait le plus.

L'ascenseur s'arrêta au douzième étage. Une vieille Égyptienne vêtue d'une robe stricte assortie d'un châle en fourrure entra sans se presser. Elle inspecta son maquillage dans le miroir d'un poudrier de poche avant de le ranger dans son sac à main. Son visage m'était familier. Je l'avais déjà vue quelque part, mais où ? Lorsqu'elle descendit au quinzième étage, j'en profitai pour la bousculer légèrement. Sa réaction était si aimable que j'aurais presque pu m'en vouloir de lui avoir dérobé son poudrier au passage (si je n'avais pas eu d'autres sujets de préoccupation).

L'ascenseur s'arrêta ensuite au vingt-deuxième étage. Une petite fille à la peau brune et aux cheveux bouclés noirs entra. Elle appuya sur le bouton du tout dernier niveau en bâillant. Elle avait une fléchette en mousse plantée dans sa tignasse, au-dessus de l'oreille droite.

Sans lui prêter attention, j'ouvris le poudrier et m'adossai à la paroi de la cabine. Quand nous atteignîmes le vingt-troisième étage, mon cœur s'emballa. Je n'avais que quelques secondes pour agir.

J'orientai le miroir vers le sol. Je n'avais pas besoin de voir les numéros affichés sur les portes pour savoir que la chambre 2310 se trouvait juste en face de moi. Elle était gardée par deux vigiles aux aguets malgré leur ennui évident. Décidément, nous ne pouvions pas faire un pas sans tomber sur des gardes, ces derniers temps.

— Vous ne descendez pas ? s'étonna la fillette alors que les portes se refermaient.

— Non, je me suis trompée. Je vais au vingt-quatrième. Est-ce que tu veux bien appuyer sur le bouton pour moi ?

Elle me lança un regard suspicieux, mais elle s'exécuta. Je détournai son attention en lui signalant qu'elle avait une fléchette dans les cheveux. Elle s'appliqua à la retirer.

Je réutilisai l'astuce du miroir à l'étage du dessus ; cette fois encore, la porte était sous surveillance. Je refermai le couvercle du poudrier en soupirant. J'aurais peut-être dû accepter l'aide de Mylo et Kyung-Soon. Mais, même s'ils m'avaient rejointe, ce qui n'aurait pas été une très bonne idée, qu'auraient-ils pu faire ? Mylo aurait distrait les gardes avec un tour de cartes pendant que Kyung-Soon et moi nous serions glissées à l'intérieur ?

Il y avait forcément un moyen plus malin de s'introduire dans les chambres 2410 et 2310. On n'avait pas pu nous confier une mission impossible.

Ces chiffres tournaient dans ma tête : 2410, 2310. Je n'avais même pas besoin de visualiser les plans de l'hôtel pour savoir que la 2410 se trouvait juste au-dessus de la 2310.

Eurêka ! Ce n'était pas par l'entrée, qu'il fallait passer.

Les portes commençaient tout juste à se refermer quand j'entendis celles de l'autre ascenseur s'ouvrir. Noelia en sortit. Elle tenait une carte magnétique, comme si elle s'apprêtait à rejoindre une chambre. Elle se retourna et m'aperçut. Je me jetai sur le bouton de fermeture rapide, mais elle bloqua les portes d'une main.

— Tiens, où est-ce que tu vas ? lança-t-elle, comme si nous étions deux amies ravies de nous croiser par hasard. C'est bien ton étage, non ?

À quoi jouait-elle ? Dans son dos, je pouvais distinguer les gardiens de la chambre 2410. Elle cherchait peut-être à attirer leur attention sur moi.

— Non, pas du tout, grommelai-je.

— Ah ? Désolée, alors, répondit-elle avant de remarquer la fillette toujours occupée à fouiller sa chevelure. J'espère que vous allez gagner, cette fois, chuchota-t-elle tandis que les portes se refermaient.

— Qu'on va encore gagner, tu veux dire, m'étranglai-je.

— Oui, oui.

J'écrasai le bouton du vingt-cinquième étage. La petite fille ne commenta pas mon comportement incohérent.

Ce niveau était désert, et personne ne surveillait la chambre 2510. Après avoir rapidement inspecté les alentours, je frappai à la porte. Pas de réponse. Je sortis l'une de mes cartes de crédit pour m'attaquer à la serrure. Je n'ai jamais beaucoup aimé les verrous magnétiques ; je dus m'acharner près de trente secondes pour en venir à bout. Je me glissai à l'intérieur, puis je fermai la porte à double tour.

Je me trouvais dans un salon coquet qui donnait sur au moins deux petites chambres à coucher. Deux chambres ? Un luxe que nous aurions apprécié, mais de toute évidence, de tels avantages se méritaient.

J'allai sur le balcon. Lorsque je regardai vers le sol, un mélange toxique d'excitation et de stress s'empara de moi. On aurait dit que le vent cherchait à m'offrir un aller simple vers le bitume.

Mais la chambre 2410 était à peine trois mètres plus bas, et la 2310 devait se situer juste en dessous.

Les lumières étaient éteintes. Il n'y avait sans doute personne.

Je retirai mes chaussures en m'encourageant. *Ce n'est qu'un petit saut de trois mètres, tu peux le faire les yeux fermés. Il suffit de faire abstraction des quelque cent cinquante mètres supplémentaires.*

Je retournai dans la chambre. Sur la table basse, je repérai un bouquet de fleurs dont les tiges étaient maintenues en place par des billes transparentes. J'en attrapai une et la laissai tomber sur le balcon de la 2410. Si quelqu'un se trouvait dans la suite, il allait forcément l'entendre. Et s'il sortait pour en savoir plus, je n'avais pas intérêt à sauter.

Aucune lumière ne s'alluma.

Je devais le faire. Pour Maman.

Lorsque je jetai mes chaussures sur le balcon inférieur, je pus mesurer combien mes mains étaient moites. Je coinçai ma pochette entre mes dents avant de relever ma robe pour enjamber la rambarde. Au moins, cette façade de l'hôtel donnait sur le désert. Tant qu'à m'écraser au sol, j'aimais autant ne pas le faire en public.

Dans un coin de ma tête, j'imaginais Maman à ma place. Elle n'aurait pas hésité un seul instant.

Déterminée à suivre son exemple, je me jetai dans le vide.

J'atterris sur le balcon sans un bruit. Quelques mèches s'échappèrent de mon chignon. J'avais bien failli laisser tomber ma pochette. Un sentiment de fierté m'envahit. Je savais que j'en étais capable.

La chambre 2410 était identique à la 2510. Les mêmes pièces, les mêmes meubles et le même minibar. Mais elle était nettement moins en ordre. Des vêtements recouvraient les tables et le dossier des chaises. Il y avait des piles d'assiettes sales dans tous les coins. Lorsque je jetai un œil dans l'une des chambres, je constatai qu'une tour de serviettes roulées en boule s'élevait jusqu'au plafond. Pas de doute : personne n'était venu nettoyer la chambre depuis un bon bout de temps.

Ceux ou celles qui l'occupaient n'avaient aucune envie d'avoir de la visite.

Je m'approchai de la porte d'entrée à pas de loup pour regarder à travers le judas. Les gardes étaient toujours à leur poste.

Plus que vingt et une minutes.

Un ordinateur. Je devais trouver un ordinateur. L'Arbitre avait eu la bonté de préciser qu'elle cherchait des documents informatiques.

Une rapide inspection des lieux me convainquit qu'il n'y avait là ni portable ni tablette. Logique : quelqu'un qui fait surveiller sa suite par des vigiles ne va pas laisser ses biens les plus précieux en évidence. Et c'est bien parce que la plupart des gens craignent de se faire voler leurs affaires que les hôtels mettent des coffres à leur disposition.

Je m'introduisis dans la chambre principale. Dans notre suite, le coffre était dissimulé derrière une petite commode tout près de la salle de bains.

Bingo.

Je m'agenouillai devant le gros coffre noir et argenté qui faisait presque la moitié de ma taille. Des chiffres verts s'affichaient sur un clavier logé au centre de la porte.

Quand j'aurais gagné le Trophée, j'allais pouvoir me spécialiser dans le piratage de pavés numériques.

J'étudiai les touches de près. Certaines étaient un peu plus usées que les autres, notamment le zéro et le un, mais il s'agissait d'un coffre d'hôtel, pas d'un coffre personnel. Le code devait être changé à intervalles réguliers.

Lorsque je m'assis, ma main effleura le rebord d'une assiette sale posée par terre. J'avais du ketchup plein les doigts.

— Berk !

Je me précipitai dans la salle de bains pour me nettoyer.

Des doigts collants ? Hum…

J'examinai le lavabo. Les hôtels comme le Pyramid offrent toujours dix fois trop d'échantillons gratuits. Avec un peu de chance, il y aurait du…

Je trouvai un pot de talc au fond d'une trousse de toilette.

Allez, M. Crado ne doit pas se laver les mains bien souvent.

Je versai un peu de poudre dans ma paume, puis la soufflai sur le clavier. Le petit nuage blanc recouvrit les chiffres verts. Après m'être époussetée, je soufflai de nouveau, cette fois directement sur le clavier. La poudre s'envola, sauf sur quatre touches.

J'avais envie de crier de joie.

0, 1, 2, 4. On pouvait générer vingt-quatre combinaisons différentes à partir de ces quatre chiffres. J'avais le choix entre les essayer toutes à tour de rôle, ou…

2410.

L'écran s'illumina, et la porte s'entrouvrit.

Bien joué, gros malin.

Le coffre comportait deux étagères. Sur celle du bas s'étalaient au moins dix liasses de billets égyptiens et, tout au fond, un ordinateur.

Le capot du portable était noir et mat avec des finitions argentées pareilles à du mercure liquide. Un appareil high-tech. J'avais des fourmis dans les doigts. J'avais soudain très envie d'avoir un nouvel ordinateur. Pourquoi pas *cet* ordinateur ?

Sur l'écran s'afficha une demande de mot de passe, en vert sur fond noir. Celui-ci s'annonçait plus long et plus complexe que le précédent. Je me mordis le bout de l'index. C'était le moment d'appeler Kyung-Soon. Mais lorsque j'ouvris ma pochette pour y chercher mon téléphone, j'aperçus la clé USB qui avait été déposée à mon intention à la réception de l'hôtel. Je sentis mon pouls s'accélérer. Voilà à quoi elle était censée servir.

Je la connectai. Le mot de passe se compléta automatiquement, et l'ordinateur démarra. Une fenêtre pop-up apparut dans un coin.

```
Effacer le disque dur ?
Oui/Non
```

La réponse ne pouvait être que « oui ». Sinon, à quoi aurait bien pu servir cette commande ?

Que souhaitaient-ils me faire effacer ?

Je déplaçai le pop-up pour cliquer sur le dossier. L'écran clignota et le curseur prit la forme d'une croix. Je retentai ma chance sur le bouton « Démarrer ». Même résultat. Si je comprenais bien, cette clé USB n'était pas simplement destinée à supprimer tout le contenu du portable ; elle était aussi programmée pour nous empêcher d'y accéder. La poisse.

J'étais sur le point de cliquer sur « Oui » quand je me figeai.

Je fouillai dans ma pochette, au fond de laquelle je dénichai le cordon de piratage que j'avais volé à Kyung-Soon. J'avais voulu le remettre discrètement dans son sac, mais elle avait failli me surprendre.

Avec un peu de chance, cet ordinateur disposait d'un…

À l'arrière du portable, je trouvai un port USB-C tout poussiéreux. J'y branchai mon téléphone.

Temps de téléchargement : moins d'une minute. Je consultai le compte à rebours. `17 minutes`. La vente allait bientôt débuter. Je déconnectai mon téléphone et cliquai sur « Oui ». Une nouvelle fenêtre s'afficha.

`Suppression 15 ᚹ`

Pendant ce temps, je pouvais…

J'ouvris le dossier copié sur mon téléphone. Il contenait au moins vingt sous-dossiers classés par ordre

alphabétique : `Comptabilité`, `Crédits`, `Dettes`...
et d'autres plus surprenants : `Menaces`, `Messageries`
`cryptées`. Je cliquai sur ce dernier. Une liste d'adresses
e-mail apparut, dont la plupart n'étaient formées que
de chiffres et de lettres.

Notre *black box* faisait-elle partie du lot ?

Je fis défiler la liste jusqu'à la trouver. À première
vue, ce n'était qu'une suite aléatoire de caractères,
mais je l'avais apprise par cœur.

À qui pouvait bien appartenir cet ordinateur ?

Quelles autres informations les Organisateurs
cherchaient-ils à faire disparaître ?

Survoltée, je naviguai à toute vitesse entre les dossiers ; l'un d'eux me sauta aux yeux.

`Grand Jeu`
Le Trophée.

Je l'ouvris instantanément. Le dossier contenait
onze fichiers : `Boschert`, `Noelia`, `Kenzie`, `Devroe`,
`Quest`, `Rosalyn`, `Shin`, `Kyung-Soon`, `Michaelson`,
`Mylo`, `Laghari`, `Adra`, `Itō`, `Taiyō`, `Taylor`, `Lucus`,
`Antuñez`, `Yeriel`. Et deux autres noms inconnus,
écrits en rouge.

L'occupant de cette suite espionnait-il l'Organisation ? Et si c'était un membre dissident ?

Je cliquai sur le premier fichier de la liste : celui
de Noelia. Un document s'afficha. Il contenait une
adresse et un nom : `Boschert`, `Nicholi`. L'adresse
se trouvait en Europe, en Suisse. Il y avait aussi une
photo : un jeune homme aux cheveux blonds de l'âge
de Noelia. Le cliché était pixelisé, comme s'il avait été

pris de très loin. Le garçon était en train de marcher sans regarder vers l'objectif. Sans savoir qu'il était photographié.

Je frissonnai. Nicholi. Était-ce le frère de Noelia ? Le couple qui était venu lui parler tout à l'heure avait mentionné ce prénom. Pourquoi l'Organisation détiendrait-elle son adresse ? Et sa photo ?

Je décidai de consulter mon propre fichier. `Quest, Rosalyn`.

J'en eus le souffle coupé. Il contenait beaucoup plus de photos que celui des Boschert. Des portraits de Maman, de Grand-mère et Grand-père, de Tatie, de Sara, et même deux de moi. Je reconnus la coiffure que Maman s'était faite le mois dernier. Sur le cliché volé, elle était en train de descendre de l'avion de Paolo. J'avais la nausée.

Le nom de Maman était associé à un lien hypertexte. Je comptais bien en apprendre davantage.

Je fus redirigée vers un nouveau dossier.

`Anciens Trophées (2002)`

Non.

Je survolai la liste. Elle ne contenait que sept noms : `Abara, Chen, Schäfer`... et, au milieu : `Quest, Rhiannon : vainqueur`.

Sans déconner.

Pas étonnant que Maman ait entendu parler du Trophée ; elle y avait participé. Non seulement elle y avait participé, mais elle l'avait remporté. Pourquoi ne m'en avait-elle jamais rien dit ? Elle, ou un autre membre de ma famille. Peut-être qu'ils n'étaient pas au courant ? Qu'est-ce qui l'avait poussée à garder le secret ?

Et quel avait été son vœu ?

Je lus le reste des noms. Encore un Boschert. Mais cette fois, c'était Boschert, Noah. Le père de Noelia ? Je n'en reconnaissais aucun autre. Maman n'avait jamais aimé les Boschert, mais j'avais toujours cru qu'il s'agissait d'une simple guerre de territoires. Finalement, leur haine avait peut-être des racines plus profondes.

Qu'est-ce que c'était que cette histoire ? Maman n'avait jamais évoqué…

J'avais envie d'appeler Tatie. Elle devait savoir quelque chose. Et, bordel, j'avais vraiment besoin qu'on me donne des explications.

Sur l'ordinateur, la fenêtre pop-up s'agrandit jusqu'à occuper tout l'écran.

Disque dur effacé.

Puis l'écran devint tout noir.

J'arrachai la clé USB et refermai le portable. D'après les indications de l'Arbitre, je n'avais plus que quinze minutes devant moi.

Je devais décamper, et vite.

Chapitre 33

À mon grand étonnement, lorsque je connectai la clé USB à l'ordinateur de la chambre 2310, une fenêtre pop-up m'invita à copier le contenu du disque dur. Je cliquai sur « Oui », mais comme ce portable-ci n'était pas équipé d'un port USB-C, je n'allais pas pouvoir consulter les documents. Alors je profitai du délai de transfert pour étudier les fichiers de la chambre 2410 dupliqués sur mon téléphone.

J'explorai des dossiers intitulés Adresses, Clients, Contacts ou Liste principale. Le dossier Contacts contenait un tableur avec pas moins de cinq mille entrées. À partir de la centième ligne, certains numéros de téléphone étaient accompagnés de précisions du type (vice-président) ou (P-DG). Je tapai « Quest » dans la barre de recherche. Mon nom et mon numéro, tout comme ceux de Maman et de Tatie, faisaient partie du lot. Heureusement, personne n'avait ajouté de mention « (voleuses) ». La personne qui avait entré nos coordonnées avait toutefois utilisé un italique accusateur, alors l'idée était peut-être implicite.

Je me tapotai le menton, puis je composai quelques chiffres. À force de recevoir des SMS de l'Arbitre, j'avais fini par apprendre son numéro par cœur. Un résultat s'afficha : Aurélie Dubois.

Je connaissais donc son vrai nom. Un nom très français. Intéressant.

J'envoyai le fichier sur la *black box* de ma famille. Je m'attendais que l'Arbitre intervienne pour m'ordonner de tout arrêter.

Mais ça ne se produisit pas. Je pus supprimer le document de mon téléphone sans me faire repérer.

Une fois le transfert achevé, je remis l'ordinateur dans le coffre. Il ne me restait qu'à sauter sur le balcon de la chambre 2210. Aucune lumière ne s'alluma quand la bille percuta le parapet. Pour la troisième fois, je jetai mes chaussures et mordis dans ma pochette avant de me lancer dans le vide.

Après mon atterrissage, je rejetai mes tresses derrière mes épaules. Mon chignon ne ressemblait plus à rien. Il ne me restait que dix minutes. Ça s'annonçait serré.

Je ramassai mes chaussures, prête à les enfiler pour déguerpir, mais c'est alors que le rideau de la porte vitrée du balcon remua, comme agité par un courant d'air.

Sauf que le rideau était à l'intérieur et que la porte était fermée. Quelqu'un m'attendait dans le noir. Et je croyais deviner qui.

Je me dépêchai de lancer mes chaussures à l'étage du dessous avant d'enjamber la balustrade. Taiyō était vif comme l'éclair. J'amorçai mon bracelet météore, mais il n'est pas aisé de manœuvrer vingt étages au-dessus du vide. Quand j'essayai de lui donner un coup de poing sur la joue, il m'attrapa le bras, le tordit derrière mon dos et me projeta au sol.

Je tentai de me débattre, mais il tira sur mon bras tout en plantant son genou dans ma colonne vertébrale.

Le visage écrasé contre le béton froid, je m'efforçai de le regarder droit dans les yeux.

— C'est à cause de tes lunettes ? Tu n'es pas du genre à me laisser t'en offrir une nouvelle paire, j'imagine ?

Il me sembla le voir esquisser un sourire, mais c'était si fugace que je n'en étais même pas sûre.

— Ne t'en fais pas pour ça. Nous sommes quittes, maintenant.

— Qui aurait pu croire que Taiyō était si mesquin ? lança une voix.

Les talons argentés de Noelia se plantèrent à quelques centimètres de mon visage. Je me contorsionnai pour la regarder. Elle prit la clé USB dans ma pochette.

— Comment avez-vous deviné que je serais là ? Vous m'avez suivie ?

— Pas la peine. Je te connais comme si je t'avais faite. Il y a huit ans, tu adorais déjà passer par la fenêtre.

Je n'en revenais pas. Elle se souvenait de ça ? À l'époque, j'avais absolument tenu à prouver à Noelia que j'étais capable de m'introduire dans n'importe quelle chambre en grimpant au mur de notre colo. Bon, je m'étais contentée du deuxième étage. Elle m'avait juré que c'était le truc le plus dingue qu'elle avait jamais vu.

De quoi d'autre se souvenait-elle ?

Bref. De toute façon, ça n'avait plus d'importance.

Noelia dit quelque chose à Taiyō en japonais avant de lui tendre une paire de menottes qu'elle conservait dans son sac à main.

Je ricanai, de frustration plus qu'autre chose.

— Rassure-moi, tu as conscience que je vais me débarrasser de ces trucs en vingt secondes ?

— Ne t'avance pas trop.

Taiyō me força à me relever. Je voulus en profiter pour lui écraser le pied ou lui faire un croche-patte. Mais il était sur ses gardes : il tira sur mon bras de toutes ses forces.

Je dus lutter pour ne pas leur faire le plaisir de hurler de douleur. Très calmement, Taiyō me contraignit à enjamber la balustrade.

Mon cœur tambourinait dans ma poitrine.

— Attends !

Je tentais de planter mes pieds dans le sol. De ma main tordue derrière mon dos, j'agrippai la chemise de Taiyō. S'il comptait me jeter par-dessus bord sans y passer lui aussi, il allait avoir une drôle de surprise.

Il dégagea ma main, ce qui suffit presque à me faire basculer. Cette fois, je ne pus m'empêcher de crier.

— Arrête, arrête !

Oh ! bon sang, ils allaient vraiment le faire. Ils allaient me tuer.

J'étais penchée au-dessus du vide. Je tentais désespérément de glisser mes pieds entre les barreaux de la rambarde. C'était inutile. J'étais sur le point de tomber.

— Calme-toi.

Au tout dernier instant, une paire de bras pâles me tira en arrière. Au bord de la crise cardiaque, je ne voyais rien d'autre que le sol sur lequel j'avais été à deux doigts de m'écraser.

Et c'est alors que je sentis les menottes se refermer autour de mes poignets. Mes deux mains tendues derrière mon dos étaient désormais attachées à l'un des barreaux du garde-corps.

J'étais prise au piège au-dessus du précipice. Malgré mes talents de contorsionniste, je n'avais aucune chance de réussir à tirer une épingle de mes cheveux sans perdre l'équilibre. Si je tombais, j'allais forcément me disloquer les épaules et sans doute me briser les poignets.

Avec un peu de chance, je finirais même avec une ou deux mains fracturées. Alors elles glisseraient à travers les menottes et…

Oh ! non…

Je sentis qu'on m'effleurait le poignet. D'abord, je crus que Noelia s'apprêtait à me prendre mon arme, mais en fait elle détacha le bracelet truqué de Devroe.

Je voulus dégager mon bras, or, ce seul mouvement suffit à me faire vaciller. J'étais forcée de rester immobile.

— Parce qu'en plus tu vas me piquer mes bijoux ? je protestai en essayant de me tourner vers elle.

Noelia mit le bracelet et l'admira dans la lumière du soir.

— Je m'intéresse surtout à ce qu'il contient, répliqua-t-elle en me tapotant l'épaule. Ne te fais pas de souci, je vais m'occuper des envoyés du Museum à ta place.

Comment était-elle au courant ? Et qui lui avait parlé de la poudre cachée dans le bracelet ?

Grâce à un ultime effort, je parvins à apercevoir Taiyō, qui se tenait derrière elle. Il n'était pas en costume. Cette veste… On aurait dit un serveur.

L'explication me frappa comme un éclair.

— Vous… nous piquez notre plan ?

Noelia me sourit.

Oh ! les salauds. C'était bien ça.

— Mais comment vous avez fait ? bafouillai-je. On avait planqué le téléphone au fond d'un coffre. Vous n'avez pas pu nous espionner…

Je mourais d'envie de me libérer pour l'étrangler. Pour les étrangler tous les deux. J'avais deviné qu'ils comptaient nous mettre sur écoute, et nous avions tout fait pour l'éviter.

Noelia dit quelque chose en japonais et Taiyō éclata de rire. C'était la toute première fois que je le voyais si joyeux.

— Je ne t'en ai jamais voulu de m'avoir bousculé dans le train, m'expliqua-t-il. C'était l'occasion que j'attendais pour poser notre mouchard dans ta veste.

Ma veste… Celle que j'avais suspendue au dossier d'une des chaises de notre suite.

Ils nous avaient entendus planifier leur bannissement de l'hôtel, évoquer le bracelet truqué, comparer les équipes de sécurité et de transport...

Sans parler de ce qu'il s'était passé entre Devroe et moi...

Puisque Taiyō et Noelia avaient décidé de reprendre nos rôles, je savais où étaient Adra et Lucus. Ils étaient cachés à l'endroit où nous étions censés retrouver Mylo et Kyung-Soon, prêts à les attaquer par surprise.

À bord du train, Taiyō n'avait pas du tout piraté le téléphone. Il cherchait juste à... détourner notre attention. Ce qui avait très bien marché.

— Devroe ne va pas vous laisser faire sans réagir. Et mon absence va l'alerter.

— Ah ! oui, tu crois ? répliqua Noelia en agitant le bracelet de diamants sous mon nez.

S'imaginait-elle vraiment pouvoir prendre Devroe à son propre piège ?

En était-elle capable ?

Quelque chose vibra dans le sac de Noelia.

— Fin du compte à rebours, commenta Taiyō. Il faut qu'on y aille.

Noelia hocha la tête.

— Je ne sais pas comment tu vas expliquer ça aux occupants de la suite quand ils reviendront... mais essaie de ne pas glisser d'ici là.

Tandis que le bruit de ses talons s'éloignait, je ne pus m'empêcher de lui parler une dernière fois.

— Pourquoi tu m'as dénoncée, à l'école de ski ? Tu voulais venger ton père parce que ma mère l'avait battu ? Tu tiens absolument à impressionner ton papa chéri, hein ? Ou peut-être que tu as juste la trahison dans le sang…

Elle ralentit le pas.

— Tu…

Elle s'était immobilisée. Sans trop savoir pourquoi, j'imaginais qu'elle faisait la même tête que dans le musée, quand elle avait regardé Yeriel avant de l'abandonner à son sort.

— Je fais ce qu'on me demande de faire, lâcha-t-elle. Ça m'oblige souvent à faire semblant d'apprécier les gens. Mais dans ton cas, je n'ai pas eu à me forcer.

Puis elle me planta là. Une fois de plus.

Chapitre 34

J e tentai de tordre mes poignets dans tous les sens, mais cela ne faisait qu'enfoncer les menottes dans ma chair. Taiyō les avait bien serrées. Je commençais à avoir la circulation coupée. Le pire cauchemar de tout voleur.

Pourquoi n'avais-je pas laissé Tatie me déboîter les pouces ?

Je frottai frénétiquement la chaîne des menottes contre les barreaux, motivée par l'espoir absurde de découvrir une zone fragile, mais j'étais forcée de me figer chaque fois que je manquais de perdre l'équilibre. Depuis combien de temps Taiyō et Noelia étaient-ils partis ? Sans doute une poignée de minutes. De si précieuses minutes.

Je fermai les yeux. *Tu dois te libérer, Ross. Oublie que tu es suspendue à cent cinquante mètres du sol.* Peut-être qu'en m'accroupissant, je pourrais passer la tête entre les barreaux et sortir une épingle de mes cheveux.

Respirant aussi calmement qu'on peut le faire vingt étages au-dessus du vide, j'essayai de me baisser. Mais plus je pliais les genoux, plus mon propre poids me faisait basculer vers l'avant. Je sentais mes pieds glisser vers le bord de la balustrade.

Je me redressai. Vaincue.

Si je récapitulais, Devroe allait se faire droguer et les deux autres fonçaient tête baissée dans un piège.

Quelle était la probabilité que les occupants de cette chambre rentrent bientôt ? Même si j'avais le charisme de Devroe, je n'aurais aucune chance de leur fournir une justification convaincante.

Les minutes s'égrainaient. D'interminables, atroces et humiliantes minutes. Ivre de liberté, le vent dansait autour de moi en jouant avec ma robe. L'étendue de sable me rappelait de plus en plus les plages de mon île, quand les vagues étaient sur le point de les recouvrir. Sauf qu'ici, au lieu de se fondre dans la mer, les dunes s'étiraient jusqu'à l'horizon, où elles rencontraient le ciel. J'en aurais pleuré de désespoir. Je n'avais plus aucune chance de rentrer à la maison. En tout cas, je ne m'y sentirais plus jamais chez moi. Ma maison, c'était Maman, et elle allait disparaître.

Je ravalai un sanglot. Dans combien de temps ses kidnappeurs allaient-ils comprendre que j'avais échoué ? Encore combien de jours avant qu'ils cessent de répondre à mes appels ? Quand jetteraient-ils son corps à la mer au milieu de nulle part ? La toute dernière chose qu'elle penserait au moment de mourir, ce serait que j'avais failli. Tout était ma faute, et je n'avais même pas été fichue de la sauver. Tatie allait l'apprendre, elle aussi. Cette famille que j'avais tant voulu fuir. Cette famille dont je m'étais crue… incapable de me satisfaire. Peut-être qu'aucun des miens n'accepterait de me revoir. Je resterais à jamais la Quest qui a causé la mort d'une autre Quest.

Ces derniers jours, je n'avais fait qu'accumuler les erreurs. J'aurais pu être assez futée pour deviner où ils avaient placé leur mouchard. J'aurais pu être assez rapide pour sauver Yeriel. J'aurais pu renoncer à ma tentative de fugue.

J'aurais pu… embrasser Devroe.

Les yeux commençaient à me brûler.

— Tu fais quoi ?

Malgré ma surprise, je parvins à garder l'équilibre.

La fillette de l'ascenseur, qui portait dorénavant un pyjama à pois, m'observait avec curiosité depuis le balcon voisin. Un garçon un peu plus jeune et doté des mêmes cheveux noirs passa une tête par la porte-fenêtre entrouverte.

— Je… Je… Mes amis m'ont fait une blague, prétendis-je en remuant mes mains menottées.

Le garçon chuchota quelques mots à sa sœur. Elle hocha la tête.

— Nous, on pense que c'est pas des vrais amis.

Croyez-le ou non : j'éclatai de rire.

— Je ne vous le fais pas dire.

Elle parla à son frère, mais le vent emporta ses paroles. Elle désigna leur suite du doigt.

— On va demander aux gens de l'hôtel de venir vous aider.

— Non ! criai-je.

Les deux enfants sursautèrent. Je m'imaginais déjà en train d'expliquer aux responsables de la sécurité de l'hôtel comment j'avais fini menottée à ce balcon.

Je m'éclaircis la gorge.

— Ça prendrait trop de temps. Dites, est-ce que vous pourriez m'envoyer une épingle à cheveux ?

Nouvelles messes basses.

— C'est trop loin, me répondit-elle en repoussant quelques mèches chahutées par le vent.

— Mais vous avez un pistolet à fléchettes, non ?

Leurs visages s'illuminèrent, puis ils se précipitèrent à l'intérieur. Ils revinrent quelques secondes plus tard ; le garçon tenait un pistolet orange fluo des deux mains et sa sœur transportait un tas de fléchettes en mousse dans le creux de son tee-shirt. Elle planta une épingle sur la tête de trois des projectiles et les tendit à son frère, qui en mit un en place sur son arme. De vrais petits soldats.

Il visa. J'écartai bien les doigts pour lui offrir une cible aussi large que possible. Malheureusement, le vent dévia la fléchette. Il retenta sa chance, mais cette fois le projectile rebondit contre la façade de l'hôtel. Les trois essais suivants ne furent pas plus fructueux.

— Laisse-moi faire ! gronda la fillette.

Elle arracha l'arme des mains de son frère, qui se mit à chouiner en croisant les bras.

À la manière d'une tireuse d'élite, elle posa un genou à terre et ferma un œil pour mieux viser. Elle prit le temps d'évaluer la force du vent avant d'appuyer sur la détente.

La fléchette s'écrasa en plein centre de ma paume.

Oui.

— C'est un coup de chance, pleurnicha le garçon.

Je détachai les menottes sans prêter attention à leur dispute. Je repris pied sur le balcon. Je n'avais jamais autant apprécié d'être en sécurité sur la terre ferme.

Sans oublier de saluer mes nouveaux amis, je ramassai mes chaussures et ma pochette, puis je me précipitai à l'intérieur.

J'avais reçu un texto. Un message envoyé par l'Arbitre vingt-cinq minutes plus tôt.

Vous avez perdu l'épreuve bonus. Toute communication avec les membres de votre équipe sera impossible durant la prochaine heure.

Je dus faire un effort surhumain pour ne pas fracasser mon téléphone par terre. Puisque je ne pouvais pas contacter les autres, j'allais devoir les retrouver.

Lorsque je me ruai dans l'ascenseur, je faillis bousculer l'homme élancé vêtu d'un costume bleu marine qui s'apprêtait à en sortir.

— Pardon, marmonnai-je en arabe.

Je lui tapotai l'épaule pour m'excuser. Il prêta à peine attention à moi. Dès que les portes se refermèrent, je dégainai le smartphone que j'avais subtilisé à l'inconnu. D'accord, je ne pouvais pas contacter les autres avec mon téléphone, mais avec celui-ci…

Je composai le numéro de Devroe.

Avant même la première sonnerie, un message automatique se déclencha : « Votre correspondant n'est pas joignable actuellement, veuillez le rappeler ultérieurement. »

Mon téléphone vibra. Un message de l'Arbitre.

Bien essayé. ☺

Je lançai un regard noir à la petite caméra logée dans un coin de l'ascenseur. Combien étaient-ils à m'observer en ce moment même ?

Je leur fis un doigt d'honneur.

Le trajet me sembla interminable. Chaque seconde qui s'écoulait venait grossir l'effrayante pile des minutes perdues. Les enchères devaient être bien avancées. Le sarcophage était censé être présenté assez tôt ; il était sans doute déjà vendu. Il s'était passé tant de choses, pendant que j'étais suspendue à mon balcon…

Mylo et Kyung-Soon n'avaient encore aucune idée de ce qui les attendait.

L'ascenseur arriva enfin au rez-de-chaussée. J'avais justement réussi à arranger mon apparence. Je jaillis hors de la cabine dès que l'ouverture des portes m'en laissa la possibilité, et je me précipitai vers la salle de bal. Il me fallut quelques minutes pour passer le contrôle de sécurité mais, une fois à l'intérieur, je suivis la voix du commissaire-priseur comme s'il s'agissait d'un phare dans la nuit.

Il annonça l'objet numéro soixante-dix-sept.

L'objet soixante-dix-sept… Le sarcophage était le trente-neuvième. Il était vendu depuis longtemps.

Je repérai la table à laquelle j'étais installée un peu plus tôt. Il ne restait qu'un siège libre, autour duquel étaient assises deux silhouettes chancelantes. Pour être précise, l'une d'elles chancelait tandis que l'autre était secouée d'éclats de rire. L'envoyée du British Museum et la cible de Devroe. Visiblement, elles avaient perdu les pédales. Noelia et Taiyō étaient parvenus à mettre notre plan à exécution. Tout leur avait réussi… jusqu'à présent.

Mon cœur s'emballa. Où était passé Devroe ?

Je ne pouvais pas perdre plus de temps à le chercher. Je devais me rendre à l'entrepôt de toute urgence pour prêter main-forte à Mylo et Kyung-Soon. Si les quatre membres de la Team Noelia étaient en route, mes complices n'allaient sans doute pas en sortir indemnes.

J'allais me résoudre à renoncer quand, à l'autre bout de la salle, je vis quelqu'un tripoter nerveusement les manches de sa veste. Puis son col. Puis sa cravate. Il s'examinait en fronçant les sourcils, visiblement contrarié de ne pas réussir à dompter chaque pli de son costume.

Même dans cet état, Devroe restait fidèle à lui-même.

Je fendis la foule pour le rejoindre. Quand j'y parvins, il s'était vautré sur le bar. Il expliquait au serveur comment il s'y était pris pour voler des boutons de manchettes à l'un des convives. Heureusement, l'homme nettoyait ses verres sans lui prêter attention.

— Mon chéri ! m'exclamai-je.

Il releva la tête et me sourit. Ce n'était pas le sourire ravageur auquel j'étais désormais habituée. Cette fois, il avait des étoiles plein les yeux. On aurait dit un soldat de retour du front, qui retrouve enfin la fille dont il a rêvé pendant toute la guerre.

— Ross ! Où étais-tu passée ?

Il plissa le nez quand je l'attrapai par le bras pour l'éloigner aussi vite que possible.

— Tu… Tu ne peux pas a… aller te promener en plein milieu d'une mission, balbutia-t-il.

— Celle-ci, compte sur moi pour te la ressortir plus tard.

Lorsque nous atteignîmes le hall d'accueil, il se pencha vers moi.

— Mmmh. Tes cheveux sentent la noix de coco.

— S'il vous plaît ? lançai-je à un employé qui s'apprêtait à monter dans un ascenseur. Pouvez-vous accompagner mon fiancé jusqu'à notre chambre, la 1530 ? Il a un peu trop bu.

Sans attendre sa réponse, je poussai Devroe vers le garçon d'étage tout en plongeant une main dans mon sac pour y chercher un pourboire.

— Hein ? Tu ne viens pas avec moi ? protesta Devroe. Je veux…

— Je te retrouve plus tard.

J'abattis une petite liasse de livres égyptiennes dans la main gantée de l'employé. Son visage s'illumina et il hocha la tête avec enthousiasme.

— Oui, bien sûr, miss. Suivez-moi, monsieur.

Le garçon tenta de l'entraîner dans l'ascenseur, mais Devroe s'agrippa à moi.

— Promets-moi de revenir.

Sa lèvre tremblait, à croire qu'il avait vraiment peur que je ne l'abandonne à jamais.

Je lui adressai un regard rassurant. Sur mon balcon, lorsque j'avais dressé la liste de mes pires erreurs, ne pas embrasser Devroe figurait en bonne place. Je ne pouvais pas l'ignorer, mais ce n'était pas le moment d'y penser.

— Oui, promis. Un peu plus tard.

Visiblement soulagé, il accepta enfin de se laisser faire.

Je regrettai aussitôt la chaleur de sa main. Une part de moi avait envie de s'assurer qu'il était en sécurité dans sa chambre.

Mais la part la plus raisonnable avait le sens des priorités.

Je fis craquer mes vertèbres, secouai les mains, et me mis en quête d'une voiture à voler.

Chapitre 35

J'abandonnai la Lexus que j'avais « empruntée » au coin d'une rue jouxtant l'entrepôt. L'un des camions blindés chargés de transporter les biens acquis au cours de la vente aux enchères venait de me dépasser. C'était mon ticket d'entrée.

Après m'être débarrassée de mes chaussures à talons, je remontai une ruelle pour attendre le camion devant le dernier feu de signalisation avant l'entrepôt. Quand j'aperçus ses phares au bout de l'avenue, je sentis mon pouls s'accélérer. Je n'avais pas le droit à l'erreur. Si le feu ne passait pas au rouge au bon moment… disons que mes chances de réussir à me glisser sous un véhicule roulant à cinquante kilomètres-heure n'étaient pas optimales.

Le sort dut considérer que j'avais déjà suffisamment trinqué, car le feu passa au rouge au tout dernier instant. Malgré ma robe moulante, je parvins à m'accrocher au châssis juste avant que le camion ne redémarre.

Les morceaux de métal auxquels j'étais agrippée étaient bouillants et j'avais toujours mal aux poignets à cause des menottes. Mais j'étais déterminée à tenir bon en dépit des secousses. À cinquante centimètres près, je risquais de finir écorchée vive.

J'avais mémorisé le nombre de virages jusqu'à l'entrepôt.

Le poids-lourd décéléra, et je sentis un choc.

Un ralentisseur métallique !

Mobilisant un supplément d'énergie dont je ne pensais pas disposer, je me plaquai tout contre le châssis. Mes bras étaient au supplice. Le métal rugueux m'effleura le dos. Je tremblais de tous mes membres. J'avais failli être épluchée vive.

Ma robe était en lambeaux, mes cheveux en pagaille, mes poignets en sang, et j'étais couverte de sueur, de crasse et d'huile de moteur. Dire que ce soir-là, j'avais prévu de participer à une vente aux enchères dans un hôtel de luxe…

Le camion s'engagea en marche arrière dans une zone de livraison. Avant que le chauffeur n'achève sa manœuvre, je me laissai tomber au sol, puis je rampai entre des caisses et des boîtes jusqu'à une porte en fer. D'après la trajectoire qu'avait suivie le camion, je me trouvais à l'ouest du bâtiment. Tout près de l'entrepôt privé dans lequel l'équipe de Mme Fazura était censée livrer le sarcophage. La Team Noelia ne devait pas être loin.

Je repris ma progression silencieuse à travers le dédale de caisses en me fiant aux plans que j'avais appris par cœur. Mes oreilles bourdonnaient. Enfin, je crochetai la serrure menant à la zone de stockage de Mme Fazura. J'entendis des voix ; ce n'étaient pas celles de Mylo et Kyung-Soon. Étaient-ils blessés ? Avions-nous échoué ?

Cachée entre deux étagères en fer, j'inspectai le fond de la pièce. Taiyō et Lucus étaient en train de sangler une grosse caisse à l'intérieur d'un camion. C'était celui dans lequel Mylo et Kyung-Soon auraient chargé le sarcophage si tout s'était déroulé comme prévu.

— Aïe !

C'était Mylo.

J'étais folle de soulagement. Mylo et Kyung-Soon étaient assis dos à dos, les mains liées entre elles, tout contre une rangée de caisses. Adra s'amusait à leur lancer des petits cailloux.

Kyung-Soon faisait la grimace chaque fois qu'elle était frappée par l'un de ces projectiles. Ses joues étaient si rouges et son regard si étincelant de fureur que je m'attendais presque à la voir arracher ses liens pour étrangler Adra.

— Aïe ! répéta Mylo.

Adra avait réussi à le toucher au front. Elle rit.

— Fous-leur la paix, ordonna Noelia, qui était adossée au flanc du camion.

Elle avait pris le temps d'enfiler un legging et un sweat, et elle s'était fait une queue-de-cheval. Comme l'un de ses pieds était relevé, je pouvais distinguer le motif rose vif qui décorait la semelle de sa bottine.

— Détends-toi, ça ne va pas les tuer, répliqua Adra en jetant un autre caillou sur Mylo. Ce sont des losers. Et les losers doivent être châtiés. Regarde comment ils sont habillés. Du noir avec du gris et de l'anthracite… J'ai envie de leur faire payer cette faute de goût depuis Marseille, cracha-t-elle en faisant semblant de vomir.

Il fallait reconnaître qu'avec sa combinaison sombre et ses bottes montantes en daim elle était plus chic qu'aucun voleur ne l'avait jamais été en plein job.

— Et puis moi, au moins, je n'ai pas tenté de leur tirer dessus, ajouta Adra.

Je devinai qu'elle s'apprêtait à viser Lucus avec un pistolet imaginaire, mais elle se ravisa au dernier moment.

Je retenais mon souffle. Ces caisses qu'ils étaient en train de charger… S'agissait-il bien du sarcophage ? Avaient-ils vraiment suivi notre plan jusqu'au bout ?

Quelles étaient mes options ? Les maîtriser tous les quatre à moi toute seule ?

J'étais sur le point de déverrouiller mon bracelet météore. Ce serait ma dernière tentative. Une tentative désespérée, sans doute, mais j'étais déterminée à lutter jusqu'au bout contre tous ceux qui m'empêchaient de retrouver ma mère.

C'est alors que Mylo m'aperçut. Il me fit un clin d'œil.

J'étais si contente que je me déconcentrai. Les chaînettes de mon bracelet heurtèrent l'étagère métallique.

Les autres s'immobilisèrent. Lucus sauta du camion. Il tenait son arme fermement. Des deux mains.

— OK, Quest. Tu vas sortir de ta cachette très lentement. Ou rapidement, si tu préfères : ça me donnerait une bonne raison de t'allumer.

J'en avais des sueurs froides. Il ne disait pas ça pour plaisanter.

Les mains en l'air, j'avançai vers eux.

— Et dire que je pensais avoir vu le pire, en matière de mode, ricana Adra. Je croyais que vous l'aviez balancée dans le vide ?

— Si tu écoutais les gens jusqu'au bout, tu comprendrais ce qu'on te raconte, la rabroua Taiyō tout en s'assurant que la caisse était bien attachée.

— Yo ! me lança Mylo en remuant l'une de ses mains liées.

Kyung-Soon souffla sur les mèches qui lui tombaient sur les yeux.

— J'ai comme l'impression qu'il ne faut pas trop compter sur la cavalerie.

— Désolée de te décevoir, répondis-je.

Elle soupira.

— Comment as-tu réussi à te détacher ? me demanda Noelia.

Je la gratifiai de mon sourire le plus radieux.

— Ça, c'est mon petit secret.

Lucus braqua son pistolet sur moi pour me forcer à rejoindre Mylo et Kyung-Soon. Adra, qui avait visiblement pour habitude de conserver des attaches autobloquantes dans son soutien-gorge, me fit asseoir à côté de mes partenaires et me ligota avec eux pour parachever son bouquet de prisonniers.

— Mauvaise soirée, on dirait, me glissa Mylo en me donnant un petit coup d'épaule.

— Tu n'imagines même pas.

— On ne devrait pas les laisser là, déclara Taiyō. L'Arbitre ne va pas tarder à nous contacter. Ils vont sûrement réussir à se libérer après notre départ.

— Et si on réglait le problème une bonne fois pour toutes ? suggéra Lucus, qui n'avait pas rangé son arme.

Je sentis Mylo et Kyung-Soon se raidir. Il avait dit ça sans manifester la moindre émotion.

— Toujours aussi agressif, lançai-je. Où est-ce que tu t'imagines que ça va te mener ?

— Je ne sais pas. Et toi, tu trouves que miser sur la défense t'a réussi, jusqu'à présent ?

Il s'apprêtait à pointer de nouveau son arme sur moi.

— Ça suffit, gronda Taiyō. Quand un braqueur laisse des cadavres derrière lui, ses chances de se faire prendre augmentent de deux cents pour cent. On doit être aussi discrets que possible. Sers-toi de ton cerveau.

Les yeux de Lucus se troublèrent.

— Ouais, calmos, Lucus, renchérit Noelia. De toute façon, ils ne pourront jamais nous rattraper. Et puis, il y a déjà eu bien assez de coups de feu comme ça.

Elle voulait parler de Yeriel.

Lucus dut se résigner à ranger son pistolet dans son holster.

Ils étaient prêts à partir. Adra nous envoya des baisers tandis que Lucus refermait le hayon. Taiyō nous lança un ultime regard apitoyé avant de se mettre au volant.

— N'oubliez pas de passer le bonjour à l'Arbitre, hein ! cria Mylo.

— J'espère que vous allez vous crasher, ajouta Kyung-Soon d'un ton nettement moins blagueur.

Le camion s'éloigna. Personne ne prononçait le moindre mot.

Les minutes défilaient. Cinq, dix, quinze. Aucun de nous ne brisa le silence. Nous attendions patiemment d'être certains qu'ils n'allaient pas revenir.

Soudain, les épaules de Kyung-Soon tressautèrent. Mylo se mit à ricaner. Moi aussi, je gloussais sans plus pouvoir m'arrêter.

— Mais qu'est-ce qui t'est arrivé ? me questionna Mylo.

— Ils t'ont vraiment suspendue à un balcon ? enchaîna Kyung-Soon.

Je me contorsionnai pour attraper l'une des épingles cachées dans mes cheveux. Après tout ce que j'avais déjà dû endurer, j'étais ravie de pouvoir compter sur elle.

— Je vous raconterai plus tard. Pour le moment… (je m'interrompis pour retirer l'épingle d'un coup sec) j'ai été assez ligotée comme ça pour ce soir.

Je glissai la pointe de l'aiguille dans l'interstice entre la lanière et la boucle, puis je la tordis pour détacher le lien. L'une de mes mains était libre.

— Je peux savoir pourquoi j'ai dû attendre d'être arrivée ici pour apprendre votre plan ? s'indigna Kyung-Soon.

— Ross ne voulait pas qu'on soit trop nombreux à être au courant. Et elle avait raison.

331

Kyung-Soon ajusta son bonnet noir tricoté main. Un accessoire très chic, pour une voleuse.

— Ça me va.

Je regardai autour de moi.

— Et où est le…

— Ici ! répondit Mylo en donnant un coup de pied dans l'une des nombreuses caisses livrées par l'équipe de Mme Fazura.

Kyung-Soon sortit un petit couteau à cran d'arrêt de sa poche arrière. Elle s'agenouilla pour s'attaquer aux rebords de la caisse. Elle décolla d'abord les coins, et elle réussit ensuite à soulever le couvercle.

Nous nous penchâmes tous les trois pour regarder à l'intérieur. Le visage doré était emmitouflé au milieu d'un amas de papier d'emballage froissé. Ses yeux rubis étaient cerclés de turquoise.

Je ne pus retenir un soupir. Ce n'était même pas le sarcophage tout entier, juste la tête, mais bon sang, il dégageait à lui seul une aura impressionnante.

Kyung-Soon et Mylo s'élancèrent chacun dans une direction différente pour ouvrir d'autres caisses.

— Tu n'as pas eu trop de mal à dénicher les schémas du dernier démembrement ?

Kyung-Soon éclata de rire.

— Ha, ha ! C'était bien plus facile que de remonter la reproduction dans le camion en marche. Où tu l'as trouvée, d'ailleurs ?

— Tu ne te souviens pas des manifestants, avec leur réplique complètement démente ?

— Ross a financé leur combat, a expliqué Mylo. En échange de leur sarcophage.

— Bien joué, commenta Kyung-Soon, qui sortait la tête du pharaon de la caisse.

Si seulement Maman avait pu voir ça. Cette « mission puzzle » faisait passer celle du Kenya pour une opération de débutant. Elle deviendrait dingue, et dans le meilleur sens du terme, si je lui racontais cette histoire.

Et j'allais la lui raconter.

— Comment vous pensez que l'Arbitre va réagir quand ils vont lui donner notre sarcophage ? demanda Kyung-Soon.

— Alors là, j'espère que la scène sera filmée, répondis-je, extatique.

— Au fait, où est Devroe ? s'écria Kyung-Soon. Il n'était pas censé nous retrouver ici ?

Oh ! Devroe. J'ai ricané. Si la situation n'était pas aussi stressante, j'aurais presque pu trouver ça drôle, de l'avoir laissé ainsi.

— Il est… dans les vapes. D'ailleurs, je ferais bien de le rejoindre. Vous pouvez gérer la suite, les amis ?

Mylo fit tournoyer son stylo magique entre ses doigts.

— Je l'ai démonté, je peux le reconstituer. Ne t'inquiète pas, on se charge de livrer ce machin à l'endroit prévu.

Kyung-Soon l'approuva d'un hochement de tête.

Je n'aurais peut-être pas dû les abandonner, mais bon, qu'est-ce que j'y connaissais, en soudure ?

De toute façon, mes mains étaient si tremblantes que je n'aurais pas pu me rendre utile. Je venais de subir de telles montagnes russes que j'avais besoin de souffler.

Devroe ne pouvait pas savourer ce moment avec nous. Je mourais d'envie de tout lui raconter. Il fallait le tenir au courant ; c'était pour cette raison que j'avais décidé d'aller le retrouver. Le sourire qu'il m'avait fait tout à l'heure n'avait *rien* à voir là-dedans.

Alors je laissai mes complices s'occuper de la suite des opérations, et je fonçai seule dans la nuit.

Chapitre 36

Tu es revenue !

— Devroe se jeta sur moi dès mon entrée dans notre suite. Il plongea le nez dans mes cheveux pour sentir leur odeur. Il n'avait pas encore recouvré sa voix normale ; elle était presque aussi instable que ma respiration. Combien de temps allait-il mettre à redescendre ? Je m'étais dépêchée de rentrer pour m'assurer qu'il ne s'était pas fracassé la tête contre le lavabo, et j'avais espéré qu'il aurait à peu près recouvré ses esprits.

Il renifla. Avait-il pleuré ?

— Je commençais à croire que tu m'avais abandonné. Que tu...

À mon grand regret, il ne termina pas sa phrase.

— Devroe..., murmurai-je en me libérant de son étreinte, ce qui ne manqua pas de le faire gémir. Tu as conscience d'avoir été drogué, n'est-ce pas ? C'est pour ça que tu n'es pas dans ton état normal.

— Ah bon ?

Il cligna des yeux tant de fois que je fus comme hypnotisée par ses longs cils.

— Je me sens… bien.

— OK.

Je le pris par la main pour le mener jusqu'au canapé. Je le sentais prêt à me suivre jusqu'au bout du monde.

— Il faut qu'on parle, lançai-je en le faisant s'asseoir. La drogue que tu as versée dans nos verres tout à l'heure… Combien de temps durent les effets ?

Il plissa le nez.

— Euh…

— Tu *dois* me le dire, insistai-je en le regardant droit dans les yeux. C'est pour ton bien.

Il me sourit.

— Tu es si belle.

Il me caressa la joue du bout des doigts. Mon premier réflexe était de le laisser faire, mais je me repris et le repoussai juste à temps.

— Devroe, combien de temps ?

— Je ne sais pas. Quatre… Quatre heures ? Mais je… Est-ce que je peux t'embrasser ?

Tout mon corps s'embrasa d'un coup. Devroe s'était penché vers moi. Derrière leur voile de brume, ses yeux étaient dilatés par le désir.

— Je me fous du Trophée, ajouta-t-il. Au départ, je ne voulais pas participer, de toute façon. Je veux juste t'embrasser.

J'avais l'impression de grelotter. Peut-être qu'il avait toujours été sincère. Il avait vraiment envie de m'embrasser.

Et moi aussi, j'en avais envie.

Mais pas dans ces conditions.

— Non.

Je mobilisai le peu de volonté qu'il me restait pour le repousser doucement.

Il fit une moue de petit garçon boudeur. *Trop mignon.*

— S'il te plaît ?

— Non, ce n'est pas le moment.

— Et pourquoi ?

— Redemande-moi demain, d'accord ?

Encore faudrait-il qu'il s'en souvienne. Allais-je avoir une deuxième chance le lendemain ?

Devroe grommela, mais il hocha la tête. Je poussai un soupir de soulagement. *Reprends ton souffle, ma grande.*

— Tu devrais dormir un peu.

J'avais d'abord voulu l'allonger sur le canapé, mais je pensai ensuite qu'il serait mieux installé dans un vrai lit. Alors je le conduisis à la chambre, où j'allai jusqu'à le border.

— Dans quelques heures, tu auras récupéré.

— Mais… Mais je ne suis pas malade… Si ?

— Non. Mais tu as besoin de te reposer. Au moins jusqu'au retour de Mylo et Kyung-Soon.

Il sourit béatement.

— Je les aime bien, me confia-t-il avant de dénouer sa cravate et de déboutonner le col de sa chemise. Ça me fait de la peine, de penser qu'ils vont perdre.

Je m'immobilisai. Pour le meilleur et pour le pire, le cerveau de Devroe était un coffre ouvert. Il me suffisait de glisser une main à l'intérieur pour trouver les réponses à toutes mes questions. Impossible de résister.

Qu'avais-je envie de savoir ?

— Devroe. (Il me regarda. Mais il ne m'avait peut-être jamais quittée des yeux.) Tu penses vraiment pouvoir me battre ?

Je retins mon souffle. Je redoutais qu'il se mette à me crier dessus dans un éclair de lucidité.

— Je n'ai pas le choix. Pour Maman.

Stupéfaite, je l'encourageai à poursuivre.

— Pourtant… Dans le train, tu m'as dit que c'était pour ton père que tu participais.

Il se frotta la tête en grognant.

— Je ne veux pas parler d'eux. J'en ai marre, de parler d'eux. Déjà qu'elle n'arrête pas de me parler de lui…

Ma gorge se noua. Je me sentais coupable, exactement comme quand j'avais lu sa précieuse lettre. J'aurais détesté qu'on me pousse à parler d'un sujet pareil si j'étais… diminuée. Au fond, j'aurais détesté qu'on me pousse à parler de quoi que ce soit, mais j'avais franchi la ligne rouge depuis longtemps.

— Chuuut. Tout va bien. Personne ne va te forcer.

Prête à tout pour le détendre, j'entrepris de lui masser les épaules. C'était quoi, mon problème ? J'aurais dû le laisser tranquille.

Je pouvais peut-être tenter une autre approche.

Mais Devroe semblait de plus en plus engourdi. Ses paupières s'étaient affaissées. Je n'allais pas pouvoir en savoir beaucoup plus.

— Devroe… Est-ce que je peux te faire confiance ?

Il essuya une larme.

— J'en sais rien. À toi de voir.

J'étais stupéfaite. Sa réponse ricochait dans mon crâne. À moi de voir ? Personne ne m'avait jamais présenté les choses ainsi.

Les yeux baissés, je me curai un ongle.

— Est-ce que ça veut dire que… que tu prévois de me trahir ? le relançai-je.

— Ross.

Il m'attrapa la main, d'un geste vif dont je ne l'imaginais pas capable dans son état. Il cherchait à croiser mon regard, comme s'il espérait y trouver l'autorisation de poursuivre.

— Je ne veux pas te faire de mal. Je n'avais encore jamais eu de vraie petite amie. Les autres ne comptaient pas vraiment. Elles ne me connaissaient pas. Toi, tu as l'air réelle.

J'étais sans doute ridicule de croire sur parole un garçon drogué au dernier degré, mais je ressentis un profond soulagement. J'avais envie de lui faire confiance. C'était tout l'intérêt de cette discussion : dans son état, il n'avait aucune raison de me mentir.

— Tu voudrais bien t'allonger à côté de moi ? Je déteste dormir seul.

Ma gorge se serra.

Je me tournai vers la porte, puis je le regardai. Il était déjà en train de me faire une petite place. Et il semblait désespéré.

— Ah ! euh… D'accord. Laisse-moi une minute. Tu ne t'en rends probablement pas compte, mais j'ai l'air d'une Barbie noire qui serait passée sous un semi-remorque.

Il pouffa. C'était un rire enfantin et spontané. Ce qui acheva de me donner envie de le retrouver au plus vite.

Je pris quelques minutes pour me décrasser sous la douche avant d'enfiler un short et un tee-shirt. J'eus la présence d'esprit de fouiller ma veste pour débusquer le mouchard de Taiyō. Il était astucieusement dissimulé sous mon col, au niveau de la nuque. Je l'écrasai entre mes doigts. Pour ne rien laisser au hasard, je jetai ma veste dans le salon. Quand je retournai dans la chambre, Devroe était déjà recroquevillé sur le côté, le visage enfoui dans un oreiller.

Je me glissai contre lui. Il leva un bras pour m'enlacer, mais il interrompit son geste.

— C'est bon, tu peux y aller, le rassurai-je.

Et je posai sa main sur ma taille, le laissant m'attirer à lui. Il émit un petit murmure comblé.

Je sentais son cœur battre sous ma paume. Son souffle léger venait me chatouiller les lèvres. Il était adorable. Et si beau. Sa main reposait contre ma hanche… J'avais très envie de dormir ainsi. Cette nuit-là, et toutes les autres aussi.

— Devroe, chuchotai-je.

— Hum ?

Je fis glisser ma main sur son torse, ce qui ne manqua pas de le faire soupirer de nouveau.

— Pourquoi tu t'es autant fâché quand j'ai refusé de t'embrasser, hier soir ?

Il me répondit sans ouvrir les yeux.

— Parce que… tu ne m'as pas laissé ma chance. Ce n'était pas juste… Je ne veux pas passer pour le méchant de notre histoire.

Il s'endormit. Je devais me lever. Mais quelque chose m'encouragea à rester. À nous laisser une chance.

Alors, sans prévenir, mes paupières se fermèrent à leur tour.

#

Je me réveillai dans un cocon de couvertures et de soleil. Le lit était douillet, moelleux et baigné de lumière.

Et vaste. J'étais seule sous les draps. Où était passé Devroe ?

— Elle a ouvert les yeux !

Mylo venait d'apparaître à la porte de la chambre. Dans le séjour, je distinguais une table recouverte d'une nappe blanche. Ils avaient dû l'installer pendant que je dormais. Je quittai la chambre en titubant. Kyung-Soon était assise en tailleur sur l'une des quatre chaises. Pas le moindre Devroe à l'horizon. Kyung-Soon écoutait de la K-pop sur son téléphone. Elle battait la mesure de la tête. Comme elle me tournait le dos, elle n'avait sans doute pas conscience que je la voyais faire main basse sur tous les couverts, qu'elle glissa dans la manche de son sweat.

341

Je ricanai.

— Oh, salut !

Elle posa un doigt sur sa bouche. Je hochai la tête, et Mylo s'assit alors à côté d'elle.

— Le sarcophage est en lieu sûr ? leur demandai-je. L'Arbitre vous a donné ses instructions ?

— On l'a réassemblé et livré à un jet privé moins de deux heures après ton départ, me répondit Mylo avec fierté.

Soulagée, je me laissai tomber sur l'une des chaises vides. Une odeur suave de fruits, de sirop et de viennoiseries émanait de la table.

— Tu as consulté tes e-mails ? Apparemment, on se tire d'ici, m'informa Kyung-Soon, qui goba une fraise avant de me montrer son téléphone sur lequel s'affichait un e-billet. Décollage dans cinq heures.

Mylo s'était servi une montagne de pancakes et de gaufres (l'exact opposé de Kyung-Soon).

— Oh, pitié ! gémit-il en abattant son front sur la table. Kyung-Soon, tu vas finir par me ruiner.

— Comme tu nous as tous ruinés au poker dans le train ? me moquai-je.

Il sortit son portefeuille en grognant, puis il déposa un billet de vingt dollars dans la main ouverte de Kyung-Soon. Elle lui fit don d'une fourchette et d'un couteau.

Ce petit déjeuner était déjà un franc succès.

— Alors, embraya Mylo, qu'est-ce qui est arrivé à Devroe ? Il n'avait pas l'air dans son assiette, quand il est parti.

Je savais bien qu'il ne se trouvait plus dans la suite ; elle n'offrait pas beaucoup de cachettes. Nous nous étions endormis ensemble, et au matin il était parti. Mylo et Kyung-Soon nous avaient-ils surpris ?

— Vous connaissez l'histoire de l'arroseur arrosé ?

Il leur fallut quelques secondes pour comprendre où je voulais en venir.

— Attends, s'esclaffa Kyung-Soon, ne me dis pas qu'il a bu le…

J'attrapai une carafe de café glacé (je n'imaginais même pas qu'on pouvait en commander des carafes entières), et nous entreprîmes de nous raconter nos soirées respectives. Je détaillai mon menottage à un balcon du vingt-deuxième étage, l'exfiltration de Devroe et mon périple sous le camion. Mais je passai sous silence l'épisode au lit avec Devroe.

— Ça doit être pour ça qu'il a préféré partir de son côté, suggéra Kyung-Soon. Il vit mal les situations embarrassantes.

Peut-être… Ou alors, il cherchait à m'éviter. De quoi se souvenait-il, exactement ? Et s'il n'avait pas oublié notre discussion, regrettait-il de s'être livré ainsi ?

Tout était tellement plus simple, quand je faisais semblant de ne pas l'aimer…

— En tout cas, je trouve ça super, que tu l'aies vu perdre un peu le contrôle, reprit Kyung-Soon. Alors, est-ce que ça l'a poussé à te déclarer sa flamme ? C'est clairement comme ça que ça se passe dans les films.

Mylo s'avachit sur sa chaise.

— Oh ! oui, la bonne vieille confession du mec bourré. Mon cliché préféré, juste devant celui de la fille qui pique le téléphone de son amant parce qu'elle est PERSUADÉE qu'il veut lui tendre un piège, conclut-il en haussant les sourcils à mon intention.

— Contente-toi de manger tes pancakes, Mylo, grondai-je.

Kyung-Soon, qui n'y comprenait rien, nous dévisageait en fronçant le nez.

Elle tapota le bord de son verre avant de pousser un soupir théâtral.

— Bon, je dois vous avouer un truc… Devroe m'a confié une petite mission secrète pendant la première épreuve.

Mylo et moi échangeâmes un regard interloqué.

— Et ? articulai-je.

Elle s'agitait, visiblement mal à l'aise.

— Voilà, il m'a demandé de dire du bien de lui… à Ross.

Je m'attendais à tout sauf à ça.

— Quel genre de truc ?

— Rien de bizarre ! se défendit-elle. C'était… Tu sais bien, comme quand un type te plaît et que tu charges ta meilleure copine de te mettre en valeur.

Elle rougit. Et puis, sans prévenir, elle disparut sous la table.

Mylo se redressa. Il était aussi stupéfait que moi.

— Euh, Kyung-Soon, si tu comptes faire ce que je pense, je ne crois pas que Ross et moi soyons d'accord…

— Ferme-la, Mylo, cracha Kyung-Soon, qui venait de réapparaître.

Elle déposa une grosse boîte en argent ovale devant moi.

— Quand est-ce que tu as mis ce truc là-dessous ? marmonna Mylo.

Moi, j'étais concentrée sur ce coffret. Notre conversation avait pris une tournure pour le moins inattendue. Kyung-Soon m'encouragea à ouvrir la boîte. Comme si ce n'était pas mon intention.

Je retirai le couvercle. Un sourire s'épanouit sur mes lèvres. C'était une boîte à chapeau. Elle renfermait un superbe couvre-chef de paille blotti dans un nid de papier de soie. Lorsque je le sortis de son écrin, mes yeux s'écarquillèrent. J'en avais vu un identique le jour de notre arrivée à l'hôtel. Une étiquette était cousue à l'intérieur. Valentino Garavani.

— J'avais remarqué qu'il t'avait tapé dans l'œil. Mais je ne l'ai pas volé ! jura Kyung-Soon.

Elle sortit un ticket de caisse de la boîte et me le tendit. Mylo, qui s'était penché pour regarder, poussa un sifflement admiratif. Deux mille dollars pour un chapeau, il fallait reconnaître que ce n'était pas banal.

— Ça correspond à peu près à la somme que m'a offerte Devroe pour ce job. Je me sentais mal, puisqu'on est amies, maintenant. Mon mentor m'a appris qu'un pardon se mérite, alors voilà… Tu veux bien me pardonner ?

Elle haussa les épaules en regardant ailleurs. C'était l'attitude qu'elle adoptait toujours pour faire croire qu'elle se fichait de tout, ce qui me confirmait qu'elle se souciait vraiment de ma réaction.

Je caressai le chapeau pendant un long moment. J'avais trop de pensées en tête. Devroe avait payé Kyung-Soon pour qu'elle le mette en valeur. C'était décevant... et charmant à la fois. Sans doute que Devroe avait ressenti la même chose quand je lui avais subtilisé son téléphone. J'aurais dû être contrariée, mais ça n'était pas le cas. Sans compter qu'il y avait ce chapeau d'excuses aussi absurde qu'irrésistible. Et l'une des toutes dernières phrases qu'avait prononcées Kyung-Soon : elle s'était sentie mal... parce que nous étions désormais amies.

L'étions-nous vraiment ?

— Je déteste me faire manipuler, déclarai-je. Mais... j'adore ce chapeau.

— Alors on n'a qu'à dire que ça remet les compteurs à zéro, proposa Kyung-Soon. À partir d'aujourd'hui, on peut se faire confiance, d'accord ?

Elle avait parlé de confiance. Devais-je me laisser convaincre ? Peut-on se fier à une voleuse, quelle qu'elle soit ?

Peut-être, au moins provisoirement. Dans l'immédiat, ça ne pouvait me faire que du bien.

J'avais du mal à ne pas sourire.

— D'accord.

Chapitre 37

On est dans la salle d'embarquement. Il est là ?
J'inspirai profondément avant de répondre
au texto de Kyung-Soon.

Je ne le vois pas.

L'émoji qu'elle m'envoya levait les yeux au ciel.

Je me massai le cou en fouillant du regard le hall
bondé. Notre avion devait décoller dans une demi-
heure, et Devroe était toujours aux abonnés absents.
Grâce à l'option sur son téléphone, nous savions
pourtant qu'il avait lu nos messages.

La rumeur de l'aéroport du Caire formait un tourbillon autour de moi. Je me sentais toute petite dans
ce bâtiment massif, submergée par le flot des passagers. Devroe allait-il réapparaître ? Il n'était tout
de même pas mal à l'aise au point de renoncer au
Trophée… !

Je tirai sur les bretelles de mon sac à dos et
m'élançai en direction de la salle d'embarquement.
Pourquoi gaspiller tant d'énergie à me soucier de lui ?
Je devais me concentrer sur le Trophée. Sur Maman.

Une enseigne dépassait de la rangée de vitrines des boutiques. Cet élégant écriteau noir et argenté signalait le *SKY VIP CLUB – SALON PRIVÉ*.

Un homme svelte vêtu d'un costume sortit du salon privé au moment où je passais devant la porte. Nous nous frôlâmes, puis il poursuivit sa route après avoir bredouillé quelques mots d'excuse.

Dans son portefeuille, je trouvai tout de suite la carte du SKY VIP CLUB. La porte s'ouvrit lorsque je présentai le passe devant un scanner.

À l'intérieur, la lumière était tamisée. Le brouhaha de l'aéroport s'atténua, laissant place à une musique relaxante.

J'étais au seuil d'un salon où seulement trois personnes se prélassaient. Un plan accroché au mur mentionnait d'autres salons, un bar, et même des chambres privées.

Je confiai le portefeuille au réceptionniste.

— J'ai trouvé ceci devant la porte.

L'homme allait peut-être revenir le chercher. Ou pas.

La lumière du soir brûlait à travers une vitre teintée couleur champagne. Je me blottis dans l'un des canapés de cuir noir et j'ouvris mon fil de discussion avec Tatie. Je lui avais passé un appel FaceTime deux heures plus tôt, mais j'avais déjà envie de lui reparler.

Ou alors… j'aurais pu contacter Maman. La deuxième épreuve était presque terminée. Jusqu'à présent, j'avais préféré repousser cet appel, mais ces bonnes nouvelles pourraient lui mettre du baume au cœur.

Et puis, même cet abruti de preneur d'otage serait satisfait d'apprendre que j'étais bien partie.

À cet instant, quelqu'un entra dans la pièce. Il portait un jean et une veste.

— Devroe ! m'exclamai-je. Tu me suivais ?

Il avait l'air hagard et semblait sur le point de prendre ses jambes à son cou.

— Depuis quelques minutes, répondit-il en s'asseyant dans un fauteuil en cuir. Tu allais passer un coup de fil ? Je ne veux pas te déranger…

— Euh, c'est juste ma tante…

Je posai mon téléphone face cachée sur le canapé. Un silence gênant s'installait entre nous. Devrais-je lui parler de la nuit précédente ? De ce que m'avait avoué Kyung-Soon ? Fallait-il…

— Je suis désolé, enchaîna-t-il.

Il paraissait dévoré par la honte.

— Pour hier soir…

Je faillis me pencher en avant. *Oui ?*

— Pendant la vente aux enchères. Je me suis fait avoir comme un bleu. J'aurais dû être plus prudent. Résultat, je n'ai servi à rien, et pourtant vous avez quand même réussi à vous en sortir, conclut-il en passant une main dans ses cheveux.

Je me détendis d'un coup.

— Tu n'as pas l'habitude de t'excuser, n'est-ce pas ?

— Il faut dire que je n'ai pas l'habitude de me tromper.

Il s'y prenait affreusement mal. Je sentais bien qu'il n'était pas dans son élément ; il s'agissait d'être sincère.

— Mais quand c'est le cas, poursuivit-il, je cherche toujours à me faire pardonner.

Dans un premier temps, il évita mon regard.

— Et c'est d'ailleurs pour ça que je tiens à te présenter mes excuses… si j'ai dit quelque chose de bizarre hier soir, finit-il par ajouter en se tournant enfin vers moi.

Mon cœur s'arrêta de battre.

— Tu ne te rappelles rien ?

— Pas vraiment… C'est aussi flou que ces rêves qu'on fait au réveil. Je ne suis pas sûr de pouvoir me fier à mes souvenirs. Est-ce que je t'ai… raconté quelque chose de spécial ?

Par où commencer ?

— Tu m'as dit… que je pouvais te faire confiance.

— Ah bon ? s'étonna-t-il, soudain très pâle.

— Si je comprends bien, c'était un mensonge.

Il tira sur les pans de sa veste.

— Non. C'est juste que je suis… surpris d'avoir dit ça.

De nouveau, il détourna le regard.

— Tu m'as aussi expliqué que tu participais au Trophée pour ta mère. Est-ce qu'elle te met la pression ?

— Ça ne risque pas, soupira-t-il en lissant une de ses manches. Elle refuse de me dire où elle est. Elle se contente de m'envoyer des messages codés. Elle est persuadée d'être suivie. Je ne l'ai pas vue depuis des mois. Sa santé mentale est très instable, et j'ai peur qu'elle n'aille pas très bien en ce moment. Mon idée, c'était de remporter le Trophée pour pouvoir demander aux Organisateurs de la retrouver.

Il rougit en haussant les épaules comme un petit garçon effarouché. J'aurais bien voulu savoir pourquoi il ne l'avait pas dit dès le départ, mais je cachais moi-même l'histoire de Maman. Ce n'était pas tout à fait la même chose, mais j'étais bien placée pour comprendre sa position.

Je m'éclaircis la gorge avant de me lancer.

— Tu m'as aussi dit que j'avais « l'air réelle ». Je ne sais pas vraiment ce que tu entendais par là.

Je n'avais jamais vu Devroe si agité. Sa jambe tressautait frénétiquement. Était-il en proie à un débat intérieur ? Cela ne fit que renforcer mon envie d'en savoir plus. Lui aussi, je voulais qu'il se sente réel.

— Et puis, tu as prétendu n'avoir jamais eu de vraie petite amie, ajoutai-je en m'esclaffant. *Ça*, c'était clairement du baratin.

Sa jambe s'immobilisa. Dans sa tête, l'un des deux camps avait remporté le débat.

— Je n'ai jamais été amoureux, affirma-t-il.

— Ouais, c'est ça. Tu n'as jamais aimé aucune autre fille, elles comptaient toutes pour du beurre, et moi je suis l'élue qui...

— Je ne plaisante pas, me coupa-t-il, braquant cette fois ses yeux droit dans les miens. C'est la vérité. D'accord, j'ai déjà flirté avec des filles et j'ai aussi eu quelques amis, mais... (il pinça les lèvres avant de poursuivre) aucun d'entre eux ne me connaissait

351

vraiment. Ils ne savaient pas d'où je venais, comment je gagnais ma vie ni ce qui m'occupait l'esprit. Je jouais la comédie. C'était juste une mission de plus. Avec eux, je ne pouvais pas être moi-même, alors ils ne comptaient pas. On ne peut pas s'impliquer dans une relation basée sur du vent.

Son regard s'adoucit.

— Alors que toi… tu as quelque chose d'authentique. Tu es une vraie personne, quelqu'un que je peux apprendre à connaître. Et c'est pour ça que je t'aime… beaucoup.

Malgré l'émotion que je ressentais, je trouvai la force de le questionner encore.

— Donc c'était pour ça ? Quand tu as voulu m'embrasser, c'était seulement parce que j'ai l'air… plus réelle que les autres ?

— Non, bien sûr que non. Je ne me serais jamais lancé si je n'en avais pas eu désespérément et indéniablement envie. (Sa façon d'insister sur ces mots me noua le ventre.) Je ne crois pas avoir jamais eu envie d'embrasser quelqu'un jusqu'à présent, alors j'essaie de comprendre ce qui se passe. C'est peut-être parce que tu es sincère. Ou parce que tu es sincère et brillante. Sincère et forte. Sincère et déterminée. (Sa voix était de plus en plus suave.) Sincère et belle.

Ses mots me recouvraient à la manière d'un voile délicat et rassurant. Mais aussi serré et étouffant. Comme les fils collants d'une toile d'araignée.

Devroe rougit légèrement et se frotta la nuque.

— Je peux te confier un truc ? J'ai payé Kyung-Soon pour qu'elle te dise du bien de moi. Bon, vu le résultat, je vais peut-être exiger un remboursement.

Non, impossible. Il venait vraiment de m'avouer ça de but en blanc, gratuitement ?

Je me levai d'un bond et m'éloignai en me mordillant le bout du doigt.

Oh ! non, et si…

— Ross ? s'écria Devroe en se lançant à ma poursuite. Tout… Tout va bien ? Qu'est-ce qui t'arrive ?

Mes yeux étaient baignés de larmes. Je secouai la tête. L'instant d'après, il s'était glissé devant moi et avait posé ses mains sur mes épaules. Le pauvre. Je faisais face à quelque chose qui me dépassait. J'étais sur le point de sangloter et lui ne devait rien y comprendre.

Je repris mon souffle tant bien que mal et j'essuyai mes yeux humides avant de le dévisager.

— Alors tu… Tu ne cherches pas à me piéger ?

Il laissa éclater un petit rire.

— Combien de fois faut-il te le répéter ?

— Sans arrêt. Si on se jette à l'eau, tu devras me dire chaque fois que je te le demande.

— Dans ce cas : non, Ross Quest, je ne cherche pas à te piéger. Crois-le ou non, mais la plupart des gens ont autre chose en tête.

Je frissonnai quand il plaça quelques-unes de mes tresses derrière mon oreille.

J'appuyai mon front contre son épaule.

— Je commence à penser que… que j'ai gaspillé beaucoup de temps. Maman m'a toujours dit de me méfier de tout le monde, alors je me suis sentie… très seule, avouai-je, la voix brisée par un sanglot.

Je me blottis contre lui pour respirer son odeur. Il était ma bouée au milieu de l'océan. J'avais failli me noyer alors qu'il était là depuis tout ce temps.

Devroe m'étreignit à son tour. Son visage était tout contre le mien. Il était chaud, si chaud. J'aurais voulu que ce moment dure toujours.

— La bonne nouvelle, murmura-t-il, c'est que tu as toute la vie devant toi pour y remédier.

Je m'écartai de lui. Il essuya les larmes qui coulaient sur mes joues. Je levai les yeux au ciel, mais je ne cherchai pas à cacher mon sourire. Puis il passa un doigt sous mon menton pour relever ma tête.

— Et *maintenant*, est-ce que je peux t'embrasser ?

Je pris son visage entre mes mains pour l'attirer à moi.

Ses lèvres douces vinrent dévorer les miennes. Je lançai mes bras autour de son cou. Oh ! mon Dieu, il était délicieux. J'avais l'impression de goûter mon bonbon préféré pour la toute première fois.

J'étais prête à rester là à jamais. Quand il m'embrassa de nouveau, je ne pus m'empêcher de gémir, submergée par le désir qui naissait au creux de mon ventre.

Ce baiser était une lame de fond menaçant de m'entraîner vers le large.

Une vibration dans sa veste nous arrêta net.

Devroe grommela.

Ma poche arrière vibra à son tour.

— Quelle bande d'emmerdeurs, grondai-je.

Un message de Kyung-Soon : On embarque.

Devroe rangea son téléphone avant de me serrer contre lui. Je gloussai.

— Fin de la récré, annonça-t-il en râlant.

Son sourire s'était évanoui.

— Qu'est-ce qui ne va pas ?

— Rien, affirma-t-il en passant une main sur mes tresses. Rien du tout.

Chapitre 38

De tous les lieux de rendez-vous fixés par l'Arbitre, celui-ci était le plus surprenant. Quand j'avais vu que notre vol était à destination des îles Vierges britanniques, je m'étais attendue à finir confinée dans une nouvelle arrière-salle ou dans une cave à vin abandonnée. Pourtant, notre chauffeur nous avait déposés devant les grilles d'une immense villa.

L'endroit était inondé de soleil, à commencer par la plage et l'océan qui s'étendaient face au patio dans lequel nous étions assis. L'odeur de sel et d'écume mêlée au bruit incessant du ressac me rappelait mon pays. Mais je ne devais pas trop me détendre. Il ne suffit pas de se sentir chez soi pour être libre.

— Vous pensez qu'ils vont finir par débarquer ? demanda Kyung-Soon après avoir regardé l'heure sur son téléphone.

L'Arbitre nous avait donné rendez-vous à midi. Depuis notre arrivée à 11 heures, nous n'avions toujours pas vu la Team Noelia, qui en théorie n'était pourtant pas encore éliminée. Il ne leur restait plus que cinq minutes.

— S'ils ne se grouillent pas, ils sont foutus.

Mylo croisa les mains derrière la tête pour se remettre à bronzer.

Un barman à la chemise rose éblouissante vint apporter une boisson à Kyung-Soon. C'était un charmant cocktail rouge servi dans un verre givré au sucre et décoré d'un petit parasol identique à celui qui ombrageait notre table.

— On devrait revenir dans le coin un de ces jours, déclarai-je.

Je relevai le bord de mon chapeau flambant neuf pour mieux admirer les windsurfers qui filaient à la surface de l'eau.

Oui, ce couvre-chef de luxe détonnait un peu et il n'allait pas du tout avec ma tenue, mais j'avais envie de le porter quand même.

— En automne, précisai-je. Je vous le dis : personne ne passe ses vacances à la plage en octobre. On aurait l'île pour nous tout seuls.

— Euh… Ce sera sans moi, me refroidit Kyung-Soon.

Elle s'était mise à jouer avec son parasol miniature. J'étais prise de panique. Serais-je allée trop loin ?

— Je… n'aime pas trop l'eau, avoua-t-elle.

— Ne me dis pas que tu ne sais pas nager ?! s'esclaffa Mylo.

Elle haussa les épaules.

— Si, je sais nager. Mais je préfère la montagne. Je vote pour un chalet cinq étoiles au pied des pistes.

— Le ski, ce n'est pas trop mon truc, ronchonnai-je.

— Et toi, Devroe ? enchaîna Mylo. Tu es plutôt mer ou montagne ?

Le regard perdu dans le lointain, Devroe lissa du pouce sa cravate.

— Avant de programmer nos futures vacances, j'aimerais bien reparler du faux sarcophage. Vous auriez pu nous avertir plus tôt.

Nous en avions déjà discuté pendant une bonne partie du vol.

— Relax, Devroe, intervint Kyung-Soon. Tu sais bien comment ça marche. Dans ce genre de plan, moins de gens sont au courant, mieux ça vaut. Et puis ça a fonctionné, non ?

— Mouais. N'empêche que je n'aime pas être mis de côté.

— La prochaine fois que j'imaginerai un traquenard dans ce goût-là, tu seras le premier informé, je lui jurai.

— À votre avis, à quoi va ressembler la dernière épreuve ? lança Mylo en croisant les bras sur la table. On a déjà eu droit à un musée et une vente aux enchères. Vous croyez qu'ils vont nous demander de braquer le Caesars Palace façon *Ocean's Eleven* ?

— Ce serait le rêve de ta vie, hein ? soupira Kyung-Soon avant de boire une gorgée de son cocktail.

Personne ne comptait évoquer la triste réalité : la prochaine épreuve se jouerait forcément en solo.

Des bruits de pas. Un domestique escortait les derniers arrivants : Noelia, Taiyō, Lucus et Adra. Ils étaient habillés comme dans l'entrepôt. Pour la toute première fois, les cheveux de Taiyō étaient ébouriffés.

J'avais un sourire en coin. Cela se passait de commentaires.

Ils s'assirent à l'autre bout du patio en s'efforçant de ne pas nous regarder.

L'Arbitre arriva à son tour. Elle portait une tunique bordeaux et tenait toujours sa tablette comme s'il s'agissait d'un nourrisson.

— Félicitations, vous avez remporté la deuxième épreuve, déclara-t-elle. Du moins, certains d'entre vous. Vous nous avez offert un spectacle des plus divertissants. Sachez que, dans l'histoire du concours, peu d'épreuves ont suscité autant de réactions. Nous n'en attendions pas moins de vous.

J'agrippai mon accoudoir. Oui, ils avaient dû savourer notre show depuis leur canapé.

— Cependant, la moitié d'entre vous n'ont pas atteint leur objectif.

— Oui, oui, inutile de les enfoncer, ricana Mylo. Et si vous lâchiez plutôt le morceau, qu'on puisse en finir une bonne fois pour toutes ?

L'Arbitre lui opposa un sourire crispé.

— Puisque vous insistez… Mademoiselle Quest, mademoiselle Boschert, vous êtes toutes les deux qualifiées.

Nous nous redressâmes tous. Mon cœur s'était arrêté de battre. J'allais participer à l'épreuve finale. C'était génial, mais… Noelia aussi ?

— Mais ils ont perdu ! s'étrangla Kyung-Soon.

Devroe s'agitait sur sa chaise. À l'autre table, Taiyō marmonnait dans sa barbe.

— Comme je vous l'ai expliqué dès le départ, remporter les épreuves ne garantit pas votre qualification. Nous évaluons vos performances individuelles avant tout, et nous sommes libres d'éliminer n'importe lequel d'entre vous à tout moment. Mademoiselle Boschert, votre idée de vous approprier le plan de vos adversaires a été très appréciée, tout comme l'utilisation que vous avez faite de votre réseau pour contourner votre bannissement de l'hôtel. Vous n'avez pas volé votre qualification. Quant à vous, mademoiselle Quest, enchaîna-t-elle en se tournant vers moi, vous avez fait l'unanimité. Pousser vos adversaires à nous livrer une réplique du sarcophage était un coup de génie. Vous avez plus que mérité de poursuivre l'aventure.

J'étais incapable de regarder mes partenaires. Puisque Noelia et moi étions qualifiées et que la moitié des participants devait être éliminée, cela signifiait qu'au moins un d'entre eux n'irait pas plus loin. Le tout était de savoir qui.

Devroe serrait les poings. Mylo ne disait plus un mot. Kyung-Soon se rongeait les ongles.

— Les Organisateurs ont décidé de se montrer généreux, reprit l'Arbitre, qui prenait un malin plaisir à faire durer le suspense. Ils ont hâte de voir la suite.

L'air était devenu irrespirable.

— Mesdemoiselles Quest et Boschert, vous pouvez chacune choisir la personne qui aura l'honneur de participer à l'ultime épreuve en votre compagnie.

Chapitre 39

J'étais pétrifiée. Contrairement à Noelia.

— Je choisis Taiyō, lâcha-t-elle.

Elle croisa les jambes et posa les mains sur les genoux, sans même accorder un regard à ses anciens partenaires.

— Tu te fous de moi ?! fulmina Adra.

Lucus semblait prêt à assommer Noelia à coups de poing.

Celle-ci haussa les épaules.

— Désolée.

Taiyō avait l'air bien plus détendu.

— Je…

Adra agitait ses doigts bagués, visiblement déterminée à ne pas partir sans se battre. Mais l'Arbitre coupa court.

— Mademoiselle Laghari, monsieur Taylor, il est temps de nous quitter.

À ces mots, deux serveurs s'approchèrent de nous. Mais cette fois, ils n'avaient pas pris de plateau. Ils avaient relevé leurs chemises hawaïennes pour nous montrer que Lucus n'était pas le seul à être armé.

— Si vous le voulez bien, ajouta l'Arbitre.

Les doigts de Lucus tressautaient. Il porta une main vers sa ceinture. Je retenais mon souffle. Allions-nous avoir droit à une fusillade ?

Les serveurs ne le quittaient pas des yeux. Lucus toussota.

— Vous n'êtes que deux.

Six autres serveurs apparurent alors et encadrèrent l'Arbitre, tels des soldats autour de leur général. Elle haussa un sourcil, comme pour lui dire : « Un peu de sérieux. »

Lucus se résigna. Adra semblait encore hésiter. Elle étudiait les hommes de main. Si Lucus avait renoncé malgré son arme, elle pouvait toujours rêver.

— Pourquoi lui ? gronda-t-elle.

Noelia était stoïque. On aurait dit un robot.

— J'estime que mes chances de finir poignardée ou abattue seront bien moins élevées sans vous dans les parages. Et puis il paraît que tu as critiqué mes chaussures dans mon dos.

— Tu…

L'Arbitre se racla la gorge pour interrompre Adra.

Lucus passa devant elle. Sur son front, une veine semblait sur le point d'éclater.

— J'espère pour vous qu'on ne se recroisera jamais.

À contrecœur, Adra se dirigea vers la sortie à son tour.

Noelia ne lui accorda même pas un regard.

Après leur départ, l'Arbitre se tourna vers moi.

— Mademoiselle Quest ?

— Je ne peux pas faire ça.

Devroe, Mylo, Kyung-Soon. Si j'en choisissais un, qu'allait-il arriver ? Les deux autres me détesteraient. *Je* me détesterais.

— Impossible. Je ne peux pas choisir. Je refuse.

— Il le faut, pourtant.

— Non, je refuse.

— Dans ce cas, vous serez éliminée.

Ces types étaient de vrais sadiques.

Je serrais les poings de toutes mes forces.

— Ils doivent être tout excités, hein ? Ils ont trop envie de savoir ce que je vais faire.

L'Arbitre sourit.

— Quelle importance ?

Sa tablette vibra. Elle la consulta, puis elle releva la tête.

— Vous avez une minute. Décidez-vous, ou préparez-vous à partir.

Je me levai d'un bond. L'Arbitre recula en fronçant les sourcils. Pourquoi avais-je fait ça ? Je n'allais pas l'attaquer. Ça n'aurait servi à rien. Alors je me tournai vers notre table. Les autres ne me quittaient pas des yeux et semblaient me hurler silencieusement de les choisir. Tous les trois.

Kyung-Soon baissa le regard.

— Fais ce que tu as à faire.

Mylo ricana nerveusement.

— Ouais. Personne ne va t'en vouloir. Pas vrai, Devroe ? ajouta-t-il en lui donnant une bonne tape dans le dos.

Mais Devroe ne fit pas un geste. Il était le seul dont les yeux n'exprimaient ni angoisse ni tristesse. Il m'implorait. Il me suppliait de toute son âme.

En quoi consisterait la prochaine épreuve ? J'étais certainement sur le point de choisir mon futur partenaire. Sinon, pourquoi auraient-ils opté pour ce protocole ?

— Plus que trente secondes, m'avertit l'Arbitre.

J'avais du mal à respirer.

— Vingt secondes.

Pourquoi était-ce à moi de décider ?

— Dix secondes.

— Ross…, gémit Devroe.

— Cinq secondes.

— Devroe, murmurai-je. Je choisis Devroe.

Kyung-Soon s'affaissa. Mylo se contenta de laisser éclater un petit rire triste.

— Quelle surprise…

— Excellent choix, apprécia l'Arbitre. Mademoiselle Shin, monsieur Michaelson, merci d'avoir participé. Vous pouvez partir.

Figée sur place, je déglutis péniblement.

— Les amis…

Qu'allais-je bien pouvoir ajouter ? Il n'y avait rien à dire.

— Ne te fatigue pas, Ross, me lança Mylo en me donnant une claque sur l'épaule. On ne peut pas t'en vouloir d'avoir laissé parler ton cœur. Je me trompe, Kyung-Soon ?

Cette dernière se secoua avant de se lever.

— Exact.

J'en étais sans voix. Ils n'étaient pas en colère. Je ne méritais pas ça. Je ne les méritais pas.

Tout comme je ne méritais pas ce qu'il se produisit ensuite.

Kyung-Soon me sauta au cou et me serra si fort que nous faillîmes tomber à la renverse.

— J'espère que tu vas gagner, me chuchota-t-elle à l'oreille. Si tu as besoin de quoi que ce soit, passe-moi un coup de fil.

Elle s'écarta, me fit un clin d'œil, puis se tourna vers Devroe qui fuyait notre regard.

— Attends.

Mon chapeau hors de prix. Tout à coup, j'avais senti combien j'avais été idiote de le porter. Je le retirai. C'était à elle qu'il devait revenir.

Kyung-Soon posa une main sur la mienne.

— Non, affirma-t-elle d'un air sérieux que je ne l'avais jamais vue arborer. Non, il est à toi.

L'Arbitre toussota pour les encourager à nous laisser.

— Viens, Kyung-Soon, la pressa Mylo. Et si on allait s'en jeter un petit ? Je connais un bar d'enfer à Miami.

Alors ils partirent. Ils étaient éliminés du Trophée.

— Que l'épreuve finale commence, proclama l'Arbitre.

Je m'effondrai sur ma chaise. J'étais submergée par un mélange de tristesse et de soulagement. Une combinaison très perturbante. J'observai Devroe ; que ressentait-il ?

Il ne m'accorda pas un regard. Au lieu de quoi, il tirait sur l'une de ses manches sans desserrer les dents.

— Désormais, vous agirez seuls, dit l'Arbitre.

Seuls ? Je me mordis la lèvre jusqu'au sang. Ce n'était donc pas nos partenaires que nous venions de sélectionner. Si j'avais su, j'aurais fait un autre choix ; c'était sans doute précisément pour cela qu'ils n'avaient clarifié la situation qu'après coup.

Mon portable vibra.

— Comme vous allez le constater, cette épreuve diffère sensiblement des précédentes, expliqua l'Arbitre.

Épuisée à l'avance, je sortis mon téléphone de ma poche arrière.

Ce que j'y découvris me noua les entrailles. C'était la photo… d'un jeune garçon. Sans aucun commentaire. Le silence de l'Arbitre en disait long.

Cette personne était notre cible. Le pire, c'était que je la reconnaissais. Je l'avais vue dans les fichiers volés au Caire.

Nicholi Boschert.

J'eus toutes les peines du monde à ne pas regarder Noelia.

— Dites-moi que c'est une blague, bafouilla Devroe.

De qui était-il censé s'occuper ?

— Je pense qu'ils sont très sérieux, répliqua Noelia.

Pour une fois, elle n'était pas ironique. Lorsqu'elle se tourna vers moi, je crus déceler de l'inquiétude dans ses yeux, mais ses traits se durcirent très vite et elle laissa tomber son téléphone sur la table.

Taiyō fit une capture d'écran, puis il rangea le sien.

— Auriez-vous l'amabilité de nous préciser notre mission ? demanda Taiyō, qui regardait l'écran de Noelia. Visiblement, nous n'avons pas tous la même cible.

Noelia retourna son appareil pour cacher ce qu'avait vu Taiyō.

— Nous cherchons avant tout à tester votre talent et votre détermination. Jusqu'où êtes-vous capables d'aller ?

— Vous n'avez pas répondu à la question, j'intervins, luttant pour ne pas hurler. Si nous kidnappons ces gens pour vous, j'aimerais bien savoir ce que vous comptez faire d'eux.

La tablette de l'Arbitre vibra une nouvelle fois.

— L'un des spectateurs vous trouve très cynique, mademoiselle Quest. Nous n'avons pas l'intention de les tuer, si c'est ce que vous sous-entendez. Il est d'ailleurs essentiel que votre cible nous soit livrée vivante. Ce que nous ferons d'elle ensuite ne vous concerne pas.

Des taches noires dansaient devant mes yeux. J'avais envie de vomir.

— Interdit de les tuer, reprit Noelia. Et pour le reste ?

— Tous les coups sont permis. Mais ne vous attendez pas à être félicités si vous nous remettez une victime agonisante.

J'avais les jambes en coton. Heureusement que j'étais assise, car j'aurais pu m'évanouir. Un être humain. Un gamin. C'était mal.

— Je…, fis-je d'une voix si faible que je l'entendais à peine moi-même. Je ne veux pas faire ça…

— Pardon ?

— Elle est d'accord, répondit Devroe à ma place.

Il s'était approché de moi sans que je m'en rende compte. Il avait même posé une main sur mon épaule. *D'accord ?* Il ne voyait donc pas le problème ? Et les autres, qu'en pensaient-ils ?

Où était la limite ?

Étais-je prête à la dépasser pour retrouver ma mère ?

— Combien de temps avons-nous ? demanda Devroe.

— Trois jours. Lorsque vous aurez mené votre mission à bien, nous vous communiquerons un point de rendez-vous. L'épreuve commence… maintenant.

Noelia et Taiyō ne perdirent pas une minute. Ils partirent chacun dans une direction différente, sans se donner la peine de nous saluer. J'étais figée sur place. Mon corps était aussi inerte que la chaise sur laquelle j'étais assise.

Je croisai le regard de l'Arbitre. Son expression indifférente me rendit folle de rage.

— Aurélie Dubois, articulai-je, ce qui la fit blêmir. C'est bien votre nom ? D'où venez-vous, exactement ? Plutôt Paris, ou Marseille ? La France n'est pas un si grand pays. Vous y avez encore de la famille ?

Elle déglutit. Je me levai et m'avançai vers elle.

— Aidez-moi à retrouver ma mère, l'implorai-je à voix basse. Je vous serais redevable toute ma vie, madame Dubois.

J'évoluais à la frontière de la supplication et de la menace, mais le regard voilé de l'Arbitre me suggérait que j'avais touché ma cible.

Une salve chaotique de vibrations attira son attention sur sa tablette.

— Vous leur plaisez beaucoup, murmura-t-elle. Désolée, je ne peux pas vous aider.

Une alarme retentit.

— Bonne chance, Rosalyn, me dit-elle avant de se tourner vers Devroe. Monsieur Kenzie.

Puis elle nous laissa seuls face à notre lourde tâche.

Chapitre 40

La villa disposait de quatre entrées différentes. Dès notre arrivée, j'avais fait semblant de chercher les toilettes pour inspecter les lieux. *Note les sorties possibles et repère la meilleure.* C'était mon petit talent à moi : me tenir prête à décamper.

Jusqu'alors, j'avais toujours su m'échapper. J'avais toujours déniché l'issue de secours. Mais ce jour-là, j'étais peut-être dans une impasse.

— Qu'est-ce qu'on va faire ? je gémis. Je ne trouve pas la solution. Il y en a forcément une…

Je me massai les tempes en me remémorant le discours de l'Arbitre avec l'espoir d'y découvrir un indice. Un moyen détourné de remporter l'épreuve. Comme la sortie secrète du musée. Une idée qui me permettrait d'éviter de kidnapper quelqu'un.

Mais je ne trouvai rien de tel. Il fallait s'exécuter ou s'avouer vaincu.

Je ne pouvais pas perdre.

— Je crois… qu'on doit faire ce qu'ils nous demandent, lâcha Devroe.

Je fis volte-face pour le regarder.

— Leur obéir ? Et tu ne vois pas le problème ?

— Si, mais nous n'avons pas vraiment le choix…

J'en étais arrivée à la même conclusion, mais entendre Devroe le formuler à voix haute ne faisait qu'empirer les choses.

— Il s'agit d'êtres humains, Devroe. De vrais gens…

— Comme nous, fit-il avant de poser les mains sur mes épaules. L'enjeu est important pour toi. Je l'ai lu dans tes yeux dès le premier jour. Tu ne m'en as jamais parlé et je fais avec. Mais c'est important, n'est-ce pas ?

Je me dégageai de son étreinte. Même si j'avais décidé de lui faire confiance, les vieilles habitudes reprenaient vite le dessus.

— C'est ma mère. Elle s'est fait enlever. La rançon est fixée à un milliard de dollars. Impossible de réunir une somme pareille. Même le meilleur voleur du monde ne pourrait pas…

— Alors tu mises tout sur le Trophée, me coupa Devroe, qui serrait les dents. J'avais raison. Tu ne peux pas abandonner la partie.

— Mais… ce n'est plus un jeu ! Il ne s'agit plus de cambriolages. On parle d'un kidnapping, Devroe.

Il ajusta sa veste.

— Moi non plus, je n'aime pas ça, mais on ne peut plus reculer. Et si tu appelais ta tante ? Tu n'es pas inquiète pour elle ?

— Pourquoi, je devrais ? m'affolai-je. Qui est ta cible, Devroe ?

De détestables sentiments rampaient le long de ma colonne vertébrale. Le doute, la méfiance.

Devroe se décomposa.

— Tu retombes dans tes travers, Ross.

— Passe-moi ton téléphone, j'exigeai en tendant la main.

Il obtempéra. Je le regardai dans les yeux un bref instant avant de consulter l'écran. S'y affichait la photo d'un jeune homme aux traits asiatiques, qui devait avoir un ou deux ans de moins que nous.

— Je suis désolée, murmurai-je.

— Ne t'en fais pas. Tout va bien. Tu es sous pression.

Tout n'allait pas bien du tout, mais ce n'était pas le moment d'en débattre. J'avais toute la vie pour m'occuper de mes problèmes de confiance. S'il y avait vraiment une vie après ce qui nous attendait.

Je lui tournai le dos pour me mordiller l'index en tremblant de tous mes membres.

Devroe me massa les épaules.

— Ça ira, m'assura-t-il. Ou pas. Mais la situation est ce qu'elle est. Que ferait ta mère si elle était à ta place ?

Que ferait-elle ?

Il me suffisait de lui poser la question.

Une fraction de seconde plus tard, j'étais en train de l'appeler. Je n'avais pas activé le haut-parleur, mais Devroe était assez près pour tout entendre.

— La petite Quest ! Toujours aussi douée pour appeler au pire moment, hein ?

— Passez-moi ma mère. Maintenant.

Mon ton ne devait pas donner envie de plaisanter. Le kidnappeur grommela. Je perçus des bruits indistincts, puis…

— Ma belle ?

— Maman ! m'écriai-je, follement soulagée d'entendre le son de sa voix. Je ne sais pas quoi faire.

— Tu t'es qualifiée pour la dernière épreuve ?

Je hochai la tête, bien qu'elle ne puisse pas me voir. Devroe fixait le téléphone sans rien dire.

— Oui, mais… maintenant, je suis perdue.

— Tu dois gagner.

— Je dois kidnapper quelqu'un, Maman, je glapis en serrant le téléphone si fort que j'y laissais sans doute l'empreinte de mes doigts. Un gamin. Il doit avoir quatorze ans. Je ne peux pas faire ça… C'est foutu. Je suis désolée, je suis tellement, tellement désolée…

Seul le silence me répondit. J'avais l'impression d'entendre Maman tambouriner sur une table du bout des ongles. Comprenait-elle à quel point cette situation était inextricable ? Désespérée ?

Prenait-elle conscience qu'il s'agissait sans doute de notre ultime discussion ?

— Kidnapper quelqu'un n'est pas si difficile.

Mon sang se figea.

— Quoi ? balbutiai-je.

— Tu en es capable. S'il le faut vraiment. Je crois en toi, ma belle.

Tout tournait, autour de moi. Mon visage était agité de spasmes. *Ma maman n'a pas pu dire ça. Elle n'aurait jamais dit ça, et surtout pas si… froidement.*

— Comment peux-tu approuver un truc pareil ? coassai-je. Tu es supposée m'ordonner de renoncer. Tu devrais…

Cette édition du Trophée, vingt ans plus tôt. Celle à laquelle Maman avait participé. Celle que Maman avait gagnée.

L'ultime épreuve était-elle déjà la même, à cette époque ?

— Oh ! mon Dieu… Toi, tu l'as fait. Tu as kidnappé quelqu'un pour remporter le Trophée.

Elle ne sembla pas étonnée d'apprendre que j'étais au courant, mais les yeux écarquillés de Devroe me bombardaient de questions.

— Est-ce que ta cible avait un lien avec l'un de tes adversaires ?

— Non. C'était un inconnu.

Alors il s'agissait d'une nouveauté. L'Organisation devait aimer varier les plaisirs.

— Mais est-ce vraiment important, Ross ? Il n'y a pas d'alternative. Soit tu joues le jeu, soit tu renonces à me sauver.

J'entendis en arrière-plan un bruit métallique, comme une porte en fer qui s'ouvrait.

— Ils reviennent. Fais ce que tu dois faire, Ross. Je t'ai…

Fin de l'appel.

J'avais la gorge nouée. Maman voulait que je participe à cette épreuve. Elle voulait que je gagne. Elle voulait que je le fasse, tout comme elle l'avait fait avant moi.

Toute ma vie, je m'étais conformée à ses choix.

Cesse de te demander ce que ferait Maman. Demande-toi ce qu'elle ne ferait pas.

Tout au fond de mon cerveau, une porte venait de s'ouvrir. Elle donnait accès à un sentier étroit et périlleux. Mais il avait le mérite d'exister, et il était à mon image.

Je m'écartai de Devroe. Il m'observait, l'air troublé.

— Ross…

Je partis en courant. Noelia et Taiyō ne nous avaient quittés que depuis quelques minutes. Noelia était en train de héler un SUV devant les grilles de la villa. Taiyō avait déjà disparu.

Le chauffeur ouvrit la portière pour Noelia. Elle était en train de téléphoner et semblait très agitée.

Je me jetai à côté d'elle sur la banquette. Elle sursauta, ce qui n'avait rien d'étonnant ; j'avais bien failli atterrir sur ses genoux.

— Qu'est-ce que tu fous ?

Elle était si énervée qu'elle m'avait crié dessus en français.

Je lançai un regard noir au chauffeur.

— Laissez-nous une minute, s'il vous plaît.

— Non, tu dégages ! hurla Noelia.

Elle tenta de me faire sortir à coups de pied, mais je tins bon.

— C'est à propos de Nicholi. (Elle se pétrifia.) Tu n'arrives pas à le joindre, je me trompe ? (Son appel sonnait toujours dans le vide. Personne n'avait décroché.) Ce n'est pas une coïncidence, et tu le sais.

Noelia était toute pâle. Elle faillit lâcher son téléphone.

— Si vous nous laissez discuter, vous aurez dix euros par minute, offrit-elle au chauffeur.

Ce dernier s'empressa de sortir de la voiture. J'en profitai pour prendre le smartphone des mains de Noelia, qui ne m'opposa aucune résistance. Puis je le jetai par la fenêtre avec le mien.

— Je croyais que tu allais me parler de Nicholi. Tu veux me piquer mes affaires, en fait ?

— Ils se servent peut-être de nos téléphones pour nous espionner.

— Et alors ? rugit-elle. Je me moque complètement de ce jeu débile. Tout ce qui compte, c'est...

— Nicholi.

À l'époque, elle n'arrêtait pas de se plaindre de lui. Je commençais à penser que c'était ainsi que les frères et sœurs se manifestaient leur affection.

— C'est lui, ma cible, précisai-je.

Noelia se tendit. Elle serra les poings pour me frapper, avant de réaliser que cela ne changerait rien à la situation.

— J'aurais dû m'en douter, murmura-t-elle. Si tu comptes sur moi pour te supplier...

— Non, je suis venue te demander de l'aide.

Elle me dévisagea.

— Ne te fiche pas de moi.

— Tu crois vraiment que je n'ai que ça à faire ? Je ne veux pas kidnapper ton frère.

Noelia pouffa, comme si c'était la chose la plus ridicule qu'elle ait jamais entendue.

— Tu renonces au Trophée ?

— Je change les règles du jeu. J'ai un plan, mais il ne fonctionnera pas sans ton aide.

Noelia ne semblait pas à l'aise. Elle croisa les bras et releva le menton. J'eus un sentiment de déjà-vu ; quand nous avions neuf ans, il lui arrivait d'adopter cette posture. Les gens ne changent jamais tout à fait.

— Arrête ton cinéma, Lia.

Elle écarquilla les yeux ; je ne m'étais même pas rendu compte que je l'avais appelée par son surnom. Elle m'avait accordé ce privilège deux semaines après notre rencontre. *Tous mes amis m'appellent Lia. Toi aussi, tu peux, si tu veux.*

Elle décroisa les bras. Sa jambe tressautait.

— Et… comment vas-tu me convaincre de me remettre à te faire confiance ? me lança-t-elle.

C'était le monde à l'envers. Même dans une situation pareille, elle ne pouvait pas s'empêcher de me provoquer.

Je cherchai un indice dans son regard. Une marque de sarcasme ou de moquerie. Je ne trouvai rien. Au lieu de quoi, sa bouche se tordit. Elle était nerveuse… Elle le pensait vraiment. Selon elle, c'était *moi* qui n'étais pas digne de confiance.

— Parce que…

Je ne savais pas quoi dire. Comment convaincre cette fille avec qui je m'étais tant disputée de se fier à moi ?

Commence par lui faire confiance.

— Et toi, qui est ta cible ? demandai-je avec prudence.

Puisque la mienne était le frère de Noelia et que celle de Devroe était un proche de Taiyō, il y avait de grandes chances que...

— Une Quest. Elle doit avoir la trentaine.

Tatie. J'avais beau m'y attendre, j'étais bouleversée.

— J'imagine que c'est une cousine à toi ?

— Quelque chose comme ça.

J'inspirai profondément. Ce que je m'apprêtais à faire était sans doute l'exact opposé de ce que Maman aurait décidé à ma place.

— Love Hill, Andros, Bahamas. Elle vit tout au nord de l'île.

Noelia en resta bouche bée.

— Pourquoi tu me dis ça ? Tu as pété les plombs ?

— Ton frère est à Hauser, une école privée suisse. Je sais où le trouver, et désormais tu sais où trouver ma tante. Je vais même t'écrire l'adresse. J'ai décidé de te faire confiance. Alors je t'en supplie, Noelia : fais-moi confiance aussi. Au moins pour cette fois.

Les dés étaient jetés. J'avais mis en péril la vie de Tatie, et peut-être celle de Maman, pour quoi ? Pour me laisser une chance de suivre ma propre voie ?

Une chance de faire un meilleur choix. Le mien.

Noelia poussa un soupir.

— Tu m'expliques ton plan ?

Chapitre 41

Après cette petite discussion, je ne me sentis pas fière de pousser Noelia hors du SUV. Elle hurla de douleur quand elle percuta le sol de gravier.

— Fous-moi la paix ! criai-je.

Je rappelai d'un geste le chauffeur, déconcerté.

Noelia lui marmonna que tout allait bien. Par la vitre opposée, j'aperçus Devroe. Je l'avais quitté sans préavis. Il devait se demander quelle mouche m'avait piquée.

— Devroe ! l'interpellai-je.

Je descendis par la portière ouverte pour ramasser mon téléphone. Noelia passa devant Devroe en époussetant sa jupe. Elle allait attendre un nouveau VTC à l'intérieur. Devroe nous regardait à tour de rôle, éberlué.

— C'est pour lui dire au revoir à coups de poing que tu m'as planté comme ça ? me lança-t-il en s'installant à côté de moi.

— À peu près, oui. Excusez-moi, monsieur, auriez-vous du papier et un crayon ?

Le chauffeur sortit un petit carnet et un stylo de la boîte à gants. Je lui demandai de nous conduire à l'aéroport.

— Sa cible, c'est ma tante. J'ai essayé de la forcer à renoncer.

En même temps, je rédigeai un tout autre message.

Reste calme. Noelia est de notre côté. L'Orga écoute.

Devroe ne manifesta pas la moindre émotion. Il saisit le stylo, puis il écrivit sa réponse sur le carnet ouvert sur mes genoux.

— Alors, tu as pris ta décision pour… ta mission ? m'interrogea-t-il.

C'est quoi, le plan ???

— Je suis prête à tout. Ça ne me plaît pas, mais je n'ai pas le choix.

On va jouer selon nos propres règles. Tu es partant ?

Le chauffeur nous observait dans le rétroviseur. S'il s'agissait d'un *véritable* chauffeur.

Il suffit de quelques secondes à Devroe pour m'écrire sa réponse.

Avec toi, toujours.

#

Je ne pensais pas avoir tant de mal à faire comme si je n'avais pas remarqué que Noelia nous avait pris en filature. Il ne fallait surtout pas que les Organisateurs devinent notre alliance. Ils risquaient de me trouver négligente, mais ça n'avait pas d'importance.

Devroe et moi avions dépensé plus de huit mille dollars pour obtenir des places dans un jet privé pour la Suisse. J'avais pris soin de préciser à voix haute que ce serait plus rapide qu'un simple vol commercial. Mais en réalité, le but était de nous assurer une certaine intimité. Je me doutais que tous les avions pour Zurich étaient mis sur écoute.

Le Trophée avait achevé de faire de moi une super-voleuse hypervigilante.

La dernière épreuve avait commencé depuis moins de deux heures quand nous traversâmes les nuages. Seules quatre des huit places étaient occupées ; il n'y avait que Devroe, le pilote, une « hôtesse de l'air » et moi.

— Tu devrais en profiter pour dormir un peu, me conseilla Devroe lorsque l'appareil atteignit son altitude de croisière.

Je lui confiai mon smartphone, aussitôt imitée par l'hôtesse.

— Réveille-moi dans quelques heures.

Il déposa nos téléphones tout au fond de l'appareil, là où le bruit des moteurs était le plus fort. Il les avait du reste enroulés dans ma veste avant de les ranger à l'intérieur d'un chariot à boissons. On n'est jamais trop prudent.

— Au Caire, tu étais persuadée qu'on avait mis le téléphone sur écoute. Or, tu t'étais trompée, ne put s'empêcher de me rappeler Devroe quand il se rassit à côté de moi, dans un large fauteuil de cuir blanc.

— Ils nous avaient vraiment mis sur écoute. Je n'avais juste pas compris comment.

Je fis une grimace à l'hôtesse de l'air, qui s'installa en face de moi. Elle retira sa perruque châtaine et laissa tomber ses lunettes sur ses genoux.

— Ne me regarde pas comme ça, répliqua Noelia. C'était une idée de Taiyō. Il était furieux à cause de l'épisode du train. Je crois que tu l'as vexé.

— Mais d'ailleurs, où est-il ? l'interrogeai-je.

— Hum. Si toi et moi sommes censées nous attaquer à nos familles respectives et que Devroe doit capturer le frère de Taiyō, alors…

Nous nous tournâmes vers notre complice.

— Tu penses que ça ira, pour ta mère ?

Je n'étais pas très à l'aise à l'idée d'évoquer devant Noelia le seul membre de sa famille dont il m'avait parlé.

Devroe tripota sa manche. Visiblement, ma question l'avait irrité.

— Elle va s'en sortir.

Je mourais d'envie de lui tirer les vers du nez, mais ce n'était pas le moment idéal.

— Tu ne m'avais pas prévenue qu'il serait dans le coup, se plaignit Noelia en désignant Devroe sans se donner la peine de le regarder.

— Tu sais, Taiyō n'est pas le seul à avoir été vexé par cette histoire de téléphone ! s'indigna Devroe.

Je comprenais très bien son point de vue, même si nous n'en avions encore jamais reparlé.

En lieu et place du ricanement méprisant auquel je m'attendais, Noelia baissa les yeux.

— C'est vrai, ce n'était pas cool. Je suis… Disons que je suis désolée.

Ce n'était pas l'excuse du siècle, mais il fallait s'en contenter.

Je me raclai la gorge pour rompre le silence gênant qui s'était installé.

— Ton frère… pourquoi l'Organisation en aurait après lui ?

Noelia haussa les épaules.

— Euh… Pour jouer avec mes nerfs ? Pour m'opposer à mon ennemie ? Pour ajouter un peu de piment ?

— Pour tout ça à la fois, intervint Devroe.

— Ça ne colle pas, protestai-je. Tout ce qu'ils nous ont forcés à voler jusqu'à présent avait une vraie valeur, qu'elle soit financière ou politique. Si ma tante ne participe plus à beaucoup de jobs, c'est parce que trop de gens ont découvert son identité réelle. Des gens qui seraient ravis de se venger. Elle vaut de l'argent.

— Mon frère a quatorze ans, lâcha Noelia. Ce n'est pas comme si tous les criminels du coin étaient prêts à se ruiner pour le punir.

Cette simple pensée l'avait fait frissonner.

— Tu en es sûre ?

D'après son regard, j'aurais aussi bien pu lui demander si elle était certaine de s'appeler Noelia.

— Oui.

Je m'enfonçai dans mon fauteuil en tapotant mes accoudoirs du bout des doigts.

— Qu'est-ce que tu sais sur Hauser ?

Noelia croisa les jambes. Elle avait rougi. J'étais sur la bonne piste.

— C'est une école privée pour garçons.

— Qu'est-ce qu'il fait là-bas ?

— Il étudie.

— Pour quoi faire ? s'étonna Devroe. Les gens comme nous vont rarement à la fac...

— Il est en mission, concéda Noelia dans un souffle. C'est une histoire de famille. Je ne suis pas censée vous en parler...

— Hmm-hmm...

Au point où nous en étions, j'espérais bien qu'elle allait nous en dire plus.

Elle avait visiblement du mal à se décider.

— L'un des élèves est le fils d'un Premier ministre, finit-elle par avouer. Notre client veut s'attaquer à son père. Nicki doit se lier avec le gamin pour trouver un moyen de ruiner la carrière de son paternel.

Je l'observai quelques secondes en clignant des yeux.

— Trahir ses amis est une tradition familiale, chez les Boschert ?

Elle ne releva pas. Je n'avais pas tellement envie d'entendre sa réponse, de toute manière.

— Tes parents ont confié un job pareil à un gamin de quatorze ans ? s'étonna Devroe.

— C'est une mission au long cours. Il a jusqu'aux prochaines élections pour mettre la main sur quelque chose de compromettant. Tu n'imagines pas le nombre d'informations qui circulent dans ce genre de bahut. Ce n'est pas pour rien que tant de thrillers se passent dans des écoles privées pour riches. Ça grouille de cachotteries et de drames familiaux refoulés.

Une Cocotte-Minute pleine de secrets… dans l'un des établissements les plus élitistes au monde.

Je commençais à comprendre pourquoi le frère de Noelia avait tant de valeur, et pourquoi l'Organisation tenait à mettre la main sur lui.

C'était quelque chose dont nous pouvions tirer parti.

Je me penchai vers Noelia.

— Qui d'autre étudie dans cette école ?

#

Aussi incroyable que cela puisse paraître, trois heures suffisent à concevoir un plan pour menacer une puissante société secrète. Nous avions décollé quatre heures plus tôt, et il restait seize heures de vol. Allongé sur son siège incliné, Devroe ronflotait, la tête penchée sur le côté. Quand je n'étais pas occupée à l'admirer, je consultais Google Maps pour étudier les routes menant à la ville. Mais je finis par ranger mon téléphone.

Noelia feuilletait la même revue gratuite pour la troisième fois.

— Pourquoi est-ce que c'est toujours les plus beaux mecs qui ronflent ? lança-t-elle après une bonne demi-heure de silence.

Il me fallut un instant pour comprendre qu'elle parlait de Devroe. L'entendre le décrire comme un « beau mec » me déplut.

— Aucune idée. Il ne ronflait pas, l'autre jour.

Noelia baissa son magazine pour m'adresser un regard amusé.

— L'autre jour ?

J'avais le visage en feu.

— Je veux dire, la dernière fois que..

Noelia ne masquait même pas son sourire, alors je dus me résigner à ricaner.

— Bref.

Elle ferma son magazine et le jeta sur sa tablette coulissante.

— Tu te souviens de cette fille, dans le dortoir d'à côté ? La Canadienne ? Sérieux, on l'entendait ronfler dans toute la colo.

Je m'en rappelais à peine. Une Noire aux cheveux crépus. J'avais oublié son prénom. De quoi d'autre étais-je capable de me souvenir ?

— Je lui… Je lui avais piqué sa lotion pour les cheveux, pouffai-je.

Impossible de résister. Cette scène m'était revenue d'un seul coup.

— Ouais ! Tu m'en avais versé un litre sur la tête, et j'avais mis une semaine à la rincer.

Je m'en souvenais aussi ! Je lui avais fait des tresses… Du moins, j'avais essayé, et ça avait mal tourné.

— Tu étais ma toute première amie blanche ! Je ne pouvais pas savoir qu'il faut éviter d'huiler des cheveux lisses…

À l'époque, nous avions été horrifiées par le résultat, mais avec le recul, c'était très amusant. Nous avions passé des heures à tenter de nettoyer la crasse collée aux mèches agglutinées sur le crâne de Noelia. En y repensant, je me tordais de rire. Noelia aurait sans doute aimé me faire croire qu'elle m'en voulait toujours, mais mon fou rire était contagieux.

— Merci de m'avoir convaincue de ne pas les couper, me dit-elle quand nous fûmes calmées. Mon père m'aurait sûrement tuée, si je l'avais fait sans sa permission.

Je l'observai un instant en silence.

— Ton père, il est dur avec toi ?

Elle détourna le regard.

— J'arrive à gérer.

Elle n'aurait rien pu répondre de pire. Je grimaçai. Je ne savais pas comment poursuivre cette discussion, mais je n'avais pas non plus envie de faire comme si de rien n'était.

— Tu sais, ma mère peut être très exigeante, elle aussi. Mais elle cherche à bien faire, et elle ne m'a jamais… frappée. Si tu as envie d'en parler, je…

— N'importe quoi, tu te fais des films…, me coupa Noelia en se massant les tempes. Un conseil : si tu décides de te reconvertir, n'essaie pas de devenir psy.

D'accord, mon approche n'avait pas été très subtile. Noelia se mordit la lèvre avant de poursuivre :

— C'est juste que Papa est… Quand quelqu'un le déçoit, il n'hésite jamais à le lui dire, et en détail. Et puis parfois, il me propose de faire quelque chose, mais… ce n'est pas vraiment une suggestion, en fait. C'est un test.

À sa façon de baisser la tête, les yeux dans le vague, je devinai qu'elle songeait à un moment très précis.

Je suivis son regard désormais braqué sur ses bottes. Une nouvelle paire aux semelles customisées. Je me souvins d'une chose qu'elle m'avait confiée : elle avait eu des chaussures comme les miennes, mais son père l'avait forcée à les jeter.

S'agissait-il de l'un des tests qu'elle venait d'évoquer ?

— Pourquoi entrer dans son jeu ? Tu pourrais aussi décider de t'en foutre…

Je grimaçai. J'avais moi-même adopté cette attitude rebelle, et cela avait causé ma perte. Maman s'était fait capturer. Mais au départ, j'avais eu le sentiment de faire le bon choix. Les choses auraient pu mieux tourner. Peut-être que pour elle, cela fonctionnerait…

Noelia ricana.

— *Décider de t'en foutre*, répéta-t-elle d'un ton moqueur, et en français.

À croire qu'elle exprimait beaucoup plus facilement ses émotions dans sa langue natale.

— Si je veux diriger ma famille un jour, je dois l'impressionner.

— Comment ça ?

— La famille Boschert ne se résume pas à Nicki, Papa et moi, tu sais. J'ai des oncles, des tantes, des cousins et des grands-parents. Il doit y avoir un chef et une chaîne de commandement. Papa est à la tête de notre empire ; c'est lui qui désignera son successeur. En général, c'est le premier-né, alors tout le monde s'attend que je sois choisie. Ça devrait être le cas, mais…, s'interrompit-elle en se tordant les mains. Ces derniers temps, je me pose des questions. Dès que je fais la moindre erreur, il en profite pour dire tout le bien qu'il pense du cousin Freare ou pour s'émerveiller des progrès de ma cousine Anna.

Noelia était si tendue qu'elle semblait sur le point d'exploser. Sa peur était palpable, ce qui me mit en colère pour elle. En maintenant cette épée de Damoclès au-dessus de sa tête, son père la forçait à marcher sur des œufs depuis des années.

Dans d'autres circonstances, l'ironie de la situation aurait pu me faire rire. J'avais désespérément cherché à fuir ma famille pendant que, sur un autre continent, Noelia faisait tout pour prendre le contrôle de la sienne.

Je n'allais pas lui dire qu'elle devrait défier son père ou que l'avis de sa famille n'avait aucune importance. Cette petite conversation aérienne ne risquait pas de remédier à une vie entière de conditionnement. Je commençais à peine à me libérer du mien. Et si elle tenait vraiment à devenir la cheffe de sa famille, alors envoyer tout valser n'était sans doute pas le meilleur des conseils.

Je n'avais pas de solution à lui proposer. C'était tout juste si j'en avais pour moi-même.

Je donnai un léger coup de pied sur la pointe de sa botte. Elle sursauta, et je lui souris.

— Je suis désolée pour toi. Ta famille refuse de te voir telle que tu es, et c'est dommage pour eux.

Dis-toi juste qu'il n'y a pas que leur avis qui compte. D'accord, on est un peu ennemies, mais moi, je préfère largement la Noelia qui aime les chaussures bizarres. D'ailleurs, si l'envie lui prenait de m'envoyer l'adresse de ses boutiques favorites, je pourrais être tentée d'aller voir ce qu'on y vend.

J'espérais ne pas la mettre trop mal à l'aise.

Elle me lança un regard indéchiffrable. Puis elle releva le menton en rejetant quelques cheveux derrière ses épaules, un tic que j'associais plutôt à la Noelia-pas-sympa. Mais elle me sourit.

— Comme si j'allais laisser Ross Quest copier mon style. Je t'enverrai juste des photos de mes nouvelles chaussures, histoire de te faire enrager.

— Il ne faudra pas t'étonner si certaines disparaissent de ton placard.

— Hum, j'aimerais bien voir ça.

Après avoir éclaté de rire, je finis par m'asseoir à côté d'elle pour lui montrer le contenu de mon panier sur Etsy. Nous passions un bon moment, jusqu'à ce que je fasse un détour par mon écran d'accueil pour ouvrir mon appli Pinterest.

Noelia m'agrippa le poignet. Elle était devenue toute pâle et son regard n'exprimait plus la curiosité ni l'amusement.

— Là, lâcha-t-elle en posant un doigt entre deux applications.

— Quoi, mon App Store ?

— Cette femme !

Je fronçai les sourcils. Mon fond d'écran était une photo de Maman et moi, joue contre joue.

— Oui, je sais. Ça craint un peu, d'avoir sa mère sur sa page d'acc…

— Ce n'est pas ta mère, me coupa Noelia.

— Désolée de te contredire, mais…

Noelia planta ses yeux dans les miens.

— Ross… C'est elle. La femme de la colo.

Pourquoi remettait-elle ça sur le tapis ? L'ambiance était bonne, avant ça.

— Tu n'as jamais rencontré ma mère. Elle est venue me chercher bien après que tu m'as balancée.

— Je te dis qu'elle était là ! Elle devait faire partie du staff. C'est elle, qui m'a donné ton mot.

Les pièces du puzzle étaient en train de s'imbriquer, mais mon cerveau refusait d'aller jusqu'au bout. C'était trop brutal.

— Quel mot ? C'est toi qui m'as laissé un message pour me donner rendez-vous sous l'escalier principal. Quand je suis arrivée, l'une des monitrices m'attendait. Elle m'a prise la main dans le sac avec tous les bijoux.

— Pas du tout. Tu m'avais donné rendez-vous dans la salle commune. Je ne t'ai pas balancée. Je t'ai attendue je ne sais pas combien de temps.

Maman était venue me chercher en un temps record… Quelques heures plus tard, j'étais repartie avec elle. Le cœur brisé, convaincue d'avoir été trahie par ma meilleure amie.

Comment Maman avait-elle pu arriver si vite ? À moins qu'elle n'ait été déjà sur place…

Oh ! mon Dieu.

— Ross ?

La voix de Noelia semblait venir de très loin. Dès le départ, Maman avait tout fait pour que j'adhère à sa philosophie : ne jamais faire confiance aux autres voleurs, ne pas se faire d'amis…

Les yeux me brûlaient. Sans rien dire, je posai la tête contre l'épaule de Noelia. Elle prit simplement ma main dans la sienne.

J'allais sauver la vie de ma mère, mais ensuite, elle allait devoir s'expliquer.

Chapitre 42

Tu es sûre que ça va marcher ? insistai-je.

— Je flanquai une pichenette sur le mot plié en quatre que m'avait confié Noelia. J'avais d'abord prévu de le déposer dans la chambre de Nicholi, mais Noelia avait insisté : il fallait le lui livrer en main propre. À cause d'une vieille histoire d'écriture imitée qui aurait mal tourné. Et puis il aurait pu trouver louche que sa sœur lui envoie une lettre manuscrite plutôt qu'un texto ou un e-mail, comme le ferait n'importe quel humain normalement constitué. Si je découvrais un mot pareil dans ma chambre, j'irais sans doute au rendez-vous, mais armée jusqu'aux dents.

J'entendis Noelia chuchoter sa réponse dans mon oreillette. Nous avions misé sur cette technologie old-school pour pouvoir communiquer en toute discrétion. Par chance, Devroe savait où en acheter tout près de là. Un de ces jours, j'allais lui demander de partager avec moi son impressionnant réseau international.

— Rappelle-moi *qui* est la sœur de ce garçon ? Si je te dis que ça va marcher, c'est que ça va marcher. Les plans de Noelia Boschert sont en béton armé.

393

D'après les chuintements qui suivirent, je supposai qu'elle était en train de grommeler combien j'étais ridicule de ne pas lui faire confiance. Ce n'était pas le moment de lui signaler que mon plan à moi nous avait permis d'humilier son équipe durant l'épreuve précédente, mais j'en mourais d'envie.

J'agrippai les bretelles de mon sac à dos à carreaux tout neuf et presque vide. Je l'avais acheté pour mieux me fondre dans le décor, entre les vestes et les jupes plissées. Si quelqu'un prêtait attention à moi, il me prendrait pour l'une des élèves du lycée pour filles situé à quelques centaines de mètres. Plusieurs d'entre elles passaient par Hauser durant l'après-midi pour retrouver leurs amis ou leur petit copain. Aucun des surveillants postés devant les grilles de l'école ne m'adressa le moindre regard.

Le campus était si grand que c'en était presque absurde. On aurait dit que quelqu'un avait posé là un morceau de Central Park, jeté quelques monuments historiques au milieu et entouré le tout d'une muraille de fer. Les plans que j'avais étudiés sur le chemin n'étaient pas très fiables. Sans la petite voix qui me murmurait des indications dans le creux de l'oreille, j'aurais pu me perdre.

— Le dortoir se trouve dans le bâtiment de brique rouge aux fenêtres voûtées.

Je n'eus aucun mal à le repérer : un flot ininterrompu d'élèves marchait dans cette direction, ainsi qu'une bonne partie des filles en visite.

— Est-ce qu'il repasse toujours par sa chambre après les cours ?

Qu'allais-je faire si Nicholi décidait de ne pas rentrer avant le soir ?

— Arrête de cogiter, me rabroua Noelia. Contente-toi de traîner dans le coin jusqu'à ce que tu le localises.

— Je t'avais bien dit de me laisser y aller, dit Devroe, dont j'entendais la voix pour la première fois.

— Ross, tu peux me rendre un petit service ? Dis-moi combien de beaux Blacks tu vois autour de toi ?

Elle avait raison. Je n'en avais encore croisé aucun.

— Pour être honnête, chuchotai-je, il n'y a pas non plus des tonnes de filles noires.

J'en avais aperçu deux ou trois.

— Normal : c'est une école de garçons. Je peux t'assurer que les surveillants se seraient tout de suite rendu compte que Devroe n'était pas l'un des quatre Noirs inscrits à Hauser.

— Je te trouve bien consciente des avantages que te procure ta couleur de peau, releva Devroe d'un ton pincé.

— Sers-toi de tes atouts, même si tu n'as rien fait pour les mériter, répliqua Noelia. C'est ce que mon père m'a toujours répété.

J'atteignis les dortoirs avant que Devroe ou moi n'ayons eu le temps d'argumenter davantage.

Le hall était une vaste salle bondée à la lumière tamisée. On y trouvait des bureaux équipés de lampes et flanqués de fauteuils confortables. Des élèves s'installaient en laissant tomber leur cartable par terre ou se précipitaient dans l'escalier en colimaçon pour rejoindre les étages supérieurs.

On se serait cru dans un hôtel de luxe. J'en venais presque à regretter de ne pas avoir la chance de travailler ici sous couverture.

— La chambre de Nicki est au troisième étage, précisa Noelia, mettant un terme à la rêverie dans laquelle j'étais en train de sombrer. Je... Je ne sais pas où exactement.

— Génial, grommelai-je, ce qui me valut un regard méprisant de la part d'une rousse qui descendait l'escalier.

Parler toute seule ne devait pas être très bien vu, par ici.

Au troisième étage, je découvris des couloirs interminables. Les portes des chambres étaient si espacées que, même sans avoir appris par cœur les plans du bâtiment, j'aurais pu deviner qu'elles étaient immenses.

Je fis semblant d'attendre quelqu'un. Je n'avais jamais rencontré Nicholi, mais j'avais passé deux bonnes heures à étudier des photos de lui : celle que m'avait fournie l'Arbitre et une poignée d'autres appartenant à Noelia. J'aurais pu le reconnaître entre mille. D'autant que sa sœur m'avait précisé qu'il marchait souvent avec une main dans la poche. Donc : un garçon de quatorze ans blond aux yeux bleus, avec une main dans la poche. Des dizaines d'élèves étaient passés devant moi, mais aucun ne correspondait à cette description.

— Tu l'as repéré ? me demanda Noelia après dix minutes de silence.

— Tu penses bien qu'elle nous l'aurait dit, commenta Devroe.

— Elle l'a peut-être raté. Tu es sûre d'être assez concentrée ?

Pour qui me prenait-elle ? Une débutante ?

Je donnai une chiquenaude sur mon oreillette, provoquant un violent grésillement. J'espérais m'être bien fait comprendre.

— C'était très mature de ta part, Ross.

Je ne pus m'empêcher de sourire.

Une nouvelle bande était sur le point de descendre l'escalier. Des garçons tous bruns. Alors que j'allais m'en désintéresser, l'un d'entre eux retint mon attention. Bien qu'il soit en partie masqué par ses camarades, j'avais remarqué ses traits asiatiques, ses lunettes et ses cheveux trop bien coiffés.

Je sursautai. Une grappe d'élèves me boucha la vue, et le garçon disparut.

Je me faufilai à travers la foule. Quand j'atteignis les premières marches, il était déjà presque en bas.

— Taiyō…, murmurai-je.

— *Notre* Taiyō ? s'exclama Noelia. Tu as dû rêver. Qu'est-ce qu'il pourrait faire là ?

— Je suis d'accord, renchérit Devroe. Je n'ai aucune idée de l'endroit où se trouve ma mère, mais je suis certain qu'elle n'est pas cachée dans une école privée suisse.

— Peut-être que ce n'est pas ta mère qu'il cherche.

Taiyō, si c'était bien lui, fonçait vers la sortie. Pour en avoir le cœur net, j'allais devoir quitter le bâtiment.

Mais c'est à cet instant que je le repérai : Nicholi Boschert.

Même si je n'avais pas pu voir son visage, la main qui tressautait dans sa poche tandis qu'il montait l'escalier aurait suffi à me mettre sur la piste. Il était avec deux camarades ; le premier, qui avait jeté sa veste sur son épaule, était en train de parler. Le second bâillait.

Taiyō (ou son sosie) disparaissait au loin.

— Super, marmonnai-je.

— Qu'est-ce qui se passe ? Tu es en train de suivre Taiyō ? Laisse tomber ! Tu dois attendre que Nicki…

J'arrachai mon oreillette. Je pris une profonde inspiration, puis je descendis les quelques marches qui me séparaient de Nicholi. Je m'arrêtai juste devant lui.

— C'est bien toi, Nicki ?

Son ami en chemise se tut sur-le-champ. Était-ce la cible qu'il cherchait à approcher depuis des mois ? Le garçon éclata de rire.

— *Nicki* ? C'est ton petit surnom ?

Le frère de Noelia s'empourpra.

— Je m'appelle Nicholi.

— Ah ? Noelia m'a dit de t'appeler Nicki.

Il se figea. Maintenant que j'avais mentionné sa sœur, j'avais toute son attention.

— Elle m'a demandé de te passer le bonjour.

Je fis semblant de retirer une poussière de sa veste pour glisser le mot de Noelia dans sa poche. Je sentis que ma manœuvre ne lui avait pas échappé. Il devait s'interroger : s'agissait-il d'une menace ? Mais ce que j'ajoutai ensuite mit les choses au clair :

— Apparemment, tu manques beaucoup à Marlow.

Nicholi sursauta. *Marlow*, c'était leur code secret. Il hocha la tête. J'étais une alliée.

Je lui dis au revoir et je m'élançai dans l'escalier. J'entendis l'un de ses amis commenter mon départ :

— Je ne savais pas que tu avais une sœur. Elle est bonne ?

— Et après, tu t'étonnes que je ne t'aie pas parlé d'elle ?

Une fois dehors, je fouillai le parc du regard. C'était inutile. S'il s'agissait bien de Taiyō, il devait être loin, désormais.

Chapitre 43

J e suis certaine que c'était lui.
— Du moins, j'en étais presque certaine. Mais plus Devroe me questionnait, plus j'étais prête à le jurer sur ma tête.

Il se tenait debout derrière un canapé en osier très inconfortable recouvert d'un simple plaid de laine, comme on en trouve dans toutes ces locations au style bohème chic. Il me regardait aller et venir sur le tapis en patchwork.

— Ou quelqu'un qui lui ressemble..., insista Devroe en se pinçant le nez.

Je m'arrêtai net pour le dévisager. Est-ce que j'étais en train de le stresser ?

— Je ne vois vraiment pas ce qu'il pourrait faire là. Il serait venu juste pour te provoquer ?

— Je n'en sais rien, moi ! Peut-être qu'il n'a pas envie de kidnapper sa cible. Peut-être qu'il... (Je soupirai avant de me laisser tomber sur une minuscule chaise en osier toute rêche.) Je ne sais pas. Mais c'était bien lui.

Sûrement.

Cette fois, c'était à mon tour d'être stressée. Rien à voir avec l'excitation à laquelle Mylo était accro. Je me sentais en danger. J'avais le sentiment que tout était sur le point de voler en éclats.

— Je croyais qu'on se faisait confiance, maintenant, murmurai-je.

— C'est le cas.

— Ah bon ? Moi, j'ai été jusqu'à donner mon adresse à Noelia, alors que toi, tu refuses de me croire.

Il sourit tristement. Il se tourna vers les chambres, où nous avions caché nos téléphones et tous les appareils susceptibles d'être mis sur écoute, à défaut de pouvoir les laisser dehors.

— Jusqu'à présent, on a respecté les règles du jeu…, soupira Devroe. Mais là, tu marches sur un fil au-dessus d'un nid de serpents. Si tu te déconcentres, tu pourrais tomber et… et je ne veux pas voir ça.

Il attendait ma réaction en retenant son souffle. Étais-je prête à renoncer ? Se faisait-il vraiment du souci pour moi ? Cette idée me réchauffait tout le corps. En dehors des membres de ma famille, personne n'avait jamais cherché à me protéger. C'était… charmant.

Mais cela ne m'empêchait pas de suivre mon instinct, et celui-ci me répétait que j'avais raison d'être inquiète.

Noelia fit irruption dans la pièce, la mine sombre. Elle lança un téléphone prépayé à Devroe, qui l'attrapa d'une main.

— J'ai essayé d'appeler, mais il n'a pas décroché. Cela dit, je ne vois pas pourquoi Taiyō répondrait à un numéro inconnu…, ajouta-t-elle en s'asseyant sur l'accoudoir du canapé, les jambes croisées comme une reine sur son trône. Dommage que je ne puisse pas le contacter avec mon portable.

— Impossible, puisque tu es censée être notre otage, lui rappela Devroe.

Entre ses pieds nus, son short et sa queue-de-cheval nouée à la va-vite, Noelia avait l'air de tout sauf d'une otage. Mais tant que les Organisateurs *croyaient* que nous avions découvert qu'elle avait essayé de nous piéger avec son déguisement d'hôtesse de l'air et que nous l'avions ensuite forcée à nous suivre, elle pouvait bien s'habiller comme elle le souhaitait.

— De toute façon, il n'aurait sans doute pas répondu non plus. Les autres étaient un peu… fâchés contre moi quand on a découvert que le sarcophage était une copie.

Pour la ménager, et parce que nous étions en bien meilleurs termes désormais, je préférai ne pas sourire.

— Peu importe, répliqua Devroe. Ce n'était sûrement pas lui.

Noelia n'en revenait pas.

— Si Ross dit qu'elle l'a vu, c'est qu'elle l'a vu, *Kenzie*.

Je me crispai. Il y avait une semaine encore, je n'aurais jamais imaginé que Noelia pourrait prendre ma défense un jour. Devroe serra les dents, mais elle le regardait en haussant un sourcil comme pour le défier d'ajouter un mot.

— Même si elle n'en était pas sûre, et *elle l'est*, on ne va pas miser sur l'hypothèse qu'il s'agissait d'un sosie alors que la vie de mon frère est en jeu. On doit prendre les devants. La meilleure défense, c'est l'attaque.

— Une nouvelle citation de ton incroyable père ? demanda Devroe.

Noelia l'ignora mais je lui lançai un regard noir. Il aurait bien fait de montrer un peu moins d'animosité.

— Je suis d'accord avec Noelia. (Je n'en revenais pas d'avoir dit une chose pareille.) Nous ferions mieux de changer nos plans pour ce soir. Noelia doit rester cachée ici, mais toi, tu pourrais suivre Nicholi pour t'assurer qu'il ne lui arrive rien.

— Je suis son garde du corps, maintenant ?

— Si Taiyō est venu pour l'enlever, il voudra agir hors de l'école. Et si tu le filais quand il sera sorti du campus pour me retrouver ?

Cette idée ne me semblait pas déraisonnable ; j'étais même certaine qu'elle était excellente. Alors pourquoi Devroe me regardait-il comme si j'étais en train de gâcher l'ambiance ?

Il se leva, tira sur le bas de sa veste et me fit un sourire crispé.

— C'est ton plan. On fait comme tu le sens, Ross.

Il traversa la pièce et m'embrassa sur la joue. Noelia leva les yeux au ciel. Il se dirigea vers la sortie.

Noelia attendit que la porte d'entrée se soit refermée pour commenter la scène.

— Quel sale caractère. Tu devrais te méfier de lui, Ross.

— C'est un conseil d'amie ?

Elle secoua la tête lentement, sans cesser de fixer la porte d'entrée.

— Non, c'est un conseil de pro.

Alors elle repartit de l'autre côté de la maison. J'étais sur le point de la suivre pour lui demander des explications, mais je m'arrêtai net.

Le soleil était en train de se coucher. J'avais un rendez-vous à préparer, et il n'était pas question de rater mon coup.

Chapitre 44

ssure-toi juste qu'il va bien, OK ?
La dernière phrase de Noelia tournait en boucle dans ma tête. Ainsi que ma réponse.
C'est promis.

C'était la semaine la plus chaotique de toute ma vie. Le lundi, je haïssais Noelia, et le vendredi, je lui jurais de protéger sa famille. J'étais dans un café situé à deux pâtés de maisons d'un pub fréquenté par des ados richissimes, à attendre son petit frère, un apprenti voleur en col blanc.

Pour patienter, je repensais à cette promesse que j'étais surprise de vouloir absolument honorer. Maintenant que j'avais appris la vérité sur ma mère, je ne comptais pas trahir Noelia.

L'endroit sentait le cacao et le sirop d'érable. Il n'y avait pas un bruit : ni jazz en fond sonore ni étudiants pianotant sur leur clavier d'ordinateur. Je m'étais introduite à l'intérieur deux heures après la fermeture et j'avais désactivé le système d'alarme. J'étais donc en tête à tête avec quelques tables vides et une enseigne éteinte.

Mon pied battait la mesure fébrilement quand l'horloge de mon ordinateur flambant neuf indiqua 21 heures. Avec la précision d'une montre suisse (ou plutôt, avec celle d'un vrai professionnel), Nicholi fit son entrée. Une main dans la poche de son manteau, il se comportait comme si notre rencontre dans ce café désert était très banale.

Il inspecta rapidement les lieux avant de s'asseoir en face de moi.

— Quelqu'un m'a suivi depuis l'école, j'en suis sûr.

— Pas d'inquiétude. Il fait équipe avec moi.

— Et toi, tu fais équipe avec Noelia ?

Son regard en coin me fit penser à sa sœur.

— Oui, à ma grande surprise, confirmai-je, ce qui le fit ricaner. Tu l'as ?

Nicholi vérifia une dernière fois que le café était désert, puis il sortit une clé USB de sa poche.

— J'ai tout mis sur un tableur. Ça m'a pris la journée, alors que j'avais un contrôle de maths à réviser.

— Quelque chose me dit que ton avenir ne dépend pas de tes résultats scolaires.

J'insérai la clé dans un port USB. Au même moment, un pop-up jaillit en bas de l'écran. Un tchat auquel ne participaient que deux autres personnes : K et N.

N : Il est 21 h. Alors ?

Je tapai ma réponse.

R : Il est là. K, je t'envoie le fichier.

K : 👍

Nicholi lisait ces échanges par-dessus mon épaule. Il déplaça sa chaise près de moi et tendit une main vers mon clavier. Je tentai d'éloigner l'ordinateur.

— Ce n'est pas un jeu.

— Ouais, ouais, c'est ça, grogna Nicholi en me bousculant pour poser ses mains sur les touches.

R : Tu as des ennuis, Lia ???? Petit frère à la rescousse !!!!

J'attendais la réponse cinglante de Noelia. Elle allait sans doute expliquer à Nicki que c'était elle qui avait dû surmonter un tas d'obstacles pour empêcher son kidnapping. Son frère ignorait tout du danger auquel il était exposé. Je ne lui en avais rien dit.

Mais Noelia se contenta de lui envoyer un émoji levant les yeux au ciel. Classique.

K : Bien reçu. Plus qu'à recouper nos infos 😏

Je suffoquais. C'était maintenant. L'heure de vérité. Avais-je autant de pouvoir entre les mains que je l'espérais ?

Nicholi tambourinait sur la table ; il avait l'audace de manifester son ennui alors que mon monde était peut-être sur le point de s'effondrer.

Si ça ne marche pas, au moins le plan B est à ta merci... et il te fait confiance.

Je m'efforçai de faire taire cette petite voix.

— Alors... Qu'est-ce que vous foutez, en fait ? demanda Nicholi. Quand j'ai vu que Lia voulait recevoir toutes les infos que j'avais collectées pendant l'année, j'ai pensé que ça ne prendrait qu'une minute. Mais on dirait que c'est plus compliqué que ça...

407

Il n'imaginait pas à quel point.

— J'ai un autre tableur qui liste tous les gens qui m'ont… posé problème. Alors si tu as bien orthographié les noms, mon amie va trouver ceux que nous avons en commun.

— Ah, OK. Cool.

Je reçus un e-mail de Kyung-Soon. Elle ne l'avait adressé qu'à moi. Il comportait une pièce jointe.

K : Waouh.

Je double-cliquai sur le petit trombone. Le fichier était si lourd qu'il mit plusieurs secondes à s'ouvrir. Enfin, des centaines de lignes de noms, de numéros de téléphone et d'adresses s'affichèrent à l'écran. Certains noms étaient surlignés en jaune. Je cliquai sur le premier d'entre eux.

```
Dean Pratt, directeur des opérations chez
Pierce Pharmaceuticals Global. A deux enfants
illégitimes, qui vivent actuellement avec sa
maîtresse à Barcelone. L'adresse est…
```

Nicholi hocha la tête.

— C'est le père de Louis, mon coloc.

— Comment as-tu obtenu ces coordonnées ?

— De temps en temps, il écrit une carte à ses demi-frères et sœurs. J'en ai profité pour noter leur adresse.

Je fis défiler le document pour étudier d'autres noms mis en évidence. Felcia Kowalski. Membre de la Cour suprême de Pologne. Consommatrice occasionnelle d'héroïne. La ligne comportait la photo floue d'une femme sur le point de se piquer le bras.

— Henri m'a invité à passer un week-end chez lui. Sa mère était super sympa, quand elle n'était pas... Tu vois, quoi.

Je me figeai. Je venais de repérer un nom très familier. Dubois.

L'Arbitre.

— Et elle ? demandai-je en faisant tourner le curseur autour de son nom.

— Oh ! ça, c'est la mère de Gerri. Ses parents ont divorcé il y a deux ans. D'après ce qu'il m'a raconté, elle a corrompu le juge pour obtenir la garde exclusive. Lui, il aurait voulu vivre avec son autre maman. Tout ça pour l'envoyer à Hauser dix mois sur douze. En plus, elle ne le laisse jamais voir sa mère préférée.

Le fichier son joint donnait sans doute beaucoup plus de détails sur cette histoire. Peut-être assez pour faire perdre à l'Arbitre la garde de son fils, si un vrai juge prenait l'affaire en main.

Je poursuivis mon exploration du gigantesque tableur. Tous les noms répertoriés n'étaient pas associés à des révélations compromettantes, loin de là. Seule une quarantaine d'entrées étaient concernées. Mais c'était plus que suffisant.

Je comprenais désormais pourquoi les Organisateurs voulaient se débarrasser de Nicholi. Son père l'avait chargé d'enquêter sur un homme, mais il avait fini par récolter assez d'informations pour ruiner la carrière d'une dizaine de personnalités publiques et affecter la valeur en Bourse d'autant d'entreprises. Ce gamin était une mitrailleuse sur pattes, et il disposait de toutes les munitions nécessaires à mon plan.

— Tu sais ce qu'on dit : la connaissance, c'est le pouvoir ! m'exclamai-je.

Nicholi pinça les lèvres.

— La connaissance, c'est le contrôle.

Je pressentais qu'il s'agissait là d'une nouvelle citation de Papa Boschert.

J'écrivis un message sur le tchat.

R : On a tout ce qu'il nous faut. Merci à tous les deux.

K : ♥

Pas de réponse de N, mais je n'avais pas le temps de m'en préoccuper. Je n'en avais pas fini.

J'entrepris d'écrire un e-mail sur la *black box*, en y joignant le fichier le plus compromettant au monde.

— Non, non, non ! protesta Nicholi. Tu veux faire chanter quelqu'un, c'est ça ? Alors contente-toi de lui envoyer un extrait.

Les laisser deviner l'ampleur des dégâts… Pas de doute, il était vraiment doué. Dans ce cas de figure, on a toujours tendance à imaginer le pire.

Je copiai un fragment du tableur, en prenant soin d'y inclure la ligne consacrée à l'Arbitre. Juste un petit avant-goût.

J'ouvris ensuite un autre message rédigé à l'avance. Il s'adressait à un si grand nombre de destinataires que j'avais dû demander à Kyung-Soon de m'aider à le préparer. C'était l'ensemble du répertoire de l'hôtel ; des milliers de personnes. Cette fois, je mis le fichier entier en pièce jointe.

Tout était en place. Il était temps de passer à l'action.

— Prête-moi ton téléphone.

Nicholi fronça les sourcils, mais il plongea une main dans la poche de son manteau.

— Tu as un ordi tout neuf, mais pas de téléphone ?

— Je l'ai laissé dans ma voiture.

Je composai le numéro de l'Arbitre, puis je portai l'appareil à mon oreille. Nicholi s'approcha, avec l'intention évidente d'écouter notre conversation. Je déglutis ; j'espérais qu'il n'allait pas paniquer s'il comprenait ce que j'étais censée faire de lui.

Comme je m'y attendais, l'Arbitre décrocha dès la première sonnerie.

Je parlai la première :

— Bonsoir, Aurélie.

J'imaginai ses poils se hérisser.

— Si vous m'appelez de ce numéro, j'imagine que cela signifie que vous avez capturé votre cible. Puis-je savoir ce qui est arrivé à votre téléphone ? Vous n'avez pas…

— Pas beaucoup parlé, ces derniers temps ? Oui, j'étais très occupée. Écoutez, j'ai un e-mail à vous envoyer. Est-ce que vous pourriez me donner votre adresse ?

L'espace d'un instant, il n'y eut plus aucun bruit. Le silence. Je ne percevais rien d'autre que l'obscurité, l'épaule de Nicholi appuyée contre la mienne, l'odeur de café et le martèlement de mon cœur contre ma cage thoracique.

— De quoi s'agit-il ? articula l'Arbitre.

Il y avait un soupçon d'appréhension dans sa voix. Un malaise.

— Une adresse, s'il vous plaît, répétai-je.

Elle soupira. J'entendis des bruits indistincts, puis une notification s'afficha sur l'écran du téléphone de Nicholi. Une liste de chiffres, de lettres et de symboles avec un @ au milieu. J'envoyai immédiatement ma mise en bouche à cette adresse.

— Je vous laisse une minute pour étudier ce document.

Mon petit doigt me disait qu'elle n'était pas la seule à lire le tableur. J'entendais des voix murmurer à l'arrière-plan.

J'attendais sa réaction en tapant du pied.

— Qu'est-ce que c'est que ça ?! hurla l'Arbitre.

Les gens ont tendance à perdre leurs nerfs quand on s'attaque à leur vie privée.

— Ça, c'est ma victoire, répliquai-je. J'en ai marre, de vos règles, alors on va jouer à ma façon, désormais. Voilà ce qui va se passer, Aurélie. Je suis en possession d'un document précieux contenant des informations sur des gens très importants. Je ne sais pas lesquels font partie de votre Organisation, mais je suis certaine d'avoir de quoi causer de sérieux problèmes à plusieurs d'entre eux. Si vous ne m'obéissez pas, je vais envoyer ce petit cadeau à tous mes contacts, sans exception. Compris ?

— Ne vous surestimez pas, s'étrangla l'Arbitre. Nous savons comment intercepter un e-mail.

La contre-attaque… En cas de danger, tous les animaux cherchent à se faire passer pour plus gros qu'ils ne sont. C'était une erreur de sa part.

— Oh ! je n'en doute pas. Mais pouvez-vous en faire disparaître mille ? Cinq mille ? Dix mille ? Tout ça avant que personne ne les lise ? Êtes-vous sûrs de pouvoir pirater mon ordinateur à temps ?

Dommage que Mylo n'ait pas été là. Un coup de bluff pareil l'aurait mis dans tous ses états.

— Que… Qu'est-ce que vous voulez ? me demanda l'Arbitre.

Mon chantage avait porté ses fruits.

— Un milliard de dollars.

J'avais craché ces mots avec une précipitation très éloignée du style décontracté que j'avais su afficher depuis le début de notre conversation. Mais je me moquais de ce que l'Arbitre et ses complices pouvaient bien penser de moi.

— Vous allez transférer cet argent sur un compte offshore. Tout de suite. Je vous envoie les coordonnées.

Je retenais mon souffle. L'Arbitre devait être en train de débattre avec les autres membres de l'Organisation.

— C'est une belle somme, mademoiselle Quest. Autre chose ?

Est-ce que c'était tout ? Ces gens étaient à ma merci… pour le moment. Ils ne mettraient sans doute pas longtemps à trouver un moyen de contrer mon plan. Quelques heures, au minimum. En attendant, j'avais le contrôle de la situation.

Ne tente pas le diable, Ross.

— Ce sera tout, répondis-je.

Toutes les autres choses qui me faisaient envie, je pourrais les obtenir moi-même. La plupart… je les avais déjà, en fait.

— Nous nous occupons du virement. Cela prendra un certain temps…

— Je sais de quoi vous êtes capables. Vous avez dix minutes.

— Très bien, céda l'Arbitre, résignée. Dommage que vous ne vous soyez pas contentée de jouer pour gagner, mademoiselle Quest. Nous aurions adoré travailler avec vous pendant un an.

Chapitre 45

— **Q**uelle badass ! s'écria Nicholi en me donnant une tape dans le dos.

On aurait dit qu'il venait de voir un film d'action trépidant. Je dois dire que j'étais moi-même surexcitée. D'autant que j'étais sur le point de sauver ma mère. Je n'avais eu besoin de kidnapper personne, et j'en avais enfin terminé avec le Trophée.

Je n'avais pas remporté l'ultime épreuve, mais j'étais la *grande gagnante*.

— Tu devrais rentrer avec moi, proposai-je à Nicholi alors que nous avions rejoint la rue, où soufflait une brise fraîche. Jusqu'à présent, je ne voulais pas que… ces gens sachent que je faisais équipe avec Noelia, mais ça n'a plus d'importance. Je suis sûre qu'elle serait contente de te voir. Elle s'est inquiétée pour toi.

Nicholi rougit. Sans doute pensait-il qu'être proche de sa sœur n'avait rien de *cool*.

— Laisse tomber. Mais tu peux lui passer le bonjour. Mes potes doivent se demander ce que je fais.

Il prit la direction du pub au coin de la rue.

Je levai un sourcil.

— Tes *potes* ?

— Mes amis. Mes cibles. Ce n'est pas très clair. Tu connais ça, non ?

Oui, j'en avais une petite idée.

— Merci pour le spectacle gratuit, lança-t-il en me saluant. Dis à Lia qu'elle a une sacrée dette envers moi.

Il s'éloigna, une main dans la poche. Je rejoignis ma voiture, une Hyundai volée, et m'installai au volant. Je me sentais très détendue. Qui allais-je appeler en premier ? Noelia, pour lui confirmer que son frérot allait bien ? Kyung-Soon, pour la remercier de vive voix ? Devroe ? Non, mieux valait le laisser se concentrer sur Nicholi jusqu'à son retour sur le campus ; juste au cas où.

Tatie. Pourquoi n'y avais-je pas pensé plus tôt ? Elle devait être morte d'inquiétude. J'allais pouvoir la rassurer. Maman allait rentrer à la maison. Et moi ? Si je décidais d'enchaîner quelques jobs à travers le monde avec mes nouveaux complices, ma famille allait-elle me le reprocher ?

Non, ils n'étaient pas de simples complices. C'étaient mes amis.

J'appuyai la tête contre la vitre, si satisfaite que j'aurais pu me mettre à ronronner. Je pensais à ce que j'allais dire à Tatie, à tout ce que j'allais lui raconter. Que Maman allait revenir et pourquoi je ne voulais pas lui dire où j'allais partir exactement. Hé, je ne savais même pas où j'allais, de toute façon, mais j'avais le sentiment que l'avenir me réservait de grandes choses.

Tout en rêvassant ainsi, je regardais Nicholi marcher sur le trottoir. Il avait la tête penchée ; sans doute était-il en train de repenser à tout ce qui venait d'arriver. Il n'était pas concentré.

Ce qui explique qu'il n'ait rien pu faire.

Une silhouette surgit d'une allée. Elle coinça la gorge de Nicholi sous son bras tout en appliquant quelque chose sur sa bouche.

Taiyō.

Nicholi se débattit, mais c'était peine perdue. Sur le coup, j'hésitai à réagir. Nicholi était censé avoir un garde du corps. Devroe allait s'interposer d'un instant à l'autre. C'était sa mission.

Alors qu'est-ce qu'il attendait ?

Deux secondes plus tard, je m'étais fait une raison. Il n'était pas là.

— Bordel !

Je démarrai pied au plancher, mais j'eus le mauvais réflexe de mettre les pleins phares. Dès qu'il m'aperçut, Taiyō projeta Nicholi, qui avait perdu connaissance, sur la banquette arrière d'une berline noire garée le long du trottoir.

Dans un crissement de pneus, son véhicule s'élança vers l'avant.

Une main sur le volant, je sortis l'oreillette que j'avais rangée dans ma poche.

Rien d'autre que des parasites. La communication était coupée.

Je jetai l'appareil sur le sol de la voiture.

Taiyō roulait en direction du nord. Je connaissais toutes les routes menant aux gares et aux aéroports les plus proches. Soit l'Arbitre lui avait déjà donné un lieu de rendez-vous, soit Taiyō avait fait le pari qu'il s'agirait d'un aérodrome isolé plutôt que d'une gare bourrée de témoins.

Il avait pris le chemin le plus direct pour une piste d'atterrissage située à quelques kilomètres de la ville, mais ma voiture était plus rapide.

J'ouvris la boîte à gants. Les feux arrière de la berline de Taiyō brillaient au loin. Quelqu'un cria quand je traversai un passage piéton à toute allure.

Je trouvai un stylo. D'une main, j'arrachai une page du livret d'entretien pour y gribouiller un message au-dessus d'un paragraphe vantant l'acier renforcé de la Hyundai.

2 appels de phares : tu sautes !

J'enroulai le mot autour d'une bouteille d'eau pleine, puis le maintins en place avec l'élastique de ma queue-de-cheval.

Pitié, pitié, pourvu que ce gamin soit toujours conscient, et surtout, surtout, qu'il soit digne de sa sœur. Avec un peu de chance, il préférerait sauter d'une voiture en marche plutôt qu'être pris en otage.

J'avais presque rattrapé Taiyō. Il faisait de grandes embardées, comme si nous étions dans Mario Kart et qu'il défendait sa première place.

Il se calma à l'approche d'un pont à sens unique. Il devait se dire que je n'allais pas tenter de le dépasser à cet endroit. Et il avait raison. J'avais eu une autre idée.

Dans un grondement de moteur, je réussis à me mettre à sa hauteur.

La voie sur laquelle je roulais était sur le point de disparaître.

La balustrade en béton du pont se rapprochait à toute vitesse. Pas de temps à perdre. Je risquais de percuter l'obstacle de plein fouet.

Je me servis de mon bracelet météore pour faire éclater la vitre arrière de la berline. Je jetai immédiatement la bouteille à l'intérieur avant d'écraser la pédale de freins. Le volant tourna dans tous les sens quand je me rabattis sur la voie de droite. La ceinture de sécurité m'avait comprimé la poitrine. Une odeur de gomme brûlée m'envahit les narines. Taiyō s'engagea sur le pont à fond de train.

J'avais évité le parapet de justesse. Dans mon rétroviseur, je vis quelques piétons me courir après ; je fis demi-tour à toute allure avant qu'ils aient le temps de me questionner.

Je savais où allait Taiyō et je connaissais un raccourci ; si je mettais les gaz, je pourrais atteindre un certain virage en épingle juste avant lui.

Le vent qui s'engouffrait par la vitre ouverte faisait danser mes tresses. Mes pneus crissaient sur le sol à chaque tournant. Le volant tressautait sans arrêt, comme si le réservoir était rempli d'adrénaline. Par miracle, je n'avais pas croisé la moindre patrouille de police.

Il y avait de moins en moins d'immeubles autour de moi. Bientôt, je vis apparaître des champs et des fermes. Je regardai sur le côté, où devait se trouver une route peu fréquentée toute proche de l'aérodrome. Pas de phares à l'horizon.

J'éteignis les miens ; je devrais me fier à la lueur de la lune et à ma mémoire des lieux. Alors que j'allais atteindre l'intersection entre ma rue et celle que devait emprunter Taiyō, j'aperçus un point lumineux.

Je l'avais devancé.

Je dérapai à travers le croisement. La Hyundai s'immobilisa sur le bas-côté dans un nuage de poussière. Vingt mètres plus loin, je distinguais le virage en épingle et, en arrière-plan, la silhouette du hangar accolé à la piste de décollage.

Je respirais péniblement tandis que la lumière des phares de la berline approchait. Le timing devait être parfait.

Les roues de la berline tournaient sur la chaussée en grondant. Au moment où Taiyō allait me dépasser, juste avant qu'il soit forcé de ralentir pour prendre l'épingle, je fis deux appels de phares.

Allez, Nicki, montre-moi ce que tu as dans le ventre.

L'une des portières arrière s'ouvrit en grand. Nicki sauta dans le vide avant de s'étaler dans la poussière. Je vis les feux de stop de la berline rougir d'un coup. J'allumai mes phares. Nicholi se leva en titubant, une main crispée sur son épaule. Taiyō était en train de faire demi-tour.

Je me ruai vers Nicholi après avoir ouvert la portière passager.

— Tu ne m'avais pas dit que vous bossiez ensemble ? protesta-t-il en se jetant à l'intérieur.

Son front était zébré d'écorchures sanguinolentes.

— C'est un autre mec.

— Et le tien, il est passé où ?

Très bonne question.

Je fonçai sur la route par laquelle Taiyō était arrivé. Il réussit à me rejoindre en une poignée de secondes. J'écrasai la pédale, croyant pouvoir le semer sans problème, mais la voiture n'accéléra pas.

Un voyant s'était allumé. Pression insuffisante. J'avais dû crever un pneu en roulant sur l'accotement.

Nous allions finir par perdre de la vitesse ; le tout était de savoir quand.

— Attache ta ceinture.

Les mains en sang, Nicholi s'exécuta tant bien que mal.

Taiyō gagnait du terrain.

— Tu as toujours ton téléphone ? demandai-je.

Il palpa ses poches avant de secouer la tête.

— Non, il a dû me le prendre quand il m'a…

Je jetai le mien sur ses genoux.

— Mot de passe : 0928. Il nous faut des infos sur sa voiture.

Il obéit sans perdre de temps à me questionner.

— Euh, c'est une…

— On dirait une Tesla S60. Je veux connaître la composition du châssis.

Ses pouces dansaient à toute vitesse sur mon écran. Quelques secondes plus tard, il avait trouvé la réponse.

— Alors… « le modèle S60 de 2020 bénéficie d'un élégant châssis en aluminium… » Pourquoi tu veux savoir ça ?

Taiyō nous collait aux fesses. Le compteur était descendu sous les cent kilomètres-heure. Il allait bientôt pouvoir nous doubler. C'était *maintenant*.

Ma gorge se serra.

— Parce que la nôtre a un châssis en acier, répondis-je.

Alors, sans me poser plus de questions, j'écrabouillai la pédale de freins.

Taiyō ne put nous éviter.

Une nouvelle fois, je sentis mon corps se plaquer contre la ceinture de sécurité.

C'était comme un coup de tonnerre. Un fracas de métal tordu et de verre brisé.

J'avais réussi à ne pas lâcher le volant. J'appuyai sur l'accélérateur.

L'acier est plus résistant que l'aluminium.

Notre moteur était intact ; nous pûmes quitter les lieux en zigzaguant entre les morceaux de voiture éparpillés sur la chaussée.

Je jetai un œil dans le rétroviseur. Le capot de la berline de Taiyō était défoncé. Je ne voyais rien d'autre que du métal plié et des éclats de verre.

J'avais des palpitations dans la poitrine. Je devais garder les yeux sur la route. Taiyō était-il…

J'arrachai mon téléphone des mains de Nicholi, qui semblait tout aussi choqué que moi. Je composai le numéro des urgences suisses.

— Envoyez une ambulance, lançai-je tout en m'éloignant des lieux de l'accident.

Chapitre 46

Une fois hors de danger, il ne fallut pas plus de cinq secondes à Nicholi pour reprendre ses esprits.

— Bordel de merde !

Il se donna des claques sur les joues, puis me frappa à l'épaule.

— Hé !

— C'était quoi, ce délire ? Tu aurais pu me prévenir que ce type voulait me kidnapper !

— Désolée, soufflai-je. Quelqu'un était censé surveiller tes arrières. Mais il… Je ne sais pas où il est passé.

— Pourquoi tu as pris la peine d'appeler une ambulance ?

La question de Nicholi me permit d'éviter de succomber à une crise de panique.

Je me tournai vers lui avant de lancer un rapide coup d'œil à l'épave qui rapetissait au loin.

— Parce qu'il en avait besoin.

Nicholi ricana.

— Mon père l'aurait laissé crever.

— Ne le prends pas mal, mais ton père m'a tout l'air d'être un sale con.

Nous avancions dans une gerbe d'étincelles. La voiture commençait à tanguer. C'était un désastre.

— Essaie d'appeler Noelia.

Nicholi m'approuva d'un hochement de tête. Il composa le numéro de sa sœur tout en faisant tomber quelques bris de verre éparpillés dans ses cheveux.

— Ça ne répond pas.

J'étais paniquée. Encore plus que quand j'avais vu Nicholi se faire embarquer par Taiyō. Noelia ne répondait pas au téléphone. Devroe avait disparu. Une catastrophe était en train de se produire, et je n'étais pas capable d'en prendre la pleine mesure.

— Qu'est-ce qu'on fait ? me demanda Nicholi.

— On va retrouver Lia.

#

Je faillis fracasser la porte de notre location. Toutes les lumières étaient éteintes. Nicholi chercha les interrupteurs à tâtons.

— Noelia ? Devroe ? appelai-je.

Le salon était vide, mais l'ordinateur de Noelia était ouvert sur la table basse.

— Tu es sûre d'être au bon endroit ? me questionna Nicholi.

Un gémissement étouffé émana du couloir. Nous suivîmes le son jusqu'à la porte de la petite salle de bains. Elle était fermée à clé. Cette fois, c'est Nicholi qui se chargea de l'enfoncer à grands coups de pied.

Noelia était attachée au tuyau du lavabo au moyen de trois paires de menottes. Elle avait du Scotch sur la bouche et de gros cernes sous ses yeux rougis.

— Putain ! glapit Nicholi.

Il me bouscula pour s'agenouiller devant sa sœur. Il palpa ses poches, sans doute pour y chercher de quoi crocheter les menottes. Je lui tendis une épingle tirée de mes tresses.

Pendant qu'il s'acharnait sur la serrure, je retirai le bout de Scotch. Noelia recracha le chiffon qu'on lui avait fourré dans la bouche.

— Qu'est-ce qu'il s'est passé ? Où est Devroe ?

— Il est…

Elle fut secouée par une violente quinte de toux.

— C'est ça, prends tout ton temps, ironisa Nicholi, qui était sur le point de venir à bout de la dernière paire de menottes. On n'est pas pressés.

— Ta… gueule… Nicki…

Noelia massa ses poignets endoloris. Une nouvelle quinte de toux lui arracha quelques larmes.

— Noelia, insistai-je. *Devroe.*

— Qui m'a fait ça, d'après toi ? gronda-t-elle avant de se ressaisir. Il est revenu plus tôt que prévu. Et il… Il a pris l'adresse que tu m'avais donnée.

Non. Impossible. C'était un cauchemar.

— Tu mens.

Mais je ne croyais pas à mes propres paroles.

425

— Je suis désolée, s'effondra-t-elle tandis que de nouvelles larmes, des larmes d'une autre nature, se mirent à couler sur ses joues. J'ai fait ce que j'ai pu. Comment savait-il que j'avais cette adresse ?

Je laissai un sanglot m'échapper. Mes yeux me brûlaient.

— C'est moi qui lui en ai parlé.

Je devais me ressaisir. Ce n'était pas le moment de flancher.

Je sortis mon téléphone. Je consultai d'abord la fiche de contact de Devroe, comme si je pouvais y apprendre où il était et ce qui était en train d'arriver. Puis j'ouvris le dossier que j'avais copié depuis son téléphone. Peut-être qu'un de ces fichiers retraçait ses déplacements en temps réel ? La réponse était non, bien sûr.

Je m'accroupis pour explorer le dossier une nouvelle fois. J'étais peut-être passée à côté de quelque chose ? Je relus ses échanges avec sa mère. Celle qu'il espérait retrouver grâce au Trophée. Les messages qu'elle lui avait écrits n'étaient qu'une suite aléatoire de chiffres. Devroe m'avait précisé qu'elle ne lui envoyait que des textos cryptés.

Pourquoi comportaient-ils tous le même nombre de chiffres ?

J'ouvris sa liste de contacts ; une courte série de numéros sans noms associés. J'appuyai d'un doigt tremblant sur l'un d'entre eux. La fiche contenait des données de géolocalisation. Même chose pour le contact suivant, et celui d'après. J'effectuai des allers-retours entre les textos et les fiches pour comparer les chiffres.

Ils étaient identiques. Ce n'étaient pas des messages cryptés, que lui envoyait sa mère ; elle l'informait de sa position. Il avait *toujours* su où elle était. Ce qui signifiait qu'il m'avait menti.

S'il ne comptait pas faire le vœu de retrouver sa mère, alors qu'avait-il en tête ?

Une notification s'afficha sur mon écran. Un texto de Devroe.

Je n'avais pas le choix.

Je suis désolé.

— Il… Il faut que j'aille voir ma tante.

Je sortis de la salle de bains en titubant, avec l'impression de descendre du manège le plus éprouvant au monde.

Devroe savait où j'habitais. Où trouver Tatie. Ce devait être elle, sa véritable cible. Pourtant, il m'avait montré la photo de quelqu'un d'autre. Il avait tout prévu depuis le début. Avait-il toujours su en quoi consisterait l'ultime épreuve ?

Une fois dehors, j'appelai Tatie.

Pas de réseau.

Je tentai notre fixe. Toujours rien.

Alors je misai tout sur notre numéro d'urgence.

Il sonna.

Tatie décrocha.

— Ross ?

— Tu dois partir tout…

— Hein ? (La communication était de plus en plus mauvaise.) Où… tu…

— Tu dois quitter l'île ! je hurlai.

Or, c'était inutile. Elle ne pouvait pas m'entendre. L'appel prit fin. Je réessayai, mais comme pour les autres numéros, la ligne semblait coupée.

Gagnée par la panique, je rappelai l'Arbitre. Sauf que cette fois, c'était moi qui ne savais pas à quoi m'attendre.

— Je commence à me lasser de vos appels, mademoiselle Quest.

— Passez-moi ma tante !

De nouveau, ces murmures soucieux en arrière-plan.

— Et pourquoi ferais-je une chose pareille ?

— Car sinon, je n'hésiterai pas à me servir de mon tableur pour vous démolir.

— Oh, vraiment ? Notre précédente discussion s'est achevée il y a plus d'une heure. Consultez votre ordinateur. Je serais étonnée que vous y retrouviez ce fameux fichier.

J'avais les mains moites. *Tout* était moite. Ma vie était en train de me glisser entre les doigts.

— Allons, Rosalyn, vous avez tenté votre chance. C'était impressionnant. Pour vous prouver que l'Organisation tient toujours parole, nous sommes en train de procéder au virement. Bien entendu, il y aura une contrepartie.

— Très bien. Qu'est-ce que je dois faire ?

L'Arbitre ne me répondit pas tout de suite.

— Nous n'en sommes pas encore sûrs. Attendez nos instructions.

J'ouvris la bouche pour protester, mais elle avait raccroché. Quand je tentai de la rappeler, le numéro n'était plus attribué.

Putain d'Organisation.

Maman. J'avais besoin d'elle. Elle devait me dire quoi faire.

Alors je la contactai. Et cette fois, c'est elle qui décrocha.

— Ross, je ne savais pas. Je ne savais pas qu'elle était la…

Une fois de plus, sa voix se mit à grésiller, puis la communication fut coupée.

Je hurlai. Mais que se passait-il ? Mon monde s'effondrait, et je ne comprenais même pas pourquoi.

Je n'avais pas l'intention d'attendre les instructions de l'Arbitre. Je devais prendre un avion pour retourner chez moi. Sauf que, même si j'y parvenais, Devroe aurait toujours un coup d'avance. Impossible de rejoindre Tatie avant lui. Cela dit… mes amis en étaient peut-être capables.

Mylo avait évoqué « un bar d'enfer à Miami ». La Floride n'était qu'à une heure d'avion des Bahamas. Avec un peu de chance, ils étaient encore là-bas.

Ma liste de contacts n'était pas longue à éplucher.

— Salut…, lança Kyung-Soon. J'espère que tu ne vas pas me demander une copie du tableur, parce qu'il a carrément disparu de tous mes appareils. Je n'ai jamais vu un truc pareil, c'est limite flippant, tu…

— Laisse tomber, je l'interrompis. Mylo est là ?

— Si par « là », tu veux dire au sous-sol en train d'essayer de pirater une machine à sous... alors la réponse est oui.

— Parfait. (J'inspirai profondément.) Écoute, je sais que vous ne me devez rien et que vous m'avez déjà beaucoup aidée aujourd'hui, mais... j'ai encore quelque chose à vous demander.

— À ton service. Tant que c'est fun. Je suis sûre que Mylo sera partant aussi.

J'avais besoin d'eux. C'était ma seule chance.

— Cherche un avion pour Andros, dans les Bahamas. Vous devez aller sauver ma tante.

Chapitre 47

Après m'être rongé les sangs dix heures dans un avion, j'atterris enfin à Nassau. Plus qu'un changement d'aéroport et un ultime vol avant d'arriver chez moi. Je comptais bien profiter de ce court moment avec du réseau pour faire le point sur la situation.

Je commençai par appeler Mylo. Pas de réponse. En bas de la passerelle d'embarquement, j'essayai de joindre Kyung-Soon. Quand elle décrocha, j'étais déjà en train de traverser au pas de course le terminal.

— Kyung-Soon ! Vous êtes avec ma tante ? Qu'est-ce qu'il s'est passé ?

— Suite à un malheureux concours de circonstances, leur vol a été dérouté. Ils patientent sur un tarmac de l'archipel des Keys.

L'Arbitre.

— Je vous avais pourtant dit d'attendre nos instructions.

— Vous saviez très bien que je n'allais pas vous obéir.

— Exact.

Pourquoi avais-je l'impression qu'elle souriait jusqu'aux oreilles ?

Si j'avais un jour l'occasion de cogner cette femme, elle allait comprendre sa douleur.

Je passai devant le tapis roulant des bagages avant de me ruer dehors, où j'arrêtai le premier taxi venu.

— Qu'est-ce que vous me voulez ? demandai-je à l'Arbitre. Vous avez des nouvelles du virement bancaire ? Vous avez déterminé une rançon pour ma tante ?

— Les deux. Le hasard fait bien les choses : puisque vous êtes de passage, nous pourrions nous rencontrer pour discuter de… la nouvelle donne.

Mon téléphone vibra. Une adresse à Nassau. Je connaissais cette zone. Le seul véritable bâtiment dans ce coin de l'île était un hôtel en construction. Tout à fait leur style.

— Nous nous réjouissons de vous revoir.

#

Le Bahama-Mar Hotel était en chantier depuis des années. Je me souvenais d'être passée devant avec Maman alors que j'étais encore une enfant. Comme à l'époque, les fenêtres étaient recouvertes de plastique. À première vue, on aurait dit un club de vacances, mais à l'intérieur il y avait des bâches et des échafaudages dans tous les coins. Une odeur de peinture et de ciment saturait l'air.

Je reçus un texto de l'Arbitre :

Je courus de couloir en couloir. Comme il n'y avait aucun panneau, j'avais l'impression d'arpenter un labyrinthe. Mais peu à peu, je commençai à y voir plus clair. De la moquette était apparue sous mes semelles à damier. Les murs étaient de plus en plus colorés. Pour finir, je pénétrai un vaste hall fraîchement repeint où une plaque indiquait la direction de la « salle Corail ». Je me précipitai vers les hautes portes qui se découpaient à l'autre bout du hall. J'en ouvris une et m'engouffrai dans la pièce.

Au centre de la salle se tenait une personne éclairée par un spot lumineux.

Devroe.

Quelques heures plus tôt, j'étais lovée dans ses bras. J'avais eu la faiblesse de tomber amoureuse de lui. J'avais commis l'irréparable : je lui avais fait confiance.

Le bracelet en or rose qu'il m'avait offert était toujours à mon poignet. Pour lui, ce devait être la cerise sur le gâteau. Je libérai mon bracelet météore, bien décidée à m'en servir.

— Tu avais tout prévu depuis le départ ?

Alors que j'allais passer à l'attaque sans attendre sa réponse, des lumières s'allumèrent, révélant une masse informe de spectateurs. Un tonnerre d'applaudissements me stoppa dans mon élan. Notre auditoire était installé sur un balcon, un étage au-dessus de nos têtes. L'éclairage ne me permettait de distinguer que des silhouettes. De simples ombres sans visage, en robe de soirée ou en costume, qui battaient des mains et se parlaient à voix basse comme s'ils assistaient à un show grandiose. J'en tremblais de rage.

Lorsque mes yeux s'accoutumèrent à la pénombre, je parvins à reconnaître certains des spectateurs.

L'homme au costume rayé ; je l'avais croisé dans le train pour Paris. Cette vieille dame qui applaudissait avec enthousiasme ; impossible d'oublier l'énorme broche qu'elle portait quand nous nous percutâmes au musée. Je repérai le monsieur dont j'avais volé le téléphone dans l'ascenseur de l'hôtel. Et cet homme âgé sur le point de boire une gorgée de champagne, c'était le lecteur de journaux assis dans notre wagon.

Les pièces du puzzle s'emboîtaient peu à peu. Tout au long du concours, les Organisateurs ne s'étaient pas contentés de nous espionner à l'écran. Ils avaient été jusqu'à se déplacer. Pour manipuler le cours des événements. Pour nous manipuler.

— Félicitations, monsieur Kenzie, lança une voix familière.

L'Arbitre s'avança. Elle portait une robe de soirée rouge à paillettes et tenait sa tablette comme s'il s'agissait d'un talisman.

— Vous avez remporté cette édition du Trophée, annonça-t-elle. Quant à vous, mademoiselle Quest… vous pouvez vous vanter d'avoir marqué les esprits. C'était un grand cru. Mais le moment est venu d'en finir, poursuivit-elle en se tournant vers notre public. Vous avez droit à un vœu, monsieur Kenzie, et je crois savoir ce que vous allez demander.

Sa tablette s'alluma, mais je ne pus voir ce qui s'affichait sur l'écran.

— Je me fous de son vœu, grondai-je. D'abord, parlons de ma tante. Où est-elle ?

L'Arbitre haussa les sourcils sans quitter des yeux sa tablette.

— Vous n'imaginez pas à quel point tout est… lié. Elle tourna l'écran vers moi. C'était… ma mère.

— Maman !

Je me jetai sur l'Arbitre pour lui arracher l'appareil des mains, mais elle fit un bond en arrière. Les spectateurs semblaient tous regarder la même chose sur leur téléphone ou leur tablette.

Maman déglutit. Elle était assise, encadrée par ses geôliers. Je ne voyais que leur ombre, et ils paraissaient nombreux.

Je me tournai vers l'Arbitre, dont l'attitude indifférente achevait de me mettre hors de moi.

— Vous étiez censés payer sa rançon, je rugis.

Alors pourquoi était-elle toujours captive ?

— Oh ! mais nous l'avons fait. Le milliard a été viré sur le compte indiqué… mais quelqu'un l'a aussitôt transféré vers un autre compte, puis sur un troisième détenu aux Bahamas.

Quoi ? Aux Bahamas ?

Je savais que notre pays était un paradis fiscal, mais l'Arbitre avait laissé entendre que… Était-il possible que…

Maman prit la parole :

— Ross, je…

Elle tendit une main vers l'écran, comme si elle espérait pouvoir me toucher.

L'Arbitre intervint d'une voix forte, telle une actrice sur scène :

— Ces gens ne sont pas ceux qui ont kidnappé votre mère. Ou plutôt, qui ont *prétendu* la kidnapper. Ils font partie de l'Organisation.

Je l'entendais parler, mais j'étais obnubilée par la main de Maman, que je venais d'apercevoir un instant. Ses doigts, ses ongles… La dernière fois que je l'avais vue, ils étaient impeccables et vernis. Désormais, deux d'entre eux étaient fissurés et ébréchés, ce qui n'avait rien d'étonnant puisqu'elle avait été détenue dans une cellule pendant deux semaines. Mais les trois autres étaient presque intacts. Comme si…

Comme si elle avait entrepris de les abîmer elle-même avant d'être interrompue.

J'avais la nausée. La pièce tanguait autour de moi. Mes mains étaient toutes tremblantes. Je refusais d'y croire. *Non, non, non.* Pourtant, j'avais tout de suite su que c'était vrai. Tout comme il était vrai qu'elle avait fomenté la prétendue trahison de Noelia des années plus tôt.

Elle m'avait manipulée.

— Oh ! mon Dieu…

Mes yeux étaient pleins de larmes ; des larmes de colère, des larmes de désespoir.

— Tu ne t'es jamais fait kidnapper.

Le silence était absolu. Le public se régalait de voir cette révélation me dévorer de l'intérieur.

Maman était hagarde ; pour la toute première fois de ma vie, je constatais qu'elle ne savait pas quoi dire.

— Tu… Tu n'étais pas censée le découvrir.

Les jeux étaient faits. À cet instant précis, mon dernier espoir que ce soit faux, que j'aie mal interprété la situation partit en fumée.

— MAIS C'EST QUOI, TON PROBLÈME ?

Je hurlais. Je pleurais. Je sentais mon cœur se désagréger. Je secouais la tête sans plus pouvoir m'arrêter.

— J'ai failli mourir ! hoquetai-je. Je croyais que *tu* allais mourir ! Je m'en suis tellement voulu, de t'avoir menti, et encore plus d'avoir essayé de m'enfui…

Un douloureux sanglot m'empêcha de poursuivre. Je m'essuyai les yeux du revers de la manche. C'était pour ça, qu'elle avait tout organisé. Elle avait sans doute découvert l'invitation dans la *black box* bien avant moi, et elle s'en était servie pour concevoir ce cauchemar.

— Je ne voulais pas te faire de mal, insista Maman en levant les mains. Et je te savais capable de tout surmonter. D'ailleurs, tu vas bien, non ?

Bien ? C'était ce qu'elle appelait « aller bien » ? Ma santé mentale, mes sentiments… risquaient d'être abîmés à jamais.

— Tu l'avais compris depuis longtemps, articulai-je. Que je voulais partir. Que *j'allais* partir. Et tu étais trop dérangée pour le supporter.

Tout me semblait terriblement clair ; je venais de passer deux semaines au cœur de cette réalité. Comment aurais-je pu la quitter après avoir failli causer sa mort, après qu'elle avait été retenue en otage par ma faute ? Elle m'avait atrocement manqué, à chaque seconde. J'avais été prête à tout pour retrouver ma maman, pour être avec elle. Je serais restée à la maison des années, et si j'avais manifesté la moindre envie de partir, elle n'aurait eu qu'à évoquer ma tentative précédente pour m'en dissuader. Elle se serait servie de ce souvenir, tout comme elle s'était servie de la « trahison » de Noelia durant tout ce temps. Et si ça n'avait plus fonctionné, elle aurait trouvé un autre moyen de me forcer à demeurer auprès d'elle.

Je serrais les poings.

— Tu es diabolique.

— J'essayais juste de te remettre sur le droit chemin, insista Maman.

— Et Tatie ? À cause de toi, elle s'est fait enlever ! Tu étais au courant ?

Maman fit la moue.

L'Arbitre s'éclaircit la gorge et s'avança vers moi. Elle semblait pressée de jeter un nouveau pavé dans la mare.

— Mme Quest nous a contactés avant le début du Trophée. Elle désirait savoir en quoi consisteraient les épreuves de cette édition. D'ordinaire, nous ne partageons jamais ce type d'information, mais elle nous a tout expliqué et nous a garanti qu'elle ne vous dirait rien. Nous avons alors accepté de lui décrire l'ultime épreuve.

Elle savait que Tatie faisait partie des cibles.

— Elle nous a proposé un arrangement, poursuivit l'Arbitre. Dans l'éventualité où sa sœur serait kidnappée, elle était prête à nous verser cinq cents millions pour la délivrer.

Cinq cents millions… sur le milliard que j'avais forcé l'Organisation à lui transférer comme prix de sa prétendue liberté.

— Comme ça, non contente de m'obliger à vivre avec toi quelques années de plus, tu aurais gagné cinq cents délicieux millions de dollars, commentai-je avant de ricaner, effarée par son cynisme. Tant pis pour Tatie. La famille avant tout, hein ? Et tu t'imagines que je vais continuer à croire tes bobards ?

Maman baissa les yeux. Si cette femme se mettait à pleurer, j'allais devenir dingue.

— Si vous aviez gagné en respectant les règles, comme Mme Quest a tenté de vous y encourager, nous aurions tenu notre promesse. Mais ça ne s'est pas passé ainsi, et nous avons d'autres éléments à prendre en compte, désormais.

L'Arbitre lança un regard appuyé par-dessus mon épaule, pour m'inciter à me retourner. Devroe était toujours là ; il nous observait d'un air sombre. Le chaos était tel que j'avais fini par oublier sa présence. C'était trop. Trop de douleur d'un coup.

— Monsieur Kenzie, vous avez donc droit à un vœu, reprit l'Arbitre. Connaissant Mme Abara, je sais ce qu'elle attend de vous.

Abara. J'avais déjà entendu ce nom. Mais où ?

Le dossier secret. Les anciennes éditions du Trophée. Celle remportée par ma mère. L'un des participants s'appelait Abara.

— Ta mère a participé au Trophée avec la mienne, soufflai-je.

Devroe tira sur le pan de sa veste. J'avais donc vu juste.

J'éclatai de rire.

— Je n'en reviens pas, d'avoir gobé ton baratin sur ton père. Tu cherchais vraiment à me battre pour venger ta mère ?

Je ne voulais pas montrer que j'étais blessée, mais c'était le cas. Je souffrais. Notre petit jeu, nos baisers, ces moments qui avaient tant compté pour moi… Tout cela avait été au service de sa trahison au long cours. J'avais eu des doutes, mais j'avais décidé de tenter ma chance malgré tout.

On ne m'y prendrait plus.

Je vis la mâchoire de Devroe se contracter.

— Mon père voulait participer au Trophée, mais sa maladie l'en a empêché. Alors ma mère a pris sa place. Elle était sur le point de gagner ; elle allait demander à l'Organisation de tout faire pour lui sauver la vie, expliqua-t-il en se tournant vers l'Arbitre. Sauf que ta mère l'a battue, même si elle savait très bien quel souhait la mienne s'apprêtait à formuler.

Devroe se précipita vers l'Arbitre. Ses yeux exprimaient l'intensité de sa douleur. Il se pencha vers la tablette pour dévisager Maman.

— C'était quoi, votre souhait à vous ? Qu'est-ce qui pouvait avoir plus d'importance que la vie d'un homme ?

Maman l'observa un long moment. Moi aussi, j'attendais sa réponse. J'espérais apprendre qu'elle n'avait pas toujours été vicieuse à ce point.

Mais la gravité de la question posée par Devroe ne suffit pas à la déstabiliser : elle le congédia d'un mouvement de poignet avant de détourner le regard. Comme s'il n'était personne et qu'elle se fichait totalement de ses états d'âme.

La souffrance de Devroe était si visible que c'en était à peine supportable.

— Toujours aussi impitoyable, Rhiannon, s'amusa l'Arbitre. Au moins, tu mourras droite dans tes bottes.

L'un des hommes de main pointa un pistolet en direction de la tête de Maman. Elle se mit à haleter quand il appuya le canon contre sa tempe. J'allais crier, mais la sensation d'une arme posée sur ma propre nuque m'en empêcha. Je me figeai.

— Un autre de nos hommes tient Jaya Quest en respect dans les coulisses, expliqua l'Arbitre au public. Et nous pouvons charger une équipe de s'occuper du reste de la famille avant la tombée du jour. Que désirez-vous, monsieur Kenzie ? Nous pouvons nous contenter de tuer Rhiannon Quest, ou exécuter l'ensemble de la famille. Ce serait une grande perte pour notre corporation, mais la décision vous appartient. Nous sommes à votre disposition.

J'allais faire une crise d'angoisse. Maman, Tatie, Grand-père, Grand-mère et même ma grand-tante. Tous morts.

Et moi aussi. Je vivais peut-être mes derniers instants. Même si je parvenais à éliminer la personne qui pressait une arme sur ma nuque, il y aurait du renfort. Je n'en doutais pas.

C'était une vengeance parfaite.

Qu'est-ce qu'il attendait ?

Devroe avait reculé d'un pas. Une délicieuse tension électrisait l'espace. Délicieuse pour les gens qui nous observaient depuis le balcon.

Et Devroe ne faisait plus un geste. Il tremblait. De peur ? De colère ? Il regardait ses pieds.

— Mon père m'a demandé d'obéir à ma mère.

Fais tout ce qu'elle te demande. C'était écrit noir sur blanc dans la lettre que j'avais lue.

— Peut-être qu'elle nous observe, vous savez, l'encouragea l'Arbitre. Il ne faudrait pas la décevoir.

— Devroe…, je gémis.

Il se tourna vers moi. Son visage était toujours aussi fermé et il ne semblait pas en mesure de me regarder en face. Mais c'était un début.

— *Je t'en supplie.*

Ses yeux se troublèrent.

— Je veux… Je veux garder mon souhait pour plus tard.

Un concert de lamentations s'éleva du balcon.

— En êtes-vous sûr ? demanda l'Arbitre.

— Oui.

L'Arbitre soupira. On retira le canon posé contre ma nuque. Je tombai à genoux avant de presser une main sur ma bouche. Sur la tablette, j'aperçus Maman, les yeux fermés, qui retenait son souffle. L'Arbitre s'adressa à l'écran.

— Laissez-la partir.

Un tintement signala la fin de l'appel vidéo. Maman était libre. En dépit de ce que je ressentais pour elle, j'étais soulagée de la savoir en sécurité. Mais…

— Ma tante, lançai-je en me relevant, tandis que mon rythme cardiaque repartait au triple galop. Je veux la retrouver. Je ferais n'importe quoi.

J'ignorais s'ils avaient l'intention de respecter la parole donnée à Maman, ou si tout venait de voler en éclats.

L'Arbitre consulta sa tablette.

— Nous avons choisi de réviser notre accord à ce sujet. L'Organisation est prête à accepter la rançon, mais à une condition : vous devrez travailler pour nous pendant toute l'année à venir.

Elle affichait un sourire radieux.

Une année. Une année avec Devroe ?

Je secouai la tête.

— Et si… Si Devroe décide d'utiliser son souhait ? bredouillai-je.

J'éprouvais encore la sensation du canon contre ma peau.

— Nous aviserons le moment venu. Pour l'heure, nous nous réjouissons de cette collaboration. Vous

vous êtes tous les deux montrés très doués… et surprenants, chacun à votre manière.

Ce n'était peut-être pas une si mauvaise nouvelle.
Un an avec Devroe… ce serait l'occasion de le tenir à
l'œil. Je n'avais de toute façon pas le choix.

— J'accepte.

— Merveilleux, s'extasia l'Arbitre.

Le public semblait de son avis, à l'exception de
ceux qui paraissaient encore contrariés qu'une famille
entière ne se soit pas fait exterminer en un claquement
de doigts. Mais sans doute que la perspective de me
voir forcée de travailler main dans la main avec mon
nouvel ennemi juré pendant toute une année, sous la
menace permanente d'être mise à mort, suffirait à les
divertir.

Et ils n'avaient aucune raison de penser que Devroe
ne déciderait pas de se venger un jour ou l'autre. Le
Jugement dernier n'avait pas été annulé ; seulement
remis à plus tard.

L'Arbitre posa un doigt sur sa tablette.

— Vous pouvez vous préparer à partir. Votre
contrat débute maintenant.

Devroe et moi échangeâmes un regard lourd des
millions de choses que nous avions à nous dire.

J'allais travailler avec mon ennemi pendant un an,
sous la menace d'une mort imminente.

Par chance, j'avais adopté une nouvelle règle : ne
fais confiance à personne.

Ouvrage composé par
PCA – 44400 Rezé

Imprimé en Espagne par
Liberdúplex
S34915/01

PKJ. www.pocketjeunesse.fr
POCKET JEUNESSE

92, avenue de France – 75013 Paris